Inspecteur de police, reporter à la télévision norvégienne, avocate spécialisée dans les affaires d'enfants et ministre de la Justice, le parcours d'Anne Holt et sa connaissance du milieu criminel d'Oslo donnent à ses romans policiers toute leur richesse. C'est avec *La Déesse aveugle* qu'elle débute sa carrière de romancière en 1993, puis elle reçoit en 1994 le prix Riverton qui, en Norvège, couronne le meilleur roman policier de l'année, pour *Bienheureux ceux qui ont soif*, et en 1995 le prix des Libraires pour *La Mort du démon*. Trois de ses romans, ayant pour personnage principal Hanne Wilhelmsen, inspecteur du commissariat d'Oslo, ont été portés à l'écran. *Une erreur judiciaire* met en scène deux enquêteurs : Vik et Stubø.

La Déesse aveugle
Odin éditions, 1998
et « Points », n° P767

Bienheureux sont ceux qui ont soif
prix Riverton
Odin éditions, 1999
et « Points », n° P1040

La Mort du démon
prix des Libraires
Odin éditions, 2002

Cela n'arrive jamais
Plon, 2008
et « Points », n° P2061

Anne Holt

UNE ERREUR JUDICIAIRE

ROMAN

Traduit du norvégien
par Alex Fouillet

Plon

TEXTE INTÉGRAL

TITRE ORIGINAL
Det som er mitt
ÉDITEUR ORIGINAL
Cappelen, Oslo

ISBN original : 82-02-20197-7
© J.W. Cappelens Forlag a.s. 2001

ISBN 978-2-7578-0849-8
(ISBN 978-2-259-20256-5, 1re publication)

© Plon, 2007, pour la traduction française

À ma maman et à mon papa

Note du traducteur

En Norvège, le vouvoiement a presque complètement disparu. Seule une frange très réduite de personnes âgées l'utilisent encore.

Outre les vingt-six lettres que nous connaissons, l'alphabet norvégien compte trois voyelles, rejetées après le z :
– æ, voyelle intermédiaire entre un *a* et un *è*, correspondant au *a* de l'anglais « man » ou à la prononciation parisienne de « car »
– ø, qui se prononce comme le groupe « eu » dans « peu »
– å, qui se prononce comme le *o* de « pot »

LE PLAFOND FUT BLEU. L'homme dans le maga-
sin prétendait que la couleur sombre ferait paraître la
pièce plus petite. Il se trompait. Au contraire, le pla-
fond se souleva, disparaissant presque. Comme je le
souhaitais moi-même quand j'étais petit : une voûte de
ténèbres, tachetée d'étoiles, autour d'un mince crois-
sant de lune juste au-dessus de la fenêtre. Mamie choi-
sissait pour moi, en ce temps-là. Mamie et maman. Une
chambre de garçonnet peinte en jaune et blanc.

Le bonheur est une chose dont je peux tout juste me
souvenir, comme un frôlement léger dans une assemblée
d'inconnus ; disparu avant que vous n'ayez eu le temps
de vous retourner. Lorsque la chambre fut terminée et
qu'il ne resta plus que deux jours avant qu'il arrive enfin,
je me sentis satisfait. Le bonheur est une chose enfantine,
et j'approche des trente-quatre ans, ne l'oublions pas.
Mais j'étais content, bien entendu. Je me réjouissais.

La chambre était prête. Un gamin était assis à cali-
fourchon sur la lune. Blond, tenant une canne à pêche,
une tige de bambou munie d'un fil et d'un flotteur, et,
tout en bas, suspendue au crochet : une étoile. Une
goutte superflue de jaune tombait vers l'encoignure de
la fenêtre, comme si le ciel se mettait à fondre.

Mon fils pouvait enfin arriver.

1

ELLE RENTRAIT de l'école. Le 17 mai approchait.
Ce serait la première fête nationale*¹ sans maman. Son
costume folklorique était trop court. Maman l'avait
déjà rallongé deux fois.

Émilie avait été réveillée par un cauchemar, cette
nuit-là. Papa dormait ; elle entendait de petits ronfle-
ments à travers la cloison, et elle tenait le costume serré
contre elle. La bordure rouge lui arrivait maintenant au
genou. Elle grandissait trop vite. Papa le disait
souvent : la mauvaise herbe, ça pousse ! Émilie avait
passé la main sur l'étoffe de laine et s'était recroque-
villée du mieux qu'elle l'avait pu. Sa grand-mère
maternelle répétait sans cesse : Grete était une asperge,
pas étonnant que la gosse grandisse comme ça.

Ses épaules et ses cuisses avaient fini par fatiguer.
C'était la faute de maman, si elle était si grande. La
bordure rouge lui couvrirait tout juste le genou.

Elle pouvait peut-être demander une nouvelle robe.

Son cartable était lourd. Elle avait ramassé du tussi-

---

* Toutes les notes sont du traducteur.
1. Le 17 mai commémore la naissance de l'État norvégien, par la
signature de la constitution d'Eidsvoll en 1814.

lage. Le bouquet était si gros que papa devrait sortir un vase. Les tiges étaient longues ; pas comme quand elle était plus jeune, quand elle cueillait seulement les têtes qui flottaient ensuite tristement dans un coquetier.

Elle n'aimait pas marcher seule. Marte et Silje étaient parties ensemble. Elles n'avaient pas dit ce qu'elles allaient faire, elles lui avaient juste fait un petit signe par la lunette arrière de la voiture de la mère de Marte.

Le tussilage avait besoin d'eau. Certaines tiges pendaient déjà mollement et Émilie essaya de ne pas trop serrer le bouquet. Une fleur tomba sur le sol, et elle se pencha pour la ramasser.

– Tu t'appelles Émilie ?

L'homme souriait. Émilie regarda derrière elle. Il n'y avait personne d'autre sur ce petit chemin, un passage entre deux rues fréquentées qui raccourcissait de plus de dix minutes le trajet du retour. Elle murmura deux ou trois mots indistincts et recula de quelques pas.

– Émilie Selbu ? C'est bien toi, n'est-ce pas ?

Ne parle jamais aux inconnus. Jamais aux hommes que tu ne connais pas. Sois polie envers tous les adultes.

– Oui, murmura-t-elle en essayant de passer.

Sa chaussure, une chaussure de sport toute neuve à bandes roses, s'enfonça dans la boue et les feuilles mortes. Émilie faillit perdre l'équilibre. L'homme la saisit par le bras avant de lui plaquer quelque chose sur le visage.

Une heure et demie plus tard, il fut déclaré à la police qu'Émilie Selbu avait disparu.

2

– JE N'AI JAMAIS RÉUSSI à oublier cette affaire.
Par mauvaise conscience, peut-être. D'un autre côté, je
venais de finir mes études de droit à une époque où les
mères d'enfants en bas âge devaient s'occuper exclusivement de leur foyer. Je n'aurais pas pu dire grand-
chose.

Dans son sourire, il y avait une supplique pour qu'on
la laisse tranquille. La conversation durait depuis bientôt deux heures. La femme alitée avait le souffle court,
visiblement incommodée par la puissante lumière du
soleil. Ses doigts se contractèrent sur le drap.

– Je n'ai que soixante-dix ans, haleta-t-elle, mais je
me sens si vieille. Vous m'excuserez.

Inger Johanne Vik se leva et tira les rideaux. Elle
hésita, puis demanda sans se retourner :

– C'est mieux ?

La vieille dame ferma les yeux.

– J'ai tout écrit. Il y a trois ans. Quand je suis partie
en retraite, en pensant que j'aurais...

Elle leva une main fine.

– ... le temps.

Inger Johanne Vik regardait fixement le dossier posé
sur la table de nuit, à côté d'une pile de livres. La
vieille hocha légèrement la tête.

– Prenez-le. Je ne peux plus faire grand-chose,
maintenant. Je ne sais même pas s'il est toujours
vivant. Si c'est le cas, il doit avoir... dans les soixante-
cinq ans.

Elle ferma les yeux. Sa tête tomba lentement sur le
côté. Sa bouche s'entrouvrit, et lorsque Inger Johanne
Vik se pencha pour récupérer le dossier rouge, elle sentit son haleine de malade. Elle fourra les papiers dans
son sac avant de se diriger sans bruit vers la porte.

– Une dernière chose, pour finir...

Inger sursauta et se retourna vers la vieille.

– On m'a demandé comment je pouvais en être aussi sûre. Certains pensent que tout ça n'est qu'une idée fixe chez une vieille dame qui n'est plus bonne à rien. C'est vrai que je n'ai rien fait pendant toutes ces années où... Quand vous aurez tout lu, je vous serais reconnaissante de me dire...

Elle toussota. Ses yeux se fermèrent lentement. Il y eut un moment de silence.

– Vous dire quoi ? murmura Inger Johanne Vik. Elle n'était pas sûre que la vieille fût endormie.

– Je sais qu'il était innocent. Cela me ferait du bien de savoir si vous êtes d'accord.

– Mais ce n'est pas cela que je...

La vieille abattit sa paume sur le cadre de lit.

– Je sais. Vous ne vous intéressez pas à la culpabilité ou à l'innocence. Mais moi, si. Dans cette affaire-là, si. Et j'espère que ce sera votre cas. Quand vous aurez tout lu. Vous me le promettez ? Vous reviendrez ?

Inger Johanne Vik fit un petit sourire. En réalité, rien d'autre qu'une grimace qui n'engageait à rien.

3

CE N'ÉTAIT PAS la première fois qu'Émilie disparaissait. Jamais très longtemps, mais c'était arrivé une fois, juste après la mort de Grete, il s'était écoulé trois heures durant lesquelles il n'avait pas réussi à la trouver. Il avait téléphoné partout. D'abord chez les proches, très énervé : les amis, la sœur de Grete, qui habitait à dix minutes et qui était la tante préférée d'Émilie, les grands-parents qui n'avaient pas vu la petite depuis plusieurs jours. Il avait composé d'autres numéros à mesure que l'inquiétude cédait la place à l'angoisse, et ses doigts se trompaient de touches sur le clavier. Il avait ensuite parcouru le voisinage au pas de course, en cercles de plus en plus grands, l'angoisse devenue panique, et il s'était mis à pleurer.

Elle était assise dans un arbre, occupée à écrire une lettre à sa mère, une lettre toute en dessins qu'elle enverrait au ciel sous la forme d'un avion en papier. Il l'avait descendue avec soin de la branche et avait envoyé l'avion en l'air du haut d'un raidillon. Le pliage avait flotté d'un côté et de l'autre avant de vaciller pour finir par disparaître par-dessus deux grands bouleaux qui depuis portent simplement le nom de « Chemin du Paradis ». Il ne l'avait ensuite pas quittée des yeux pendant deux semaines. Le temps que les vacances se terminent et que l'école l'oblige à la laisser repartir.

Mais cette fois, c'était différent.

Il n'avait encore jamais appelé la police ; ces disparitions, courtes ou plus importantes, ne l'avaient jamais alarmé à ce point. Là, c'était autre chose. La panique le submergea sans prévenir, comme une vague. Il n'aurait su dire pourquoi, mais en constatant qu'Émilie ne rentrait pas comme prévu, il partit en courant vers l'école, sans remarquer qu'il perdait une pantoufle à mi-chemin. Le cartable et un gros bouquet de tussilage gisaient sur le sentier entre les deux grandes rues, le raccourci qu'elle n'osait jamais emprunter seule.

Grete avait acheté ce cartable à Émilie un mois avant sa mort. La petite ne l'aurait jamais abandonné ainsi. Le père le ramassa, un peu à contrecœur ; il pouvait se tromper, ce pouvait être le cartable d'un autre élève, un enfant moins scrupuleux, peut-être ; le cartable ressemblait à celui de sa fille, mais rien ne fut sûr avant qu'il n'ouvre le rabat en retenant son souffle, et qu'il ne voie les initiales à l'intérieur. ES. De grandes lettres anguleuses comme les faisait Émilie. C'était le cartable d'Émilie, et elle ne l'aurait jamais abandonné ainsi.

4

L'HOMME MENTIONNÉ dans les papiers d'Alvhild Sofienberg s'appelait Aksel Seier, né en 1935. Apprenti menuisier à quinze ans. Les papiers donnaient peu de renseignements sur son enfance, si ce n'est qu'il avait quitté Oslo pour Trondheim lorsqu'il avait dix ans. Son père avait trouvé un emploi à l'Aker Mekanisk Verksted après la guerre. Avant d'atteindre l'âge adulte, il avait déjà trois infractions à son actif. Rien de bien grave.

– Pas d'après l'échelle de valeurs actuelle, en tous les cas, murmura Inger Johanne Vik pour elle-même tout en tournant les pages fragiles, jaunies par les années. Les énoncés des jugements relataient trois effractions d'épiceries, et un vol de voiture qui s'était terminé sur Mosseveien quand la vieille Ford était tombée en panne de carburant. À vingt et un ans, Aksel Seier avait été arrêté et condamné pour viol et homicide volontaire.

La petite fille s'appelait Hevdig, elle n'avait que huit ans au moment de sa mort. C'est un douanier qui avait retrouvé son cadavre, nu et mutilé, dans un sac de toile, près du port de marchandises d'Oslo. Deux semaines d'une enquête de grande envergure avaient conduit à l'arrestation d'Aksel Seier. Certes, il n'y avait aucune preuve technique. Ni trace de sang, ni empreintes digitales. Rien de ce genre qui pût lier le coupable à sa victime. Mais il avait été vu sur les lieux par deux solides témoins ayant des raisons parfaitement légitimes de se trouver dehors à une heure aussi tardive.

Le jeune homme nia d'abord tout en bloc. Au fil des heures, il finit par reconnaître qu'il s'était trouvé dans le secteur entre Pipervika et Vippertangen, la nuit où Hedvig avait été tuée. Un peu de trafic d'alcool, seulement. Il refusa de donner le nom de ses clients.

Quelques heures après l'arrestation, la police parvint à retrouver une vieille dénonciation pour exhibitionnisme. Aksel avait dix-huit ans au moment des faits, et d'après ses propres dires, il avait juste pissé, fin saoul, sur Ingierstrand, par une soirée d'été. Trois jeunes filles étaient alors passées. Il voulait juste les taquiner, avait-il dit. Des bêtises sous l'emprise d'alcool, il n'était pas *comme ça*. Il ne s'était pas exhibé, il avait juste plaisanté avec trois nanas hystériques.

L'affaire avait été classée, mais pas oubliée. Elle resurgissait des archives tel un index tremblant d'indignation, un stigmate qu'il avait cru effacé.

Lorsque son nom fut rendu public dans les journaux, en grandes manchettes qui conduisirent au suicide la mère d'Aksel le 23 décembre 1956 au soir, trois nouvelles dépositions parvinrent à la police. L'une d'elles fut gentiment mise de côté après que les pouvoirs publics se furent rendu compte que son auteur, une femme d'un certain âge, avait coutume de dénoncer un viol tous les six mois. Les deux autres retinrent l'attention des inspecteurs chargés de l'enquête.

Margrete Solli, dix-neuf ans, était restée trois mois avec Aksel. Elle avait des principes rigoureux. Ce qui ne convenait pas spécialement à Aksel, prétendit-elle en rougissant, les yeux baissés. Plus d'une fois, il s'était approprié de force ce qui appartenait au couple.

Aksel avait une autre version de l'histoire. Il se souvenait de délicieuses nuits près du Sognsvann, ponctuées de phrases gloussées et de petites tapes sur ses mains, lorsqu'elles s'aventuraient sur la peau nue. Il se rappelait les chaleureux baisers d'adieu, et la façon dont il lui assurait tièdement qu'il l'épouserait, quand il serait devenu compagnon. Il décrivit à la police et à la cour une jeune fille qu'il fallait persuader, mais pas plus que les autres ; c'est bien comme ça qu'étaient les filles, non ? Enfin, avant qu'on leur passe la bague au doigt ?

La troisième déclaration émanait d'une femme qu'Aksel Seier prétendit ne jamais avoir rencontrée. Le viol était censé avoir eu lieu bien des années auparavant, alors qu'elle n'avait que quatorze ans. Aksel protesta avec vigueur : il ne l'avait jamais vue. Il n'en démordit pas, durant ses neuf semaines de détention provisoire et un long procès destructeur. Il n'avait jamais vu cette femme. Il n'en avait jamais entendu parler.

Mais il mentait sur tant de choses.

Lorsque des poursuites furent engagées, Aksel balança enfin le client qui lui fournissait son alibi. L'homme s'appelait Arne Frigaard, il avait acheté vingt bouteilles d'alcool de contrebande pour vingt-cinq couronnes. Quand la police alla vérifier, ils découvrirent un colonel Frigaard très étonné dans sa maison de Frogner[1]. Il leva les yeux au ciel devant ces accusations grotesques et invita les deux agents à venir voir son bar. Alcools nobles, exclusivement. Sa femme, il est vrai, ne dit pratiquement rien, mais opina du bonnet quand son fanfaron de mari argua que, le soir en question, il était resté à la maison à cause d'une migraine ; il s'était couché de bonne heure.

Inger Johanne se passa un doigt sur l'arête du nez et but une gorgée de thé froid.

Personne n'avait, semble-t-il, étudié d'un peu plus près la version du colonel. Inger Johanne crut néanmoins percevoir une certaine ironie, ou plus exacte-

1. L'un des quartiers les plus élégants d'Oslo.

ment une distance empreinte de sarcasme, dans la restitution sèchement objective que le juge avait fait du témoignage du policier. Le colonel ne fut pas appelé à la barre des témoins. Il avait des migraines, affirma un médecin, épargnant ainsi à son patient âgé le désagrément d'être confronté à des allégations d'achat d'alcool au rabais.

Inger Johanne sursauta aux bruits provenant de la chambre à coucher. Malgré toutes ces années, ces cinq années pendant lesquelles la situation s'était considérablement arrangée – l'enfant dormait en règle générale comme une souche, d'un sommeil réparateur, et elle n'était sans doute qu'un peu enrhumée –, elle ne pouvait s'empêcher de frissonner au moindre raclement de gorge ou toussotement endormi. Le silence revint.

Un témoin se distinguait des autres. Evander Jakobsen, dix-sept ans, actuellement en prison. Au moment du meurtre de la petite Hedvig, il était cependant libre, et il soutint avoir reçu de l'argent d'Aksel Seier pour porter un sac depuis Gamlebyen jusqu'au port. Au début, il prétendit que Seier l'avait accompagné, mais qu'il ne voulait pas porter le sac lui-même parce que « ça attirerait l'attention ». Puis l'histoire avait changé. Ce n'était plus Seier qui lui avait demandé de transporter le sac, mais un autre homme – son nom ne figurait pas dans le dossier. À en croire ce nouveau témoignage, Seier l'aurait attendu sur le port et aurait récupéré le paquet sans dire grand-chose. Le sac aurait prétendument contenu des têtes et des pieds de porc avariés. Evander Jakobsen ne pouvait pas le confirmer, il n'avait pas vérifié. Mais ça puait, ça, pas de doute, et le poids pouvait sans problème correspondre à celui d'une enfant de huit ans.

Ce récit manifestement non véridique avait semé le doute dans l'esprit du journaliste chargé de la rubrique criminelle de *Dagbladet*. Il décrivit les explications d'Evander Jakobsen comme « tout à fait invraisemblables », et reçut le soutien du *Morgenbladet*, dont le reporter tournait ouvertement en dérision le récit contradictoire que le jeune récidiviste faisait depuis la barre.

Les réserves des journalistes n'aidèrent guère.

Aksel Seier fut reconnu coupable d'avoir violé la petite Hedvig Gåsøy, huit ans. Et coupable de l'avoir assassinée, dans le but de dissimuler un autre crime.

Il fut condamné à la prison à vie.

Inger Johanne Vik empila délicatement les papiers. Le dossier se composait du jugement lui-même, ainsi que d'une certaine quantité de premières pages de journaux. Aucun document émanant de la police. Aucun procès-verbal. Aucun rapport d'expertise, bien qu'il y en ait apparemment eu plusieurs.

Les journaux avaient cessé de parler de l'affaire après l'annonce du verdict.

Pour Inger Johanne Vik, le procès d'Aksel Seier en était un parmi beaucoup d'autres. Seule la fin de l'histoire le rendait particulier et empêchait la jeune femme de dormir. Il était minuit et demi, mais elle n'avait pas du tout sommeil.

Elle relut tout le dossier. Sous les papiers du procès, reliés dans un classeur avec les extraits de journaux, se trouvait l'inquiétant récit de la vieille femme.

Inger Johanne se leva enfin. Le ciel commençait à s'éclaircir. D'ici quelques petites heures, elle devrait se lever. L'enfant grogna dans un demi-sommeil lorsqu'elle la poussa à l'autre bout du lit. La petite pourrait rester couchée. De toute façon, il n'y avait pas moyen de dormir.

5

– C'EST UNE HISTOIRE incroyable.

– Tu veux dire, au sens propre ? Tu ne me crois pas, c'est ça ?

La chambre avait été aérée. La malade semblait plus vive. Elle était assise dans son lit, et un poste de télévision était allumé dans un coin, son coupé. Inger Johanne Vik sourit et effleura du bout des doigts le dessus-de-lit posé sur le bras du fauteuil.

– Bien sûr que si. Pourquoi ne te croirais-je pas ?

Alvhild Sofienberg ne répondit pas. Son regard allait de la visiteuse au téléviseur muet. Les images défilaient nerveusement, sans rime ni raison, sur l'écran. La vieille avait les yeux bleus. Son visage était ovale, et ses lèvres semblaient avoir disparu dans les intenses douleurs qui allaient et venaient. Ses cheveux étaient devenus incroyablement fins.

Elle avait peut-être été jolie, à une époque. Difficile à dire. Inger Johanne examina ces traits ravagés, et tenta d'imaginer cette femme telle qu'elle avait dû être en 1965. Cette année-là, Alvhild Sofienberg avait eu trente-cinq ans.

– Je suis née en 1965, dit subitement Inger Johanne avant de reposer le dossier. Le 22 novembre. Deux ans jour pour jour après l'attentat contre Kennedy.

– Mes enfants étaient déjà grands. Je venais d'obtenir ma maîtrise de droit.

La vieille fit un sourire, un véritable sourire : ses dents luirent en gris dans le mince interstice entre le nez et le menton. Les consonnes étaient dures, les voyelles disparaissaient. Elle s'étira pour attraper un verre d'eau et but.

Le premier poste d'Alvhild Sofienberg fut celui de chargée de dossier à la direction pénitentiaire. Elle s'occupait de mettre au point les demandes de grâce qui devaient être présentées au roi. Cela, Inger Johanne le savait déjà. Ces informations figuraient dans les papiers ; dans l'histoire de la vieille femme, qui était agrafée à un jugement et à quelques coupures de journaux jaunies relatives à un dénommé Aksel Seier, condamné pour homicide sur mineur.

— Un job ennuyeux, mais surtout rétrospectivement. Je n'ai pas le souvenir de ne pas m'y être plu. Au contraire. J'avais fait des études, des études supérieures, des... J'avais une maîtrise, ce n'était pas rien, à l'époque. Dans ma famille, en tout cas.

Elle montra de nouveau les dents et tenta d'humidifier sa bouche étroite du bout de sa langue.

— Comment as-tu mis la main sur tous ces documents ? lui demanda Inger Johanne en saisissant une carafe pour remplir le verre.

Les glaçons avaient fondu, et l'eau sentait vaguement l'oignon.

— En général, les demandes de grâce ne sont pas accompagnées de tous les documents relatifs à l'affaire ? Auditions de police et autres ? Je ne comprends pas bien comment tu as pu...

Alvhild essaya de se redresser. Quand Inger Johanne se pencha sur elle pour l'aider, elle sentit de nouveau cette odeur de vieil oignon. Elle enflait ; l'odeur se changea en une puanteur de pourriture qui emplissait les narines, et qui lui provoqua un haut-le-cœur qu'elle dissimula sous une quinte de toux.

— Je sens l'oignon, déclara simplement la vieille. Personne ne sait d'où ça vient.

— C'est peut-être..., commença Inger Johanne en levant un doigt vers la carafe d'eau. J'ai un peu senti...

— C'est le contraire, toussa la vieille. C'est l'eau qui prend mon odeur. Il faudra que tu t'y habitues. Pour le dossier, je l'ai demandé, tout simplement.

Elle désigna le dossier, qui était tombé.

– Comme je l'écris là-dedans, je ne peux pas expliquer exactement ce qui a éveillé mon intérêt. La simplicité de la requête, peut-être. Cela faisait huit ans que cet homme était en prison, et il n'avait jamais ressenti de colère vis-à-vis de sa sanction. Il avait déjà fait trois demandes de grâce, et elles avaient été refusées toutes les trois. Malgré tout, il ne se plaignait pas. Il ne prétendait pas être malade, comme le font beaucoup de détenus. Il n'avait pas noirci des pages et des pages sur une santé qui s'affaiblissait, une famille là-bas, à la maison, avec des enfants à qui il manquait, tout le baratin. Sa requête tenait en une seule ligne. Deux phrases. « J'ai été condamné à tort. Je demande donc à être gracié. » Voilà ce qui m'a fascinée. Alors, j'ai voulu voir le dossier. Ça représentait...

Alvhild essaya de lever les mains.

– Presque un mètre de documents. Plus je lisais, plus j'étais convaincue.

Ses doigts tremblaient sous l'effort, et elle laissa retomber ses mains.

Inger Johanne se pencha vers le dossier et le ramassa. Elle frissonna. La fenêtre légèrement entrebâillée laissait passer un courant d'air. Le rideau remua soudain et elle sursauta. Des images du journal télévisé défilaient en bleuâtre sur l'écran, et elle se sentit tout à coup agacée à l'idée que la télévision était inutilement allumée.

– Tu es d'accord ? Il était innocent ? Il a été condamné à tort. Et quelqu'un a essayé de le cacher.

La voix d'Alvhild Sofienberg s'était chargée d'une nuance menaçante, agressive. Inger Johanne feuilleta les papiers sans rien dire.

– On peut dire que c'est relativement évident, murmura-t-elle d'une voix presque inaudible.

– Que dis-tu ?

– Oui. Je suis d'accord avec toi.

Alvhild sembla soudain perdre toutes ses forces. Elle retomba contre son oreiller, et ferma les yeux. Son visage s'apaisa, comme si les douleurs avaient enfin lâché prise. Seules ses narines frémissaient faiblement.

– Le plus effrayant, ce n'est peut-être pas qu'il ait été condamné à tort, poursuivit Inger Johanne d'une voix lente. Le pire, c'est qu'il n'ait jamais eu... Ce qui s'est passé après sa remise en liberté, qu'il ait pu... Je me demande s'il est encore vivant.

– Encore un, dit Alvhild d'un ton las en tournant la tête vers le poste de télévision.

Elle augmenta le volume à l'aide d'une télécommande fixée au cadre de lit.

– Encore un enfant enlevé.

Un petit garçon souriait, l'air timide, sur une photo amateur. Il avait des boucles brunes et serrait une voiture de pompiers en plastique rouge contre sa poitrine. Derrière lui, moins net, on distinguait un adulte qui riait.

– Sa mère, peut-être. Pauvres gens. Je me demande s'il y a un lien. Avec cette petite fille, je veux dire. Celle qui...

Kim Sande Oksøy avait disparu de chez lui, à Bærum, la nuit précédente, relatait une voix métallique. Le téléviseur était ancien ; l'image trop bleue et le son aigrelet. Le ravisseur avait pénétré dans la maison mitoyenne pendant que la famille dormait. Une caméra balaya le secteur avant de s'arrêter sur une fenêtre du rez-de-chaussée. Les rideaux ondulaient doucement, et la caméra zooma sur un chambranle détruit et un ours en peluche vert posé sur une étagère juste derrière. La police, représentée par un jeune homme au regard indécis et vêtu d'un uniforme inconfortable, enjoignait tous ceux qui détenaient des informations concernant cette affaire à appeler un numéro en 800 ou à s'adresser au poste de police le plus proche.

Le gamin n'avait que cinq ans. Six jours s'étaient écoulés depuis qu'Émilie Selbu, neuf ans, avait disparu. En rentrant de l'école.

Alvhild Sofienberg s'était endormie. Près de sa bouche étroite, on voyait une petite cicatrice, une sorte de fossette qui partait en biais vers l'oreille, lui donnant l'air de sourire. Inger Johanne se glissa hors de la chambre. Au rez-de-chaussée, une infirmière vint à sa rencontre. Inger Johanne s'arrêta sur une marche, et s'appuya à la rampe. L'infirmière sentait également l'oignon, faiblement, ainsi que les détergents. Inger Johanne eut une nausée et passa devant elle, sans savoir si elle reviendrait jamais dans cette maison où la mourante du premier étage transmettait cette odeur de pourriture à tout ce qui l'entourait.

6

ÉMILIE SE SENTIT PLUS GRANDE avec l'arrivée du nouveau. Il avait encore plus peur qu'elle. Quand l'homme l'avait poussé dans la pièce, il y avait un moment de cela, il avait fait sur lui. Pourtant, il avait l'âge d'aller à l'école. Il y avait un lavabo à une extrémité de la pièce, à côté du siège des toilettes. L'homme avait jeté une serviette et un savon, et Émilie avait réussi à laver sommairement son nouveau compagnon. Mais il n'y avait de vêtements propres nulle part. Elle fourra le slip sale sous le lavabo, entre le tuyau et le mur. Le gamin devait se trimballer sans culotte, et il n'arrêtait pas de pleurer.

Jusqu'à maintenant. Il venait enfin de s'endormir. Il n'y avait qu'un lit dans la pièce, assez étroit, et qui devait être vieux. Le bois était brun et usé, et on avait dessiné dessus, au feutre, des choses qu'on ne distinguait presque plus. En soulevant le drap, Émilie vit que le matelas était couvert de cheveux longs ; des cheveux de fille collés à la mousse, qui lui firent aussitôt rabattre le pan de drap. Le petit garçon avait la tête sur les genoux d'Émilie. Il avait des boucles brunes, et Émilie se demanda s'il était en mesure de parler. Il avait bafouillé son nom quand elle le lui avait demandé. Kim ou Tim. Elle avait eu du mal à entendre. Il avait aussi appelé sa maman à cor et à cri, et n'était donc pas complètement muet.

— Il dort ?

Émilie sursauta. La porte était entrouverte. L'ombre ne permettait pas de bien voir son visage, mais sa voix était claire. Elle fit un petit signe de tête.

— Il dort ?

L'homme n'avait l'air ni en colère ni contrarié. Il n'aboyait pas comme papa le faisait lorsqu'il se voyait contraint de poser plusieurs fois la même question.

— Oui.

— Bien. Est-ce que tu as faim ?

La porte était en fer. Elle n'avait pas de poignée à l'intérieur. Émilie ne savait pas depuis combien de temps elle était dans cette pièce comprenant un siège de toilettes et un lavabo dans un coin, un lit dans l'autre, et hormis cela rien d'autre que des murs de brique et une porte brillante. Longtemps, en tout cas. Elle avait posé les mains au moins cent fois sur cette porte lisse et glaciale. L'homme avait peur qu'elle ne se referme derrière lui. Il la bloquait avec un crochet dans le mur les rares fois où il entrait complètement dans la pièce. En règle générale, quand il lui apportait à manger et à boire, il posait le tout sur un plateau juste au-delà du seuil.

— Non.

– Bien. Tu devrais dormir, toi aussi. Il fait nuit.

Nuit.

Le son de la lourde porte de fer qui se referma en claquant fit jaillir ses larmes. Même si l'homme disait qu'il faisait nuit, ce n'était pas l'impression qu'elle avait. Puisqu'il n'y avait pas de fenêtre dans la pièce, et que la lumière était allumée en permanence, il était impossible de distinguer entre la nuit et le jour. Au début, elle n'avait pas imaginé que les tranches de pain et le lait étaient synonymes de petit déjeuner, tandis que les ragoûts et les crêpes que l'homme déposait sur un plateau jaune étaient pensés comme un dîner[1]. Elle finit par le comprendre, mais l'homme se mit à tricher. De temps à autre, elle avait du pain trois fois d'affilée. Aujourd'hui, après que Kim ou Tim était entré en trébuchant dans cette pièce, l'homme leur avait servi deux fois de la soupe à la tomate. Elle était tiède, sans macaronis.

Émilie essaya de s'arrêter de pleurer. Elle ne voulait pas réveiller le gamin. Elle retint son souffle pour ne pas trembler, mais sans succès.

– Maman, sanglota-t-elle sans le vouloir. Ma maman à moi.

Papa la cherchait. Il avait dû chercher longtemps. Papa et tante Beate parcouraient encore sûrement les bois bien qu'il fît nuit. Papi les assistait peut-être. Mamie avait mal aux pieds, et elle était certainement à la maison, à lire des livres ou à faire des gaufres que les autres mangeraient quand ils seraient allés au Chemin du Paradis et à l'Arbre du Ciel sans l'avoir trouvée nulle part.

– Maman, gémit Kim ou Tim avant de pousser un hurlement.

---

1. Principal repas de la journée, ce « dîner » (*middag*) se prend généralement entre seize et dix-huit heures, rarement plus tard.

– Chut !

– Maman ! Papa !

Le gosse se leva d'un seul coup et brailla. Sa bouche se mua en un trou énorme. Son visage tout entier se tordit en un unique grand cri, et elle se colla au mur en fermant les yeux.

– Il ne faut pas que tu cries, expliqua-t-elle d'une voix éteinte. Le monsieur pourrait se mettre en colère contre nous.

– Maman ! Je veux mon papa !

Le gamin était sur le point de suffoquer. Il hoqueta et, lorsqu'elle rouvrit les yeux, elle s'aperçut qu'il était devenu cramoisi. De la morve coulait de l'une de ses narines. Elle attrapa le coin de l'édredon et l'essuya précautionneusement. Il essaya de la repousser.

– Veux pas, sanglota-t-il de nouveau. Veux pas !

– Je vais te raconter une histoire.

– Veux pas.

Il se passa une manche sous le nez.

– Ma mère est morte, lui confia Émilie avec un petit sourire. Elle est au ciel, et elle veille sur moi. Toujours. Elle peut sûrement veiller sur toi aussi.

– Veux pas.

En tout cas, le môme ne pleurait plus aussi violemment.

– Ma maman s'appelle Grete. Elle a une BMW.

– Audi, répondit le gamin.

– Maman a une BMW au ciel.

– Audi, maintint le gamin, et un sourire prudent le rendit bien plus beau.

– Et une licorne. Un cheval blanc avec une corne sur le front, qui sait voler. Maman peut aller partout en volant sur sa licorne quand elle n'a pas envie de prendre sa BMW. Elle viendra peut-être ici. Bientôt, je crois.

– En faisant plein de bruit, précisa le gosse.

Émilie savait pertinemment que maman n'avait pas de BMW. Elle n'était absolument pas au ciel, et il n'y avait pas de licornes. Il n'y avait pas de ciel non plus, même si papa disait que si. Il aimait tant parler de tout ce que maman voyait de là-haut ; tout ce qu'elle avait toujours souhaité et qu'ils n'avaient jamais pu s'offrir. Au Paradis, tout était gratuit. Même l'argent n'existait pas, disait papa en souriant. Maman pouvait avoir tout ce qu'elle voulait, et papa trouvait que c'était bien pour Émilie de pouvoir en parler. Elle l'avait cru, longtemps, et ça faisait du bien d'imaginer maman avec des diamants gros comme des prunes accrochés aux oreilles, volant en robe rouge sur sa licorne.

Tante Beate avait engueulé papa. Émilie était partie envoyer une lettre à maman, et quand papa avait fini par retrouver la petite fille, tante Beate était dans un tel état d'énervement que les murs en tremblaient. Les adultes pensaient qu'Émilie s'était endormie. La nuit était déjà bien entamée.

– Il est temps que l'on dise la vérité aux enfants, Tønnes. Grete est morte. Point. Elle est dans une urne, en cendre, et Émilie est assez grande pour le comprendre. Alors, arrête. Tu la fous en l'air avec tes histoires à dormir debout. Tu maintiens artificiellement Grete en vie, et je ne sais vraiment pas qui tu essaies de tromper, toi ou Émilie. Grete est morte. MORTE, tu piges ?

Tante Beate pleurait et écumait en même temps. Elle était l'individu le plus sensé sur terre. Tout le monde le disait. Elle était médecin-chef et savait absolument tout des maladies du cœur. Elle sauvait des gens d'une mort certaine, justement parce qu'elle savait une foule de choses. Si tante Beate disait que les histoires de papa étaient des affabulations, elle devait bien avoir raison. Quelques jours plus tard, papa emmena Émilie dans le jardin pour aller contempler les étoiles. Quatre nouveaux trous étaient apparus dans le ciel parce que maman voulait mieux la voir, expliqua-t-il en pointant un doigt en l'air. Émilie ne répondit pas. Il s'en attrista. Elle le vit à ses yeux lorsqu'il prit un livre pour lui lire une histoire, assis sur le bord de son lit. Elle refusa d'écouter la fin de l'histoire du voyage de maman au Japon du ciel, une histoire qui avait duré trois soirs et qui était en réalité assez drôle. Papa gagnait sa vie en traduisant des livres, et devait être un peu trop porté sur les bobards.

— Je m'appelle Kim, dit le gamin en se fourrant le pouce dans la bouche.

— Et moi, c'est Émilie.

Lorsqu'ils s'endormirent, ils ne se doutaient pas que le jour commençait à se lever.

UN ÉTAGE ET DEMI au-dessus d'eux, au niveau du sol, dans une maison en bordure d'un petit bosquet, un homme regardait fixement par la fenêtre. Il se sentait étonnamment dispos ; presque gris, comme face à une épreuve motivante qu'il surmonterait, il le savait. Il était impossible de dormir convenablement. Dans la nuit, il avait par instants eu l'impression de partir, pour revenir soudain sous le coup d'une idée bien claire.

Il avait vue sur l'ouest. Il voyait l'obscurité s'amasser vers l'horizon. Des rais de lumière matinale baignaient les collines de l'autre côté de la vallée. Il se leva et posa son livre sur la table.

Personne d'autre ne savait. Dans moins de quarante-huit heures, l'un des deux enfants à la cave serait mort. Il ne ressentait aucune joie à cette certitude, mais une détermination remplie d'allégresse lui fit regretter de ne pas avoir ajouté du sucre et un nuage de lait à son café amer de la veille au soir.

30

7

– BIENVENUE AU STUDIO, Inger Johanne Vik.
Vous êtes juriste et psychologue, et vous avez écrit une
thèse sur les raisons pour lesquelles les gens commet-
tent des agressions sexuelles. Après ce qui vient de se...

Inger Johanne ferma les yeux un instant. La lumière
était forte. Et pourtant, il faisait froid dans cette énorme
pièce, elle sentait qu'elle avait la chair de poule sur les
avant-bras.

Elle aurait dû rejeter la demande. Elle aurait dû
refuser.

– Laissez-moi tout d'abord préciser que je n'ai
absolument pas écrit de mémoire sur ce qui pousse tel
ou tel à commettre des agressions sexuelles, déclara-
t-elle à la place. Là-dessus, à ma connaissance, personne ne peut trancher. J'ai néanmoins effectué des
comparaisons entre un échantillon, pris au hasard, d'auteurs d'agressions sexuelles ayant fait l'objet de
condamnations et un échantillon, tout aussi aléatoire,
d'auteurs de crimes et délits contre les propriétés pour
faire apparaître différences et points communs au cours
de l'enfance, l'adolescence et le début de l'âge adulte.
Ce travail s'intitule *Sexually motivated crime, a comp...*

– Cela fait beaucoup de mots compliqués, Vik.
Donc, vous avez écrit une thèse conséquente sur les
auteurs d'agressions sexuelles. Deux enfants ont été
brutalement enlevés en moins d'une semaine. D'après
vous, peut-on douter qu'il s'agisse de crimes à connota-
tion sexuelle ?

– Douter ?

Elle n'osa pas se saisir de son gobelet en plastique
rempli d'eau. Elle croisa les mains pour les empêcher
de trembler avec violence. Elle voulait répondre. Sa
voix la trahit. Elle déglutit.

– Douter, c'est vraiment le moins que l'on puisse dire. Je ne comprends pas qu'on puisse affirmer ce genre de choses.

L'animateur leva une main et une ride profonde apparut entre ses yeux, comme si son invitée venait de rompre un accord.

– C'est évidemment possible, corrigea-t-elle. Tout est possible. Les enfants *peuvent* avoir été victimes d'agressions, mais il peut aussi s'agir de tout autre chose. Je ne fais pas partie de la police, et c'est à travers les seuls médias que je connais cette affaire. Et pourtant, je suis prête à parier que l'enquête n'a même pas pu établir que ces deux... kidnappings, doit-on dire... ont un quelconque rapport. Si j'ai accepté de venir, c'est parce que j'ai eu l'impression que je...

Elle ne put s'empêcher de déglutir de nouveau. Sa gorge se noua. Sa main droite tremblait au point qu'elle dut la glisser sous sa cuisse. Elle aurait dû refuser.

– Mais pour vous, Solveig Grimsrud, enchaîna l'animateur en plantant hardiment son regard dans celui d'une dame aux longs cheveux gris argent, en tailleur noir, présidente de la toute nouvelle association Protégeons Nos Enfants, il ne fait pas de doute que nous sommes confrontés à un criminel pédophile...

– Avec ce que nous ont appris des affaires semblables qui ont eu lieu à l'étranger, ce serait faire preuve d'une exceptionnelle naïveté que de penser autre chose. Il est en effet très difficile d'imaginer d'autres motifs d'enlever des enfants – qui sont d'ailleurs parfaitement étrangers les uns aux autres, à en croire les médias. Nous connaissons des cas aux États-Unis, en Suisse, sans parler de ces affreuses affaires belges qui ne sont vieilles que de quelques années... Nous connaissons ces affaires, ainsi que leur issue.

Grimsrud se frappa légèrement la poitrine, produisant un vilain raclement dans le microphone fixé au revers de sa veste. Inger Johanne vit un ingénieur du son qui se trouvait hors champ porter une main à sa tête.

– Que voulez-vous dire... leur issue ?

– Rien d'autre que ce que je dis. C'est ce qui arrive pour un enlèvement sur trois.

Ses longs cheveux lui tombèrent dans les yeux, et Solveig Grimsrud les coinça derrière une oreille avant de se mettre à compter sur ses doigts.

– Ou bien il s'agit de chantage pur et simple. On peut donc l'exclure pour ces cas-là. Les familles de ces deux enfants ont un train de vie tout à fait classique et pas de fortune particulière. Vient ensuite le nombre relativement considérable d'enfants qui sont volés par maman ou papa, le plus souvent par ce dernier, après rupture du lien conjugal. Il n'est pas question de cela ici. La mère de la fillette est morte, et les parents du petit garçon toujours mariés. Reste une dernière possibilité. Les enfants ont été kidnappés par un ou plusieurs pédophiles.

L'animateur hésita.

Inger Johanne sentit un ventre nu d'enfant contre son dos, dans un demi-sommeil ; le chatouillement de doigts endormis dans sa nuque.

Un homme proche de la soixantaine, au regard abattu derrière ses lunettes, s'élança et commença à parler sans avoir terminé de prendre son souffle.

– Telles que je vois les choses, la théorie de Grimsrud n'est qu'une parmi tant d'autres. Il me semble que nous devrions être...

– Fredrik Skolten, l'interrompit l'animateur, vous êtes détective privé, et vous avez travaillé vingt ans dans la police. Nous informons nos téléspectateurs que nous avons proposé à Kripos[1] de venir ici ce soir, mais

1. KRIminalPOlitiSentralen, Centrale de Police Criminelle.

qu'ils ont décliné. Skolten, avec votre expérience non négligeable du travail dans la police, quelles pistes la police exploite-t-elle en ce moment, à votre avis ?

– Comme je m'apprêtais à le dire...

L'homme fixait un point sur la table devant lui tout en frottant régulièrement le dos de sa main gauche avec son index droit.

– À ce stade, toutes les pistes sont envisageables. Mais il y a une part de vérité dans ce que dit Grimsrud. Dans les affaires d'enlèvements d'enfants, on distingue en général trois catégories, comme elle nous l'a dit... et les deux premières semblent particulièrement...

– Improbables ?

L'animateur se pencha en avant, comme s'ils participaient à un entretien confidentiel.

– Eh bien... oui. Mais ce n'est pas une raison pour... comme ça, sans...

– Il est temps que les gens se réveillent ! s'écria Solveig Grimsrud. Il y a quelques années seulement, on considérait les abus sexuels sur les enfants comme quelque chose qui ne nous concernait pas. Qui avait lieu loin de nous, aux États-Unis, très loin. Nous avons laissé nos enfants aller seuls à l'école, partir faire du camping sans être accompagnés d'adultes, s'absenter pendant des heures sans nous assurer qu'ils étaient sous surveillance. Cela ne peut pas continuer comme ça. Il est temps que nous...

– Il est temps que je me retire.

Inger Johanne se leva d'un bond, sans en avoir conscience. Elle regardait droit dans la caméra, un cyclope électronique qui la fixait bêtement de son œil vide et gris ; elle s'immobilisa. Le micro était toujours fixé au revers de sa veste.

– Ça ne ressemble à rien. Quelque part, dehors...

Elle leva un doigt vers la caméra et le tint braqué.

– ... il y a un veuf dont la fille a disparu il y a une

semaine. Il y a un couple. On leur a volé leur fils, pendant la nuit. Et vous, qui êtes assise là, poursuivit-elle en déplaçant sa main vers Solveig Grimsrud, vous leur racontez que le pire que l'on puisse imaginer vient de se produire. Vous n'avez aucun, je dis bien aucun, élément vous permettant d'affirmer une chose pareille. C'est irresponsable, malveillant... *indéfendable*. Encore une fois, je ne connais ces affaires qu'à travers les médias. Mais j'espère... D'une certaine façon, je suis *certaine* que la police ne s'est pas laissé enfermer comme vous. Je peux vous donner comme ça six ou sept autres explications à ces enlèvements, plus ou moins bonnes mais en tout cas bien mieux fondées que votre scénario purement spéculatif. Il y a vingt-quatre heures que le petit Kim a disparu. *Vingt-quatre heures !* Je ne trouve pas les mots...

Ce n'était pas qu'une expression. Elle se tut brusquement. Elle arracha alors le micro de son revers de veste et disparut. La caméra la suivit jusqu'à la porte du studio, en lourds mouvements maladroits.

— Bien, reprit l'animateur, dont la lèvre supérieure était couverte de sueur et qui respirait la bouche ouverte. Nous aurons aussi assisté à cela...

AILLEURS DANS OSLO, deux hommes regardaient la télé. Le plus âgé sourit légèrement, son cadet frappa le mur de son poing.

— Eh bien ! Faut reconnaître... Tu connais cette fille ? Tu en as déjà entendu parler ?

L'aîné, l'inspecteur principal Yngvar Stubø, de Kripos, acquiesça d'un air absent.

— J'ai lu la thèse dont elle a parlé. Intéressant, en fait. Elle s'occupe pour le moment d'une enquête sur la couverture médiatique de la grande criminalité. D'après ce que j'ai compris dans un article que j'ai lu, elle compare le destin d'un certain nombre de condamnés auxquels la presse s'est intéressée à celui de condamnés qui n'ont pas été dans ce cas. Tous ces prisonniers ont un point commun : ils se prétendent condamnés à tort. Elle est remontée loin dans le temps. Les années 1950, je crois. Sais pas trop pourquoi.

Sigmund Berli émit un petit rire.

– En tout cas, elle ne se laisse pas marcher sur les pieds. Je ne crois pas avoir vu qui que ce soit se lever et se tirer, comme ça. Balèze ! D'autant plus qu'elle a raison !

Yngvar Stubø alluma un cigare colossal, signifiant par là qu'il considérait la journée de travail comme enfin terminée.

– À tel point qu'il pourrait être bigrement intéressant de discuter avec elle, répondit-il en attrapant son blouson. À demain.

8

UN ENFANT QUI VA MOURIR ne le sait pas. Il n'a aucune représentation de la mort. Il combat pour la vie de façon purement instinctive, tout comme un lézard est prêt à abandonner sa queue devant la menace de l'anéantissement. Toute créature est génétiquement programmée pour survivre. Les enfants ne font pas exception. Mais ils n'ont aucune représentation de la mort. Un enfant a peur de ce qui est concret. Le noir. Les inconnus, peut-être ; la séparation d'avec la famille, la douleur, les bruits sinistres et la perte d'objets. La mort, en revanche, est incompréhensible pour une intelligence qui n'est pas encore adulte.

Un enfant qui va mourir ne le sait pas.

Ainsi pensait l'homme au cours de ses préparatifs.

Il remplit un verre de cuisine de Coca-Cola en s'étonnant de ce qui pouvait bien le faire se soucier de telles réflexions. Même si le gamin n'avait pas été ramassé au petit bonheur, aucun sentiment ne les liait. D'un point de vue émotionnel, le gosse était un étranger absolu, une brique dans un jeu d'une grande importance. Il ne remarquerait rien. En quelque sorte, le gamin y gagnait à mourir. Ses parents qui lui manquaient, une douleur qui devait être bien compréhensible pour un enfant de cinq ans seulement, c'était certainement pire qu'une mort rapide et indolore.

L'homme écrasa un comprimé de Valium et lâcha les morceaux dans le verre. La dose était faible, le gosse devait s'endormir, rien de plus. Il était important qu'il s'endorme dans la mort. C'était facile. Pratique. C'était déjà assez difficile de faire une injection à un enfant, sans qu'il se mette en plus à hurler et à se débattre comme un forcené.

Les bulles qui disparaissaient dans le verre de Coca-Cola lui donnèrent soif, et il s'humecta lentement les lèvres. Un frémissement lui parcourut les muscles du dos ; d'une certaine façon, il se réjouissait de l'ensemble. De la réalisation d'un plan minutieusement élaboré.

Celui-ci prendrait six semaines et quatre jours, si tout se passait comme prévu.

9

PEU DE CHOSES indiquaient qu'on n'était plus qu'à environ un mois du solstice d'été. Le Sognsvann était recouvert d'un brouillard gris, et les arbres étaient toujours nus. Quelques saules précoces s'étaient parés de débuts d'oreilles de souris[1], et les talus exposés au sud se couvraient de tussilage à longue queue. Hormis cela, la journée aurait tout aussi bien pu s'intituler *quatorze octobre* que *quatorze mai*. Un enfant de six ans en combinaison imperméable et petites bottes en caoutchouc arracha son bonnet.

– Non, Kristiane. Pas dans l'eau.

– Laisse-la patauger. Elle a ses bottes.

– Mais bon sang, Isak, c'est trop profond ! Kristiane ! Non !

La petite fille ne voulait rien entendre. Elle fredonnait une mélodie monotone, et se trouvait déjà à un endroit où l'eau arrivait bien au-dessus de ses bottes, qui s'emplirent avec un gros gargouillis. L'enfant fixait d'un œil vide l'espace devant elle en ressassant les quatre mêmes notes, encore et encore.

– Tu es complètement trempée, se plaignit Inger Johanne Vik en tirant sa fille vers la rive.

L'enfant fit un sourire radieux à ses propres pieds et cessa de chanter. Sa mère la prit sous le bras et alla s'asseoir sur un banc à quelques mètres de là. Elle sortit un collant, une paire de grosses chaussettes et des tennis grossières d'un sac de sport. Kristiane ne l'entendait pas de cette oreille. Le corps raide, elle serrait les jambes, le regard fixé sur rien en grondant son éternel refrain à quatre notes : dam-di-rum-ram. Dam-di-rum-ram.

– Tu vas être malade, la sermonna Inger Johanne. Tu vas t'enrhumer.

– Enrhumer, sourit Kristiane.

Elle regarda sa mère avec une soudaine présence.

– Oui. Malade.

1. Nom que donnent les Norvégiens aux jeunes feuilles (généralement de bouleau) quand elles sont encore toutes petites.

Inger Johanne tenta de capturer ce regard, de l'emprisonner.

– Dam-di-rum-ram, fredonna Kristiane en se raidissant de nouveau.

– Là. Laisse-moi.

Isak attrapa sa fille sous les bras et la lança dans les airs.

– Papa ! cria Kristiane avec un hoquet. Encore !

– Alors tu en auras encore, rugit Isak avant de laisser la gamine traîner ses chaussettes trempées sur le sol.

Puis il se remit à l'envoyer dans le brouillard.

– Kristiane est un avion !

– Avion ! Avion du danger ! Homme-mouette !

Inger Johanne ne comprenait pas d'où cela lui venait. L'enfant construisait des mots et des expressions que ni Isak ni elle-même n'avaient jamais employés ; et il y avait peu de chances qu'elle les ait entendus ailleurs. Mais ils dénotaient toujours une certaine logique, une pertinence qui pouvait paraître difficile à décoder au premier abord et qui donnait pourtant l'impression d'une compréhension du langage en net contraste avec les mots simples et courts qu'elle employait par ailleurs ; et seulement lorsqu'elle le voulait bien.

– Dam-di-rum-ram.

Le vol était terminé. La chanson était de retour. Mais Kristiane était bien gentiment assise sur les genoux de son père et se laissait changer.

– Tu as les fesses gelées, constata Isak en lui donnant une légère claque avant de lui passer ses collants secs aux pieds, que la gamine recroquevilla avec une force peu commune.

– Kristiane est gelée de partout.

– Kristianegelée. Faim.

– Là. On y va ?

Il déposa la petite fille devant lui. Puis il fourra les

vêtements mouillés dans le sac, tira une banane de la poche latérale, l'éplucha et la tendit à Kristiane.

– Où en étions-nous ?

Il se passa la main dans les cheveux. L'air froid et humide les faisait se coller par paquets. Il releva la tête. Il avait toujours été si jeune, bien qu'il n'ait qu'un mois de moins qu'elle. Irresponsable et éternellement jeune ; les cheveux toujours un rien trop longs, les vêtements trop lâches, trop amples pour son âge. Inger Johanne essaya de ravaler ce sentiment bien connu d'échec, ce constat qu'elle était systématiquement celle des deux qui s'en sortait le moins bien avec Kristiane.

– Mais raconte-moi le reste de l'histoire, enfin !

Il l'encouragea d'un sourire et fit un petit mouvement de tête. Kristiane les devançait déjà de dix mètres, de cette démarche chancelante si caractéristique dont elle aurait dû se débarrasser depuis longtemps. Isak posa une main sur l'épaule d'Inger Johanne et la laissa là un instant avant de se mettre en route ; d'un pas lent, comme s'il doutait lui aussi qu'elle serait en mesure de suivre.

– Lorsque Alvhild Sofienberg a décidé d'examiner cette affaire, commença-t-elle en suivant attentivement la petite silhouette qui s'était à nouveau approchée du bord de l'eau, elle a rencontré une résistance inattendue. Aksel Seier ne voulait pas lui parler.

– Tiens donc ? Pourquoi ? Il avait déposé une demande de grâce, non ? Ce devait être encourageant de voir que quelqu'un du ministère acceptait de faire quelques recherches supplémentaires ?

– On aurait pu le penser. Je n'en sais rien. Kristiane !

La petite fille se retourna et éclata de rire. Elle tourna lentement le dos à l'eau et remonta d'un pas traînant vers la lisière du bois, ayant sans doute aperçu quelque chose.

– Quoi qu'il en soit, elle n'a pas lâché prise. Alvhild

Sofienberg, s'entend. Elle a fini par entrer en contact avec l'aumônier pénitentiaire. Un type sérieux qui avait à peu près tout vu en ce bas monde. Lui aussi était persuadé que Seier était... innocent. Alvhild a eu de l'eau à son moulin, évidemment. Elle n'a pas abandonné, et elle est retournée voir ses supérieurs.

– Une seconde.

Isak s'arrêta. Il fit un signe de tête vers Kristiane, qui avait la compagnie d'un énorme bouvier bernois. L'enfant passa les bras autour du cou de l'animal et poussa un petit cri. Le chien remua mollement la queue.

– Tu devrais te trouver un chien, conseilla Isak d'un ton calme. Kristiane est super avec les chiens. Ça lui fait du bien d'être avec eux.

– Pourquoi pas toi ! rétorqua-t-elle sèchement. Pourquoi devrais-je systématiquement me coltiner toutes les corvées ? Toujours !

Il inspira profondément et expira entre ses incisives. Le chien dressa ses lourdes oreilles en entendant un long sifflement bas. Kristiane éclata de rire.

– Oublie, répondit-il en secouant légèrement la tête. Et après, que s'est-il passé ?

– Ça ne t'intéresse pas.

Isak Aanonsen se passa une main maigre sur le visage.

– Si. Je ne comprends pas pourquoi tu dis ça. J'ai écouté toute ton histoire, et j'attends avec *beaucoup* d'intérêt que tu me racontes le reste. Qu'est-ce qui t'arrive ?

Kristiane avait fait se coucher le chien et s'était placée à cheval sur son dos, les mains enfouies dans sa fourrure. Le propriétaire de l'animal se tenait à côté et regardait en direction d'Isak et Inger Johanne sans cacher sa perplexité.

– Pas de problème ! le rassura Isak tout en trottinant

41

vers le chien et l'enfant. Elle sait s'y prendre avec les animaux.

– Ça, on peut le dire...

Isak souleva sa fille et le chien se releva. Son propriétaire le prit en laisse et partit vers le nord à pas rapides en jetant de temps à autre des coups d'œil pardessus son épaule, comme s'il craignait que cette enfant effrayante ne les poursuive.

– Allez, raconte, supplia Isak.

– Dam-di-rum-ram, chantait Kristiane.

– Son chef l'a envoyée sur les roses, expliqua Inger Johanne de façon laconique. Il lui a dit de ne plus s'occuper de cette affaire. De se contenter de faire son boulot. Quand elle l'a mis devant le fait accompli, en disant qu'elle s'était fait envoyer le dossier, et l'avait lu attentivement, il s'est énervé. Quand elle a ajouté qu'elle était convaincue de l'innocence de Seier, il est devenu fou de rage. Et c'est ici que cela devient vraiment... le plus effrayant de toute l'histoire.

Kristiane attrapa subitement sa main.

– Maman ! s'écria-t-elle gaiement. Ma maman et moi.

– Un jour, quand Alvhild Sofienberg est arrivée au bureau, elle a constaté que tous les documents avaient disparu.

– Disparus ? Envolés ?

– Oui. Une masse énorme de documents. Sans laisser de traces.

– Promenade, reprit Kristiane. Ma maman et moi.

– Et papa, compléta Inger Johanne.

– Et alors ?

Isak avait une ride entre les yeux. À ce moment-là, sa ressemblance avec sa fille était d'autant plus visible. Le visage mince, les sourcils qui se rejoignaient.

– Alvhild Sofienberg a eu presque... peur ? En tout cas, elle n'a plus osé retourner bassiner son chef après avoir été brièvement informée que les dossiers avaient été récupérés « par la police », conclut-elle en dessinant de grands guillemets en l'air. Mais, de façon tout à fait confidentielle, elle a appris que Aksel Seier avait été relâché.

– Quoi ?

– Des années avant la date prévue. Relâché. Tout bonnement.

Ils étaient arrivés au grand parking devant l'École supérieure des sports ; on ne voyait pratiquement aucune voiture. Des flaques de boue et des traces de roues le sillonnaient de long en large, jusqu'à un bouleau pleureur qui abritait la vieille Opel Kadett d'Inger Johanne et l'Audi TT d'Isak.

– Permets-moi de résumer un peu les choses, commença ce dernier en levant la paume de sa main comme pour prêter serment devant Dieu. On parle de 1965. Pas de 1800 et des poussières. Pas en période de guerre. On parle de 1965, l'année de notre naissance à tous les deux, quand la Norvège était reconstruite après la guerre, la bureaucratie bien établie et la reconnaissance des libertés publiques un concept déjà soigneusement élaboré. Et il est sorti comme ça, sans plus de cérémonie ? Cela paraît louable, de libérer un type qui semble innocent, mais...

– Et voilà. Il y a un gros « mais ».

– Voiture de papa, déclara Kristiane en tapotant l'Audi TT, le modèle sport gris. Voitureture. Voitureturedepapapa.

Les adultes rirent.

– Tu es un drôle de numéro, sourit Inger Johanne en renouant le bonnet sous le menton de Kristiane.

– Où va-t-elle chercher tout ça, bon sang ?

– Pas de mots comme ça, prévint Inger Johanne. Elle enregistre tout. En tout cas...

43

Elle se redressa. Kristiane s'assit dans une flaque de boue et se mit à fredonner.

– Par sa source, l'aumônier pénitentiaire, elle a appris qu'une vieille bonne femme de Lillestrøm était allée à la préfecture. Elle portait depuis longtemps un lourd secret. Son fils adulte, un débile léger qui vivait avec elle, était rentré au petit matin avancé quand la petite Hedvig avait disparu, les vêtements tachés de sang, dans tous ses états. La mère avait tout de suite eu des soupçons quand l'affaire avait éclaté, mais n'avait rien voulu dire. Ce n'est peut-être pas si difficile à...

Elle jeta un coup d'œil à sa fille.

– Bref... le fils était mort. La piste a donc été étouffée par la police et les pouvoirs publics. La bonne femme a été écartée, considérée comme hystérique. Mais quelques semaines plus tard, notre ami Aksel Seier était libéré. En douce. Pas un journal n'en a parlé. Alvhild n'en a plus jamais entendu parler.

Le brouillard s'était dissipé ; seule une couche nuageuse basse dérivait lentement vers l'est, au-dessus de la cime des arbres. En revanche, il pleuvait maintenant pour de bon. Un setter anglais, complètement trempé, tournait comme un fou autour de Kristiane, en jappant et en courant après les cailloux qu'elle lançait en poussant de petits cris ravis.

– Mais pourquoi te raconte-t-elle tout ça, cette... Alvhild Sofienberg ?

– Mmm...

– Pourquoi maintenant ? Trente... trente-cinq ans après ?

– Parce qu'il lui est arrivé une chose étrange l'année dernière. Cette histoire l'a turlupinée pendant toutes ces années. Maintenant qu'elle est à la retraite, alors qu'elle avait décidé d'examiner de plus près cette affaire, elle a pris contact avec les archives nationales et régionales pour avoir les documents. Ils n'existent plus.

– Quoi ?

– Ils ont disparu. Ils ne sont pas aux archives nationales. Aux régionales non plus. La police d'Oslo ne les trouve pas, pas plus que le Romerike. Plus d'un mètre de documents ont disparu, purement et simplement.

Kristiane s'était relevée de sa flaque. Elle vint vers eux en chancelant, trempée et couverte de boue de la tête aux pieds.

– Je suis bien content que ce ne soit pas dans ma voiture que tu doives grimper maintenant, déclara Isak en s'accroupissant devant sa fille. Mais on se voit le 17 mai, hein ?

– Tu fais un câlin à papa ? demanda Inger Johanne.

Kristiane se laissa mollement embrasser ; son regard était loin, très loin.

– Tu crois que tu y arriveras, Isak ?

Il ne quitta pas l'enfant des yeux.

– Bien sûr. Je suis un magicien, tu sais. Si Aksel Seier est toujours vivant, j'aurai trouvé où il habite en moins d'une semaine. Garanti.

– Il n'y a aucune garantie dans cette vie, répondit simplement Inger Johanne. Mais merci d'essayer. Si quelqu'un peut le faire, c'est bien toi.

– *Sure thing*, assura Isak en se glissant dans sa TT. À mercredi.

ELLE NE LE QUITTA PAS DES YEUX jusqu'à ce que la voiture disparaisse derrière la crête de la butte, en direction de Kringsjå.

Isak ne serait jamais rien d'autre qu'un grand enfant. Elle ne l'avait simplement pas compris assez tôt. Avant, avant Kristiane, elle avait admiré sa rapidité, son enthousiasme, son optimisme. Sa conviction enfantine que tout pouvait s'arranger. Il avait bâti un avenir entier sur cette confiance illimitée en lui-même ; Isak avait créé une société point-com avant que beaucoup de gens ne sachent ce que c'était et avait eu le bon sens de vendre à temps. Il passait agréablement quelques heures par jour dans son univers informatique, participait à des régates six mois sur douze et aidait l'Armée du Salut durant son temps libre en recherchant des personnes disparues.

Inger Johanne avait aimé le rire avec lequel il affrontait le monde. Avec ses haussements d'épaules quand les choses devenaient trop compliquées, il était si différent d'elle qu'il en devenait séduisant.

Puis vint Kristiane. Les premiers temps furent engloutis dans trois opérations du cœur, les nuits blanches et l'angoisse. Lorsqu'ils se réveillèrent enfin après leur première nuit de sommeil ininterrompu, il était trop tard. Ils vivotèrent encore un an. Un séjour de deux semaines, en famille, au Centre national de pédopsychiatrie, dans une quête vaine d'un diagnostic pour Kristiane, se conclut par leur séparation. Sans être exactement des amis, ils conservaient au moins un respect mutuel pratiquement intact.

Le diagnostic ne fut jamais établi. Kristiane bourdonnait dans son petit monde, les médecins secouaient la tête. Autiste peut-être, disaient-ils tout en plissant le front devant les facultés évidentes de l'enfant à se lier et son importante demande de contact physique. Est-ce que c'est important ? demanda Isak ; la gosse est bien, elle est à nous, et je me fous de son problème. Il ne comprenait pas à quel point c'était important. De trouver un diagnostic. D'élaborer une stratégie pour elle. De permettre à Kristiane d'atteindre le maximum de son potentiel.

Bon Dieu, il était tellement irresponsable.

Le problème, c'était qu'il n'avait jamais complètement accepté d'être le père d'une enfant handicapée.

ISAK JETA UN COUP D'ŒIL dans son rétroviseur. Inger Johanne paraissait plus âgée. Fatiguée. Elle prenait toujours les choses très à cœur. Il voulait lui proposer de garder Kristiane chez lui à plein temps, pas une semaine sur deux comme maintenant. Il le voyait bien : quand il rendait Kristiane, au bout d'une semaine, Inger Johanne était en forme et à peu près reposée. Et le dimanche suivant, quand il récupérait la gamine, sa mère avait les traits tirés, le visage gris et plus aucune patience. Ce n'était pas bon pour Kristiane. La sempiternelle ronde chez les spécialistes et les prétendus experts non plus. Ce n'était quand même pas crucial à ce point de trouver quel était le problème chez cette enfant. L'essentiel, c'était que le cœur fonctionnait bien maintenant, qu'elle mangeait comme il le fallait, et que ça allait. Sa fille était heureuse. Isak en était sûr.

Inger Johanne était adulte depuis trop longtemps. Avant, avant Kristiane, c'était attirant. Sexy. Son ambition, son sérieux dans tout ce qu'elle faisait. Ses aspirations, son efficacité ; il avait craqué pour sa détermination d'adulte prématurée, sa progression admirable dans ses études, dans son travail à l'université.

Puis vint Kristiane.

Il adorait cette enfant. C'était son enfant. Rien n'allait de travers avec elle. Elle n'était pas comme les autres, mais elle était entière. C'était suffisant. L'opinion de tous les spécialistes au monde sur ce qui pouvait affecter sa fille n'avait aucune espèce d'importance. Mais pas pour Inger Johanne. Il fallait toujours qu'elle aille au fond de toute chose.

Bon Dieu, elle était tellement responsable.

Le problème, c'était qu'elle n'avait jamais complètement accepté d'être la mère d'une enfant handicapée.

10

L'INSPECTEUR PRINCIPAL YNGVAR STUBØ ressemblait à un footballeur américain. Il était costaud, plus que concerné par la surcharge pondérale sans réellement dépasser la taille moyenne. Les kilos en trop se répartissaient de façon homogène sur les épaules, la nuque et les cuisses. La cage thoracique se contracta sous la chemise blanc immaculé. De la poche située pile sur le cœur pointaient deux tubes métalliques. Avant de comprendre ce que c'était, Inger Johanne Vik crut que le bonhomme se trimballait avec ses munitions sur lui.

Il avait envoyé une voiture la chercher. C'était la première fois que quelqu'un envoyait une voiture chercher Inger Johanne Vik. Cela la rendait mal à l'aise, elle avait demandé à ne pas en bénéficier. Il y avait le métro. Elle pouvait prendre un taxi. Certainement pas, avait insisté Stubø. Il envoya une voiture banalisée, une Volvo bleu nuit, conduite par un jeune homme.

— On aurait juré le Service de surveillance de la police, fit-elle remarquer avec un sourire aigre-doux en serrant la main de Stubø. Volvo bleu marine et chauffeur muet portant des lunettes de soleil.

Son rire était aussi puissant que le cou d'où il monta. Ses dents étaient blanches, régulières, avec un éclat doré provenant d'une molaire à droite.

— Ne vous en faites pas pour Oskar. Il a encore beaucoup à apprendre.

Une vague odeur de cigare flottait dans l'air. On ne voyait pourtant aucun cendrier. La table de travail était exceptionnellement vaste, occupée par des dossiers bien rangés d'un côté, un ordinateur éteint de l'autre. Le mur derrière le fauteuil dans lequel s'assit Stubø était orné d'une carte de la Norvège, une plaque du FBI et une grande photo d'un cheval brun, prise en été, dans un champ couvert de fleurs. À l'instant où le photographe avait déclenché, le cheval faisait un grand mouvement de tête, sa crinière dessinant une auréole autour de sa tête et son regard braqué droit sur l'objectif.

– Belle bête, apprécia-t-elle en levant un doigt vers le cliché. Le vôtre ?

– Sabra, répondit-il en souriant de nouveau ; cet homme souriait tout le temps. Un animal adorable. Merci d'avoir bien voulu venir. Je vous ai vue à la télé.

Inger Johanne se demanda combien de personnes lui avaient dit la même chose ces derniers jours. Comme on pouvait s'y attendre de sa part, Isak avait été le seul à éviter toute allusion à cet épisode au plus haut point pénible. Mais de toute façon, il ne regardait jamais la télévision. La mère d'Inger Johanne, en revanche, avait téléphoné cinq fois dans la demi-heure qui avait suivi l'émission ; le répondeur téléphonique avait balancé sa voix criarde sitôt qu'elle avait franchi la porte. Inger Johanne ne la rappela pas. Ce qui provoqua quatre nouveaux messages, plus virulents les uns que les autres. Le lendemain, au boulot, ses collègues lui avaient tapé sur l'épaule. Certains avaient ri, d'autres avaient été franchement indignés pour elle. La caissière de l'épicerie s'était penchée vers elle comme vers une confidente avant de murmurer, suffisamment fort pour que tout le monde l'entende :

– Je vous ai vue à la télé !

L'audimat de « Redaksjon 21 » devait être formidable.

– Vous avez fait une bonne prestation, la complimenta Stubø.

– Vous trouvez ? Je n'ai presque rien pu dire.

– Vous avez dit ce qui était important. Le simple fait que vous vous en alliez en disait plus long que ce que les autres invités... moins doués ont pu produire. Vous avez lu mon mail ?

Elle hocha rapidement la tête.

– Mais je crois que vous vous méprenez quelque peu. Je ne vois pas comment je pourrais vous aider. Je ne suis pas exactement...

– J'ai lu votre mémoire, l'interrompit-il. Très intéressant. Dans mon métier...

Il la regarda bien en face et se tut, avec l'air de s'excuser, comme s'il avait un peu honte de ce qu'il faisait.

– Nous ne sommes pas spécialement doués pour nous tenir au courant de ce qui n'a apparemment aucun intérêt direct pour le travail d'enquête. Comme ceci...

Il ouvrit un tiroir et en tira un livre. Inger Johanne reconnut sur-le-champ la couverture, un paysage hivernal monochrome avec son nom en petits caractères.

– Je dois être le seul ici à l'avoir lu, je pense. Dommage. Un travail très pertinent.

– Par rapport à quoi ?

Son visage prit de nouveau cette expression découragée, presque d'excuse.

– À notre métier de policier. À tous ceux qui tentent de comprendre l'âme du crime.

– L'âme du *crime* ? Vous êtes sûr que ce n'est pas celle du *criminel* dont vous voulez parler ?

– Bien vu, professeur, bien vu.

– Je ne suis pas professeur. Je suis lectrice.

– La différence est importante ?

– Oui.

– Pourquoi ?

– Pourquoi...

– Oui. Quelle importance ça a, la façon dont je vous appelle ? Quand je m'adresse à vous en disant « professeur », cela signifie simplement que je sais que vous faites des recherches et que vous enseignez à l'univer-

50

sité. Ce n'est pas le cas ? N'est-ce pas exactement ce que vous faites ?

— Si, mais ce n'est pas juste de se bombarder...

— De vous donner un titre que vous n'avez pas ? De bâcler les formalités ? C'est ça que vous voulez dire ?

Inger Johanne plissa les yeux et retira ses lunettes. Elle frotta lentement le verre gauche avec le coin de sa chemise. Elle jouait la montre. Son interlocuteur était à présent réduit à un brouillard gris, un être indéterminé sans caractère bien défini.

— La précision, c'est mon domaine, déclara une voix au milieu de ce visage sans contours. En tout. Le travail d'un policier consiste à poser pierre sur pierre. Au millimètre près. Si je ne fais pas correctement mon travail... si l'un de mes hommes néglige un cheveu, se plante d'une minute, prend un tout petit raccourci parce que nous pensons savoir quelque chose que nous ne pouvons encore pas affirmer d'une manière absolue, eh bien...

Clap.

Il fit claquer ses mains, et Inger Johanne remit ses lunettes.

— On est vraiment dans la mouise, ajouta-t-il, très calme. Honnêtement, je commence à en avoir assez.

Cela ne la regardait pas. Peu lui importait qu'un inspecteur principal dans la force de l'âge, travaillant pour Kripos, soit lassé de son boulot. À l'évidence, il se battait contre Dieu sait quel problème existentiel, et elle n'avait rien à voir dans cette histoire.

— Pas de mon travail en tant que tel, ajouta-t-il soudain en lui tendant une boîte de pastilles. Absolument pas. Tenez, servez-vous. L'odeur de cigare vous gêne ? Vous voulez que j'aère ?

Elle secoua la tête avec un petit sourire.

— Non, ça sent bon.

Il lui rendit son sourire. Il était beau. D'une façon

presque extrême : nez trop droit, trop grand. Yeux trop profonds, trop bleus. Bouche trop nette, trop bien formée. Yngvar Stubø était trop vieux pour ce sourire blanc étincelant.

— Vous devez vous demander pourquoi je voulais vous parler, reprit-il gaiement. Quand vous m'avez corrigé, tout à l'heure... en remplaçant « crime » par « criminel », vous avez mis dans le mille. C'est de cela qu'il s'agit.

— Je ne comprends pas bien...

— Attendez.

Il se tourna vers la photographie du cheval.

— Sabra, ici présente, commença-t-il en croisant les mains derrière sa tête, est un bon cheval de selle à l'ancienne mode. Vous pouvez lui mettre un gosse de cinq ans sur le dos, et elle démarre au pas mesuré. Si moi je lui monte dessus, en revanche... Wow ! J'ai fait du saut d'obstacles avec elle, pendant des années. Pour le plaisir, bien sûr, je n'ai jamais été spécialement bon. L'essentiel, c'est que...

Il se pencha soudain vers elle, elle sentit faiblement le parfum des pastilles dans son haleine. Inger Johanne ne sut pas si cette soudaine intimité était agréable ou dégoûtante. Elle recula un peu.

— J'ai entendu des gens soutenir que les chevaux ne voient pas les couleurs, poursuivit-il, ils ont peut-être raison. Il se trouve que Sabra ne peut pas souffrir tout ce qui est bleu, quoi qu'ils en disent. Elle n'aime pas non plus la pluie, a un petit faible pour les juments qui s'emballent, est allergique aux chats, et se laisse trop facilement distraire par les voitures dont la cylindrée est supérieure à trois litres.

Il hésita un instant, pencha un peu la tête de côté et poursuivit :

— L'essentiel, c'est que j'ai toujours pu *expliquer* ses résultats. D'après son état. En tant que... que cheval,

52

tout simplement. Si elle faisait tomber un obstacle, je n'avais pas besoin d'effectuer une analyse très poussée, comme le font d'autres entraîneurs plus sérieux. Je pouvais...

Il jeta un coup d'œil en biais vers la photo.

– Je le voyais à ses yeux. Dans son âme, si vous voulez. Dans son caractère. D'après ce que je savais de son état.

Inger Johanne voulut intervenir. Elle devait trouver quelque chose, n'importe quoi.

– Ici, nous ne travaillons pas comme ça, la devança-t-il. Ici, on suit l'autre voie.

– Je ne vois toujours pas ce que vous me voulez.

Yngvar Stubø joignit de nouveau les mains, cette fois-ci comme pour prier, en les posant en un geste lent sur le bureau.

– Deux enfants kidnappés, deux familles brisées. Mes gars ont déjà envoyé plus de quarante échantillons pour des examens en labo. Nous avons plusieurs centaines de photos des endroits où ont eu lieu les enlèvements. On a effectué tellement d'interrogatoires que ça vous filerait la migraine rien que de savoir combien on en a fait. Près de soixante personnes sont sur cette affaire, ou plus exactement *ces affaires*. Dans quelques jours, je saurai tout ce qu'il y a à savoir sur le *crime* en tant que tel. Ce qui ne me mènera nulle part, j'en ai bien peur. Ce que je veux, ce sont des informations sur le *criminel*. Voilà pourquoi j'ai besoin de vous.

– Vous avez besoin d'un *profiler*, corrigea-t-elle lentement.

– Exactement... Donc de toi.

– Non, répondit-elle en haussant un peu trop le ton. Ce n'est pas moi que tu cherches.

DANS UNE MAISON MITOYENNE de Bærum, une femme regarda sa montre. Le temps ne se comportait absolument pas comme il aurait dû. Les secondes ne suivaient pas les secondes. Chaque minute ne prenait pas la suite de la précédente. Les heures s'emmêlaient. Elles duraient une éternité, puis se raccourcissaient brusquement. Elles revenaient quand elles avaient enfin été dépassées ; elle les sentait, elles étaient comme de vieux ennemis qui ne voulaient pas la laisser en paix.

La peur du premier matin était en tout cas un élément concret pour tous les deux. Quelque chose qu'ils pouvaient canaliser en une ronde de coups de téléphone : à la police, à leurs propres parents. Au travail. Aux pompiers, qui venaient en vain et n'étaient d'aucun secours pour pister un petit garçon de cinq ans aux boucles brunes qui avait disparu durant la nuit. Lasse appela tous ceux auxquels il put penser : l'hôpital, qui envoya une ambulance sans trouver qui que ce soit qu'ils puissent évacuer. Elle-même téléphona aux voisins, qui renoncèrent au portail en voyant les policiers en uniforme dans le jardin devant la maison.

La peur pouvait servir. Depuis, tout s'était considérablement dégradé.

Elle trébucha dans l'escalier de la cave.

Les stabilisateurs avaient dégringolé du mur. Lasse venait de les démonter du vélo de Kim. Celui-ci avait été tellement fier... Il était parti à toute vitesse sous son casque bleu. Il était tombé, s'était relevé, était reparti. Sans ses stabilisateurs. Qui étaient restés suspendus dans l'escalier de la cave, juste derrière la porte : un trophée.

– Comme ça, je peux voir ce que j'ai réussi à faire, avait-il dit à son père en faisant bouger la dent branlante sur le devant de sa bouche. Elle ne va pas tarder à tomber ; j'aurai combien ?

Ils avaient besoin de confiture.

Les jumeaux avaient besoin de confiture. Elle était

sur la table, et datait de l'année dernière. Kim avait participé à la cueillette. Kim. Kim. Kim.

Les jumeaux n'avaient que deux ans, et devaient avoir leur confiture.

Il y avait quelque chose devant le garde-manger. Elle ne comprit pas ce que c'était. Un paquet allongé, un ballot de vêtements ?

Pas un gros, le cas échéant. Environ un mètre, peut-être. On avait emballé Dieu sait quoi dans un plastique gris et posé un message dessus. Scotché. Feutre rouge sur une grande feuille de papier. Ruban adhésif brun. Plastique gris. Une tête émergeait du ballot, le sommet d'une tête ; une tête d'enfant aux boucles brunes.

– Un mot, articula-t-elle d'une voix sans timbre. Il y a un mot dessus.

Kim souriait. Il était mort et souriait. Sur le devant de sa bouche, une dent manquante avait laissé un petit trou qui luisait en rouge clair. Elle s'assit à même le sol. Le temps allait en cercle, et elle sut que ceci était le début d'une période qui ne passerait jamais. Lorsque Lasse descendit à sa recherche, elle n'avait aucune idée de l'endroit où elle se trouvait. Elle ne lâcha pas son gamin avant d'être emmenée à l'hôpital et d'avoir reçu une injection. Un policier ouvrit le poing droit du gosse.

Ils y virent une dent, blanc étincelant, prolongée par une petite racine teintée de rouge.

BIEN QUE LE BUREAU FÛT relativement grand, l'air sentait déjà le renfermé. Son mémoire était toujours en vue, tout au bout de la table de travail. Yngvar Stubø passa son index sur le paysage hivernal avant de le pointer sur elle.

– Tu es à la fois psychologue et juriste, insista-t-il.

– Ça non plus, ce n'est pas correct. Pas tout à fait. J'ai un diplôme universitaire en psychologie, obtenu aux États-Unis, mais pas la maîtrise. Juriste, en revanche... ça, c'est vrai.

Elle transpirait, et demanda de l'eau. Elle se rendit compte qu'elle avait été obligée de venir ici, presque sommée, contre son gré, par un policier avec qui elle n'avait absolument pas l'intention de s'acoquiner. Il lui parlait d'une affaire qui ne la concernait pas, très en dehors de son champ de compétences.

– J'aimerais m'en aller, maintenant, fit-elle savoir poliment. Je ne peux malheureusement pas t'aider. Tu connais manifestement des gens au FBI. Demande-leur. Eux utilisent des *profilers*. À ce que j'en sais.

Elle fit un signe de tête vers la plaque sur le mur, bleue, dénuée de goût, tape-à-l'œil.

– Je suis chercheuse, Stubø. Et mère d'une jeune enfant. Cette affaire me dégoûte. M'effraie. Contrairement à toi, j'ai le droit de penser de la sorte. Laisse-moi partir.

Il attrapa une bouteille débouchée et remplit un gobelet en carton qu'il poussa devant elle.

– Tu avais soif, lui rappela-t-il. Bois. Tu le penses vraiment ?

– Quoi donc ?

Elle renversa un peu d'eau et constata qu'elle tremblait. L'eau froide dessina un sillon depuis le coin de sa bouche, sur son menton et jusqu'à sa fossette. Elle tira sur le col de son pull-over.

– Que ça ne te concerne pas.

Le téléphone sonna. Le son était criard, insistant. Yngvar Stubø saisit le combiné. Sa pomme d'Adam fit trois bonds bien nets, comme s'il vomissait. Il ne dit rien. Une minute s'écoula. Un oui mesuré, pas grand-chose d'autre qu'un raclement de gorge indistinct, parvint sur ses lèvres. Une minute supplémentaire s'écoula. Il raccrocha avant de tirer lentement l'un des deux étuis à cigare de sa poche de poitrine. Ses doigts caressèrent le métal brossé. Il ne disait toujours rien. Inger Johanne ne savait que faire. Tout à coup, il remit le cigare à sa place et resserra son nœud de cravate.

– On a retrouvé le gamin, déclara-t-il d'une voix rauque. Kim Sande Oksøy. Sa mère l'a retrouvé dans leur propre cave. Empaqueté dans un sac-poubelle. Le meurtrier avait laissé un message. *Tu as eu ce que tu méritais.*

Inger Johanne arracha ses lunettes d'un geste sec. Elle ne voulait pas voir. Elle ne voulait pas entendre non plus. Elle se leva à l'aveuglette et tendit la main vers la porte.

– C'est ce qu'il y avait d'écrit sur le message, précisa Yngvar Stubø. « Tu as eu ce que tu méritais ». Tu penses toujours que ce ne sont pas tes oignons ?

– Laisse-moi partir. Laisse-moi sortir d'ici.

Elle alla jusqu'à la porte d'un pas traînant et chercha maladroitement la poignée, ses lunettes toujours dans la main gauche.

– Bien entendu, entendit-elle dans le lointain. Je vais demander à Oskar de te raccompagner. Merci d'être venue.

11

ÉMILIE N'ARRIVAIT PAS À COMPRENDRE pourquoi Kim avait pu s'en aller. Ce n'était pas juste. Étant donné qu'elle était arrivée la première, elle aurait dû pouvoir repartir la première. En plus, Kim avait eu du Coca-Cola, tandis qu'elle devait boire du lait tiède et de l'eau qui avait un goût de métal. Tout avait le goût de métal. La nourriture. Sa bouche. Elle fit claquer sa langue pour faire ressortir ce goût. Celui de l'argent ; de pièces de monnaie qui étaient restées longtemps dans la poche. Longtemps, longtemps. Cela faisait longtemps qu'elle était ici. Trop longtemps. Papa ne cherchait plus. Papa avait certainement abandonné. Maman n'était pas au ciel, mais dans une urne où elle était devenue cendres et rien, et n'existait plus. C'était si évident. Émilie se frotta les yeux et essaya de tenir l'éclat puissant du plafonnier à l'écart. Elle pouvait dormir. Elle dormait presque tout le temps. C'était mieux comme ça. Elle rêvait, et elle avait pratiquement cessé de manger. Son ventre s'était ratatiné, et il n'y avait même plus de place pour la soupe de tomate. L'homme était en colère quand il récupérait les bols encore pleins. Pas très en colère, mais peut-être amer.

Kim avait pu rentrer chez lui.

C'était injuste, et Émilie n'arrivait pas à le comprendre.

12

YNGVAR STUBØ DUT se ressaisir pour ne pas toucher le corps nu. Sa main se dirigeait vers la jambe du garçonnet. Il voulait toucher cette peau lisse. Il devait s'assurer qu'il n'y avait plus de vie dans l'enfant. Tel que celui-ci gisait, sur le dos, les yeux clos et la tête légèrement de biais, les bras le long du corps, une main à moitié fermée et l'autre ouverte paume vers le haut comme s'il attendait de recevoir quelque chose, un cadeau, une sucrerie... le gamin aurait très bien pu être vivant. L'ouverture pratiquée sur le sternum pour l'autopsie, en forme de T descendant vers les petits organes sexuels, avait été délicatement refermée. La pâleur du visage pouvait être due à la saison : l'hiver venait de se terminer et l'été se faisait attendre. La bouche du petit garçon était entrouverte. Stubø se surprit à vouloir embrasser l'enfant. Il voulait insuffler de la vie en lui. Il voulait demander pardon.

— Et merde, jura-t-il d'une voix étranglée derrière sa main. Merde, merde.

Le médecin légiste lui jeta un coup d'œil par-dessus ses lunettes.

— On ne s'y fera jamais, hein ?

Yngvar Stubø ne répondit pas. Ses jointures étaient blanches, et il souffla légèrement.

— J'ai terminé, reprit le médecin en se défaisant de ses gants en latex. Un beau petit enfant. Cinq ans. Tu peux dire merde, en ce qui me concerne. Pour ce que ça aide...

Stubø aurait voulu se détourner, mais n'y parvint pas. Il abaissa prudemment la main droite vers le visage du gosse. C'était comme si celui-ci souriait. Le policier laissa son index parcourir le visage de la victime, à peine, lentement, depuis le coin de l'œil jusqu'à la pointe du menton. La peau avait déjà pris un toucher cireux ; elle lui fit comme un choc glacial au bout des doigts.

— Que s'est-il passé ?

— Vous ne l'avez pas trouvé à temps, répondit simplement le légiste. Voilà *stricto sensu* ce qui s'est passé.

Il étendit un drap blanc sur le cadavre. Recouvert de la sorte, l'enfant paraissait encore moins grand. Son corps était si petit, il diminuait encore sous le linge raide. La paillasse d'acier était longue, conçue pour des adultes. Elle convenait pour un adulte, responsable de ses faits et gestes, mort d'une attaque cardiaque, peut-être ; de nourritures grasses et de trop de cigarettes, d'une vie moderne et de plaisirs malsains. C'était tout sauf une paillasse pour les enfants.

– On laisse tomber ce ton, proposa Stubø à voix basse. Ça nous touche tous les deux. Ce...

Il se tut tandis que le légiste se lavait les mains avec soin. C'était comme une cérémonie, comme si c'était de la mort même qu'il essayait de se débarrasser dans l'eau et le savon.

– Tu as raison, murmura le médecin. Désolé. On va sortir.

Son bureau était juste à côté de la salle d'autopsie.

– Vas-y, raconte, l'enjoignit Yngvar Stubø en se laissant tomber dans un canapé deux places fatigué. Je veux tous les détails.

Le légiste, un type maigre de près de soixante-cinq ans, s'immobilisa à côté de son fauteuil de bureau avec une expression absente, à moitié surpris. Pendant un instant, il eut l'air de ne plus complètement se souvenir de ce qu'il était venu faire. Puis il se passa une main sur le crâne et s'assit.

– Il n'y en a aucun.

Le bureau n'avait pas de fenêtre. L'air y était pourtant frais, presque trop, et l'absence d'odeurs y était étonnante. Le faible ronronnement de la climatisation fut assourdi par des sirènes d'ambulance. Stubø se sentait enfermé. Ici, rien ne lui permettait de s'orienter. Pas de lumière diurne, pas d'ombres ou de nuages dérivant pour le renseigner sur l'endroit où il se trouvait.

– L'objet de l'autopsie est un jeune garçon identifié de cinq ans, psalmodia le médecin comme s'il lisait un rapport invisible. En bonne santé. Taille et poids normaux. Aucune maladie n'a été déclarée par les parents, aucune maladie n'a été constatée durant l'autopsie. Les organes internes sont intacts et en bon état. Le squelette et les tissus conjonctifs ne présentent pas de lésions. Il n'y a par ailleurs aucune trace extérieure de violence ou de blessure. La peau est intacte à l'exception d'une égratignure au genou droit, qui remonte à l'évidence à quelque temps. Au moins une semaine, et donc avant la disparition de l'enfant.

Stubø se frotta le visage. La pièce valsait. Il avait besoin de boire quelque chose.

– Les dents sont entières et saines. Jeu complet de dents de lait, à l'exception d'une sur le devant de la bouche, qui a dû tomber quelques heures seulement avant que le défunt...

Il hésita et se reprit.

– ... avant que le petit Kim ne meure, termina-t-il à mi-voix. En d'autres termes... *Mors subita*.

– Pas de cause de décès connue.

– Tout juste. C'est vrai, il avait...

Le légiste avait les yeux rouges. Son visage rappela à Stubø celui d'une vieille chèvre, surtout parce que le type s'obstinait à porter une barbiche qui lui allongeait encore un peu le faciès.

– Il avait un peu de diazépam dans les urines. Pas beaucoup, mais...

– Comme dans... le Valium ? Il était empoisonné ?

Stubø se redressa et posa un bras sur le dossier du canapé. Il avait besoin d'un appui.

– Non, absolument pas.

Le médecin se gratta la barbiche d'un index.

– Il n'était pas empoisonné. Bien sûr, je fais partie de ceux qui pensent qu'un gamin de cinq ans en bonne santé n'a pas à prendre des médicaments contenant du diazépam, mais il n'est malgré tout pas question d'empoisonnement. Il est évidemment impossible de préciser quelle dose lui a été administrée à l'origine, mais au moment du décès, on parle de quantités infimes. En aucune manière...

Il se passa une main sur le menton et plissa les yeux vers Stubø.

– ... suffisantes pour lui faire du mal. Le corps en avait déjà évacué la majeure partie, à moins qu'il n'ait réellement absorbé que cette quantité ridicule. Et là, je ne comprends vraiment pas à quoi ça aurait servi.

– Du Valium, conclut Yngvar Stubø d'une voix lente, comme si le mot détenait un secret, une explication sur la disparition et la mort d'un petit garçon de cinq ans, sans aucune cause apparente.

– Du Valium, répéta le médecin tout aussi lentement. Ou un produit contenant la même substance.

– À quoi est-ce que ça pourrait servir ?

– Servir ? Tu veux dire : à quoi est-ce qu'on utilise le diazépam ?

Le légiste prit pour la première fois une expression contrariée, et il jeta un coup d'œil ostensible à l'horloge.

– Tu le sais très bien. Les maladies des nerfs. Dans les hôpitaux, ils s'en servent à un degré assez important au stade pré-opératoire. Il permet au malade d'être plus calme. Plus détendu. On s'en sert aussi pour les épileptiques. Contre les grosses crises. Aussi bien chez les adultes que chez les enfants. Kim ne souffrait de rien de ce genre.

– Alors pourquoi quelqu'un donnerait-il à un enfant de cinq ans...

– Je dis stop pour aujourd'hui, Stubø. Cela fait onze heures que je bosse. Tu auras un rapport provisoire demain. Le rapport définitif a peu de chances d'être terminé avant plusieurs semaines. J'attends tous les résultats avant de le remettre. Mais en un mot comme en cent...

Il fit un sourire. S'il n'y avait pas eu cette expression dans ses petits yeux rapprochés, Stubø aurait soupçonné le légiste de s'amuser.

– Tu es devant un sacrément gros problème. Ce gosse est mort, rien de plus. Point. Sans raison qui se puisse prouver. Salut.

Il regarda de nouveau l'heure, avant de se débarrasser de sa blouse blanche pour la remplacer par une parka qui avait connu des jours meilleurs. Lorsqu'ils eurent passé la porte, il verrouilla avec deux clés et posa une main amicale sur l'épaule de Stubø.

– Bon courage, conclut-il sèchement. Tu en auras besoin.

En passant devant la salle d'autopsie, Yngvar Stubø se détourna. Heureusement, il pleuvait à seaux. Il voulait rentrer à pied chez lui, bien qu'il y ait plus d'une heure à marcher. C'était le 16 mai. Il était dix-huit heures passées. Au loin, il entendait une fanfare scolaire répéter l'hymne national sur un rythme boiteux et courroucé.

13

IL S'ÉTAIT PASSÉ QUELQUE CHOSE. La pièce paraissait plus claire. L'atmosphère accablante de chambre d'hôpital d'autrefois avait disparu. Le lit métallique avait été repoussé contre le mur, recouvert d'un plaid bigarré et de coussins multicolores. On avait apporté un fauteuil à oreilles. Alvhild Sofienberg était assise dedans, bien habillée, les pieds sur un pouf. Ses pantoufles dépassaient à peine de sous une petite couverture. Quelqu'un était parvenu à insuffler ce qui pouvait ressembler à de la vie dans les touffes de cheveux gris ; une boucle douce tombait sur son front.

– Tu as l'air beaucoup plus jeune, s'exclama Inger Johanne Vik. Alvhild ! Quelle bonne mine tu as, dans ton fauteuil !

La fenêtre était grande ouverte. Le printemps était enfin arrivé. La fête nationale avait laissé derrière elle une ambiance de début d'été qui avait, pour l'instant, duré deux jours. L'odeur de vieil oignon était imperceptible, Inger Johanne sentait à la place le parfum de la terre humide au-dehors. Un homme d'un certain âge avait à peine levé son chapeau de soleil quand elle était passée dans la cour. Un bon voisin, lui expliqua Alvhild Sofienberg. Jardinier pendant son temps libre. Qui ne supportait pas de voir que son jardin dépérissait pendant son absence. Son sourire était un peu plus doux.

– Je ne m'attendais pas à te revoir, lui confia-t-elle simplement. Tu n'avais pas l'air à ton aise la dernière fois que tu es venue. Ne t'en fais pas, je comprends. Je n'allais vraiment, vraiment pas bien. Très mal, si je peux le dire moi-même.

Elle jeta la tête en arrière, un mouvement qu'elle corrigea aussitôt :

– Je suis toujours gravement malade. Ne te laisse pas abuser. C'est bizarre, je sens la mort qui rôde et qui attend, là-bas, dans la penderie, depuis plusieurs semaines, et la voilà qui part faire un tour, sans aucune raison. Elle a peut-être d'autres clients dont elle doit s'occuper entre-temps. Oh, elle ne va sûrement pas tarder à revenir. Café ?

– Oui, volontiers. Noir. Je vais m'en occuper, juste...

Inger Johanne se leva à demi. Le regard d'Alvhild la fit se rasseoir.

– Je ne suis pas encore morte, fit-elle remarquer la bouche pincée. Tiens.

Elle attrapa une Thermos posée sur une tablette à côté du lit, les servit et tendit une tasse à Inger Johanne. La porcelaine était précieuse, presque transparente. Le café était assez léger, lui aussi.

– Désolée pour le café, s'excusa Alvhild. C'est mon ventre. Je ne supporte pratiquement rien. Alors, qu'est-ce qui me vaut l'honneur ?

C'était incompréhensible. Quand Inger Johanne avait décidé de retourner voir la vieille dame, elle n'était pas sûre de la trouver en vie.

– J'ai retrouvé Aksel Seier.

– Tiens donc ?

Alvhild Sofienberg leva sa tasse à ses lèvres comme pour dissimuler sa curiosité. Ce geste agaça Inger Johanne, sans qu'elle sache bien pourquoi.

– Oui, je ne l'ai pas trouvé en chair et en os, mais je sais où il est. Où il habite. D'ailleurs, ce n'est pas moi qui l'ai découvert, mais mon... Enfin. Aksel Seier vit aux États-Unis.

– Aux États-Unis ?

Alvhild reposa sa tasse sans en avoir touché le contenu.

– Comment... Que fait-il là-bas ?

– Ça, je n'en sais vraiment rien !

Alvhild mit une main devant sa bouche, comme si elle avait peur de montrer ses dents. Inger Johanne but une gorgée du liquide brun clair dans la porcelaine bleue.

– Quand je l'ai su, j'ai d'abord tiqué sur le fait qu'une personne ayant fait l'objet d'une condamnation ait pu obtenir un visa d'entrée aux États-Unis, poursuivit-elle. Ils ne plaisantent pas avec ce genre de choses, c'est le moins que l'on puisse dire. Je me suis dit que les règles étaient peut-être différentes à la fin des années 1960, au moment de son départ. Mais non. En fait, Aksel Seier est citoyen américain.

– Ça n'a donc jamais abouti à rien quand...

– Sûrement pas. Mais ce n'est pas si étonnant. Il est né aux États-Unis, au cours d'un voyage que ses parents avaient effectué lors d'une tentative d'émigration aussi courte qu'infructueuse. Il a conservé sa citoyenneté américaine, même s'il était aussi norvégien bien entendu. On n'aurait absolument pas pu le faire valoir lors de son procès. Ou pour sa demande de grâce. On lui a sans doute demandé, de façon purement formelle, s'il était norvégien. Et il l'était. Il l'*est* toujours, d'ailleurs.

Alvhild Sofienberg se décomposa. Un ange passa, et Inger Johanne sursauta lorsque la porte s'ouvrit et que l'homme au chapeau de soleil passa la tête à l'intérieur.

– Ça suffit pour aujourd'hui, gronda-t-il. Ça n'a pas trop bonne mine, dehors. Je ne crois pas que j'arriverai à me dépêtrer des roses, non... Et le rhodo est sur la pente descendante, madame Sofienberg. Bonsoir.

Il prit congé sans attendre de réponse. L'air s'était rafraîchi dans la pièce. La fenêtre avait commencé à battre sur ses gonds, et Alvhild Sofienberg semblait s'endormir. Inger Johanne se leva pour aller fermer.

– Je pense aller le voir, reprit-elle d'un ton léger.

– Il voudra bien ? Il reçoit, tu crois ? Une chercheuse qu'il ne connaît ni d'Eve ni d'Adam, sortie tout droit du pays de ses ancêtres ?

– Impossible de le dire. Mais c'est une affaire très intéressante. Par rapport à mon projet, c'est le cas le plus pur, le plus... Réussir à parler à Aksel Seier aurait beaucoup d'importance pour mes recherches.

– Bien, bien, acquiesça la vieille. Je ne suis pas vraiment... pas vraiment sûre de bien comprendre ce que tu fais. Dans le cadre de ces recherches.

La première fois qu'Inger Johanne avait rencontré Alvhild Sofienberg, par une collègue qui connaissait la fille d'Alvhild, elle avait eu l'impression que la malade ne savait que de manière très superficielle de quoi Inger Johanne s'occupait. Elle n'avait jamais posé de questions, jamais montré d'intérêt pour son projet. Ses jours étaient comptés, et elle avait employé ses dernières forces à éveiller l'intérêt d'Inger Johanne pour *son* affaire, l'histoire d'Aksel Seier. Tout le reste était superflu. Elle avait bientôt soixante-dix ans et ne voulait pas perdre de temps à montrer un intérêt feint pour le travail des autres.

Son visage avait pris des couleurs, comme si elle n'était plus malade, en tout cas pas fatiguée. Inger Johanne approcha sa chaise.

– Je me base sur dix meurtres commis entre 1950 et 1960, commença-t-elle en remuant d'un geste distrait l'ersatz de café. Tous les condamnés se prétendaient innocents. Aucun n'en a démordu durant la durée de sa peine. Ils étaient et restaient innocents, selon eux. Mon boulot, c'est de découvrir s'ils disaient ou non la vérité. Je dois par ailleurs voir s'il y a des différences entre les destins de ces hommes à partir de leur condamnation, donc durant leur séjour en prison, au moment de leur grâce éventuelle, de leur libération et d'éventuelles révisions du procès. Le but, en deux mots, c'est de dresser un schéma de l'importance qu'a l'engagement de tiers sur les réactions de l'organisation judiciaire. Comme tu le sais, Fredrik Fasting Torgersen, par exemple, a été...

Inger Johanne eut un sourire confus. Alvhild Sofienberg était adulte au moment de l'affaire Torgersen. Inger Johanne n'était pas encore née.

– ... condamné à la prison à vie pour l'assassinat d'une jeune femme. Pendant quarante ans, il a nié être coupable. *Jusqu'à ce jour*, des gens qu'il ne connaissait pas ont livré un combat sans répit en sa faveur. Jens Bjørneboe[1], par exemple, et...

Elle rougit de nouveau, et se tut.

– Mais ça, tu le sais déjà, conclut-elle à voix basse.

Alvhild acquiesça avec un sourire, sans rien dire.

– Ce que je vais essayer de détailler tient en deux points, poursuivit Inger Johanne. Premièrement : existe-t-il des signes particuliers propres aux affaires

---

1. (1920-1976), auteur norvégien de romans dénonçant tous la cruauté ou l'oppression, ayant connu un grand succès dans les années 1970.

qui attirent l'attention ? Est-ce vrai que ces affaires sont spécialement faibles du point de vue des preuves ? Ou bien sont-ce les caractéristiques personnelles du prévenu, puis condamné, qui rendent cette affaire captivante ? La couverture médiatique de l'enquête et du procès joue-t-elle un rôle ? En d'autres termes : quelle est la part de *hasard* dans le fait qu'une affaire meurt à partir du moment où le jugement a été rendu, ou au contraire lui survit, année après année ?

Elle se rendit compte qu'elle avait haussé le ton.

– En second lieu, continua-t-elle plus bas, je vais essayer d'envisager les *conséquences* du maintien en vie d'une affaire. Sur le plan purement matériel et avec un certain cynisme, il y a peu de chances que Torgersen, par exemple, ait tiré un quelconque plaisir de tout le soutien qu'il a reçu. Je comprends bien sûr...

Inger Johanne prit conscience de l'intérêt intense apparu dans les yeux d'Alvhild. Comme si la vieille dame était allée puiser tout ce qu'elle avait de forces, son dos était droit comme celui d'une dame d'honneur et elle cillait à peine.

– Je comprends bien sûr que sur le plan humain, ce puisse être très important que des gens, dans la société, croient en vous...

– En tout cas si tu es réellement innocent, l'interrompit Alvhild. On n'en sait rien dans le cas de Torgersen.

– C'est évidemment un point essentiel. Grosso modo, je veux dire. Mais pas pour mes recherches. Je me concentre sur les résultats concrets de l'engagement extérieur.

– Extra ! s'exclama Alvhild.

Inger Johanne n'était pas certaine de savoir à quoi elle faisait allusion.

– Ça ne te frappe pas toi aussi ? lui demanda-t-elle d'un ton pensif pour combler le silence ; je veux dire, ce n'est pas extraordinairement singulier que le cas

Seier soit mort après la condamnation, quand plusieurs journaux émettaient de franches critiques à l'égard de toute la procédure ? Pourquoi ont-ils lâché prise ? Cela tenait-il à l'homme lui-même, à un trait désagréable de sa personnalité ? Est-ce qu'il a refusé de collaborer avec d'éventuels journalistes bienveillants ? Est-ce qu'Aksel Seier est véritablement un... salopard ? Qui pourrait se fiche de tout ? Cela me rendrait drôlement service de discuter avec lui.

La porte s'ouvrit sans bruit.

— Comment ça va ? demanda l'infirmière avant de poursuivre sans attendre la réponse. Vous êtes assise dans ce fauteuil depuis trop longtemps, madame Sofienberg. Il va falloir vous mettre au lit. Je vais devoir demander à votre amie de...

— Je peux le faire moi-même, je vous remercie.

La bouche d'Alvhild se pinça de nouveau, et elle leva une main impérieuse vers la bonne femme en blanc.

— Est-ce qu'il ne vaudrait pas mieux lui écrire d'abord ?

Inger Johanne Vik se leva et fourra un bloc-notes intact dans son sac à main.

— Dans certaines situations, je préfère ne pas envoyer de lettre, répondit-elle lentement en balançant son sac sur son épaule.

— Par exemple ?

L'infirmière avait découvert le lit, et s'employait à rouler le monstrueux châssis métallique à travers la pièce.

— Quand j'ai peur de ne pas recevoir de réponse. Pas de réponse, c'est aussi une réponse. Pas de réponse, ça veut dire « non ». Je n'ose pas prendre ce risque. Pas de la part d'Aksel Seier. Je pars lundi. Je...

L'infirmière capta son regard.

— Oui, oui, murmura Inger Johanne. Je m'en vais. Je

t'appellerai peut-être, Alvhild. Des États-Unis. Si j'ai des choses à raconter. Porte-toi... aussi bien que possible d'ici là.

Sans y penser, elle se pencha sur la vieille et l'embrassa doucement sur la joue. Sa peau était froide et sèche. Lorsqu'elle fut sortie depuis un bon moment, elle laissa sa langue humecter ses lèvres. Aucun goût. C'était seulement sec.

14

ÉMILIE AVAIT EU un cadeau. Une poupée Barbie avec des cheveux dans la tête, que l'on pouvait faire sortir et ensuite rentrer en tournant une clé qu'elle avait dans la nuque. La poupée avait de beaux vêtements, une robe rose à paillettes qui était dans la boîte d'origine, et une panoplie de cow-boy en cadeau supplémentaire. Émilie manipulait le chapeau de cow-boy. Barbie était étendue sur le dos, jambes écartées, sur le lit à côté d'elle. À la maison, elle n'avait pas de Barbie. Maman n'aimait pas ce genre de jouets. Papa non plus, et Émilie était d'ailleurs trop grande pour ces choses-là. C'était ce que disait Tante Beate, en tout cas.

Tante Beate devait être folle de rage contre papa, à l'heure qu'il était. Elle pensait probablement que c'était sa faute si Émilie avait disparu. Même si elle ne faisait que rentrer de l'école, comme chaque jour sans que personne l'ait enlevée. Papa ne pouvait pas non plus la surveiller vingt-quatre heures sur vingt-quatre. Même ça, Tante Beate l'avait dit.

– Papa...

– Je peux être ton papa.

L'homme était dans l'embrasure de la porte. Il devait être zinzin. Émilie en savait un bout sur les gens zinzin.

Torill, au numéro 14, était si folle qu'elle devait sans cesse aller à l'hôpital. Ses enfants devaient vivre chez leurs grands-parents parce que, de temps en temps, leur mère se croyait cannibale. Dans ces moments-là, elle allumait un feu dans le jardin et voulait faire rôtir Guttorm et Gustav sur une broche. Une fois, Torill était venue sonner en pleine nuit, Émilie s'était réveillée et était descendue à pas traînants derrière papa pour voir qui c'était. Elle avait vu la mère de Guttorm et Gustav, nue comme un ver, complètement zébrée de raies rouges, qui venait emprunter le congélateur. Émilie avait été renvoyée au lit et n'avait jamais bien su ce qui s'était passé par la suite, mais il s'était écoulé une très très longue période avant que quelqu'un revît Torill.

– Tu n'es pas mon papa, murmura Émilie. Mon papa s'appelle Tønnes. Tu ne lui ressembles même pas.

L'homme la regarda. Ses yeux étaient dangereux, même si son visage était assez beau. Il devait être zinzin.

Pettersen, dans Grønnblokka, était zinzin d'une autre manière que Torill. Maman disait souvent que Torill ne pouvait pas faire de mal à une mouche, c'était différent en ce qui concernait Pettersen de Grønnblokka. Émilie ne trouvait pas qu'il était juste de dire que Torill ne pouvait pas faire de mal à une mouche alors qu'elle projetait purement et simplement de faire cuire ses enfants sur la braise. Mais quoi qu'il en soit, Pettersen était pire. Il avait fait de la prison pour avoir tripoté des petits enfants. Émilie savait ce que « tripoter » voulait dire. Tante Beate le lui avait expliqué.

– On va sans doute devenir amis, déclara l'homme en empoignant la poupée Barbie. Ça t'a fait plaisir ?

Émilie ne répondit pas. Il était difficile de respirer dans cette pièce. Elle avait peut-être épuisé tout l'air ; elle avait un poids sur la poitrine et la tête lui tournait en permanence. Les gens avaient besoin d'oxygène. En respirant, on épuisait l'oxygène de telle sorte que l'air se vidait et devenait inutilisable, en quelque sorte. Tante Beate le lui avait expliqué. Voilà pourquoi il était si répugnant de se cacher sous l'édredon. Au bout d'un moment, elle devait absolument ouvrir, pour avoir de l'oxygène. Même si la pièce était grande, cela faisait terriblement longtemps qu'elle était là. Des années, semblait-il. Elle leva la tête et haleta.

Le fou sourit. Il n'avait manifestement aucun problème pour respirer. C'était peut-être juste elle, elle allait peut-être mourir. L'homme l'avait peut-être empoisonnée parce qu'il allait la tripoter ensuite. Émilie haleta violemment.

— Tu fais de l'asthme ? demanda l'homme.
— Non, souffla Émilie.
— Essaie de t'allonger.
— Non !

Si elle se détendait et si elle pensait à tout autre chose qu'à l'homme aux yeux dangereux, elle arriverait à respirer.

Il n'y avait rien d'autre à quoi penser.

Elle ferma les yeux et s'allongea, le haut du dos contre le mur. Elle ne pensait plus à rien. À rien. Papa avait sûrement abandonné les recherches.

— Dors.

L'homme s'en alla. Émilie referma la main autour du corps raide de la poupée Barbie. Elle aurait préféré un ours en peluche. Même si elle était trop grande pour ça aussi.

Maintenant qu'elle était seule, elle pouvait au moins respirer.

L'homme ne l'avait pas tripotée. Émilie tira la couette sur elle et finit par s'endormir.

TØNNES SELBU ÉTAIT ENFIN SEUL. C'était comme s'il n'avait plus d'existence propre. Comme si plus rien ne lui appartenait, même plus le temps. La maison était en permanence pleine de monde : des voisins, des amis, Beate, les parents. La police. Ils croyaient à l'évidence qu'il lui était plus facile de leur parler chez lui. En réalité, une sortie à l'hôtel de police aurait été libératrice ; une fuite. Il n'avait même pas le droit d'aller au magasin. Beate et la vieille amie de Grete se chargeaient de tout. Hier, par-dessus le marché, sa belle-mère lui avait même fait couler un bain. Il s'était glissé dans l'eau brûlante en s'attendant à moitié qu'une femme sorte du néant pour venir lui frotter le dos. Le brosser. Il resta dans la baignoire jusqu'à ce que l'eau fût tiède. C'est alors que Beate cria, et finit par frapper à la porte, inquiète.

Il avait perdu son temps.

À présent, il était seul. Ils ne voulaient pas lui ficher la paix, les autres. Il était entré dans une colère noire. Finalement. Une fureur sans borne les avait tous mis dehors. Cela faisait du bien, car cela lui rappelait qu'il existait toujours.

Il posa la main sur la poignée.

La chambre d'Émilie.

Il n'y était pas entré depuis le tout premier après-midi, quand la gosse avait disparu et qu'il avait retourné la pièce pour trouver une trace, une clé, un code l'informant qu'Émilie ne faisait que plaisanter. Elle était allée trop loin, évidemment, mais tout ça n'était qu'une tentative pour se moquer de lui, l'effrayer un peu pour que la soirée se déroule encore un peu mieux à l'idée que non, bien sûr, Émilie ne disparaîtrait jamais. Il vida ses tiroirs. Les livres atterrirent par terre, les vêtements en tas dans le couloir. Il finit par virer le linge de lit et arracher le poster de Disneyworld. Il n'y avait aucune énigme, aucun rébus, aucune réponse et aucune piste. Rien qui se puisse résoudre. Émilie avait disparu, et il appela la police.

Le métal froid lui brûlait la paume de la main. Il

entendait ses propres pulsations cardiaques battre contre ses tympans, comme s'il ne savait pas exactement ce qui se trouvait derrière cette porte bien connue, ornée du nom d'Émilie en lettres de bois. Le M était tombé six mois plus tôt, et il lut E-ilie, E-ilie. Demain, il achèterait un nouveau M.

Beate avait rangé. Lorsqu'il finit par entrer, il vit tout à sa place. Les livres étaient bien alignés sur les étagères, triés par couleur comme le voulait Émilie. Le lit avait été fait. Les vêtements avaient été pliés dans les placards. Même le cartable, que la police avait confisqué, était revenu à sa place, par terre juste à côté du pupitre.

Il s'assit avec précaution sur le bord du lit. Le sang battait toujours dans ses oreilles, il essaya de ne penser qu'à se détendre.

La police pensait que c'était sa faute.

Non qu'ils l'accusent de quoi que ce fût. Au début, les premiers jours, il se sentait un peu comme un patient en psychiatrie avec qui tout le monde devait être attentif, et un peu comme un malfaiteur sur qui pesaient de lourds soupçons. C'était comme s'ils avaient constamment peur qu'il se suicide, et le tenaient, par conséquent, dans un étouffant cocon d'attention. En même temps, il y avait quelque chose dans la façon dont ils le regardaient ; un tranchant particulier dans les questions qu'ils lui posaient.

Et puis, le petit garçon avait disparu.

Ils avaient alors changé, ces policiers ; c'était comme s'ils comprenaient que son trouble n'était pas feint.

Et puis ils avaient retrouvé le petit garçon.

Lorsque deux des policiers étaient venus lui annoncer que le gamin était mort, il avait eu l'impression de passer un examen. Comme si c'était sa faute si le petit Kim Sande Oksøy avait été tué, à moins qu'il ne donne au mot près les réponses qu'ils attendaient, que son visage exprime exactement ce qu'il devait exprimer en pareille occasion. Pareille occasion ?

Ils lui avaient demandé de dresser une liste. De tous ceux qu'il avait jamais connus ou rencontrés. Il devrait commencer au plus près, par la famille. Viendraient ensuite les amis proches. Puis les moins proches, ensuite les connaissances, bonnes et un peu moins bonnes, les ex-petites amies et les aventures, les collègues et les femmes de collègues. C'était impossible.

– C'est impossible, avait-il répondu avec un large geste des bras.

Il était revenu à l'époque du collège et se rappelait tout au plus quatre noms.

– Est-ce que ça peut avoir un intérêt ?

La femme policier était patiente.

– Nous demandons la même chose aux parents du petit Kim, expliqua-t-elle calmement. Et nous comparons. Nous regardons si vous avez des connaissances communes, ou si vous en avez eu un jour. Ce n'est pas seulement nécessaire, c'est très important. Nous pensons que ces affaires ont un rapport entre elles, et il est important de trouver d'éventuels points communs entre les familles.

Tønnes Selbu laissa ses doigts courir sur le lit d'Émilie, sur les lettres qu'elle avait dessinées au feutre dans le bois clair à l'époque où elle découvrait l'alphabet. Il voulut lever son pyjama vers son visage. C'était impossible. Il ne supporterait pas son odeur.

Il voulut s'allonger sur le lit d'Émilie. Il n'y parvint pas. Il ne parvint pas non plus à se lever. Il avait mal partout. Il devrait peut-être appeler Beate, malgré tout. Il fallait peut-être que quelqu'un vienne quand même, quelqu'un qui puisse combler le vide autour de lui.

Tønnes Selbu resta assis sur le coin du lit de sa fille. Il fit une prière intense et cohérente. Pas à l'attention de Dieu, qui était un personnage étranger qu'il n'utilisait que dans les histoires qu'il racontait à Émilie. Il adressa plutôt sa prière à sa femme défunte. Il n'avait pas suffisamment bien veillé sur Émilie, comme il l'avait promis à Grete, dans l'heure qui avait précédé sa mort.

15

UN HOMME APPROCHAIT de la maison mitoyenne. La tresse rouge et blanc que la police avait tendue n'avait pas encore été retirée. Elle s'était détachée par endroits. Le vent nocturne grondait dans le plastique terni vers l'homme qui escalada lentement la haie et se dissimula dans les buissons. On eût dit qu'il avait une idée bien précise de ce qu'il devait faire, mais ne savait pas très bien s'il allait oser. S'il avait été vu, il aurait d'abord surpris par son accoutrement. Il portait un pull de laine épaisse à col montant sous sa doudoune. Sa tête était couverte d'une énorme casquette à oreilles, dont la lisière lui descendait jusque sur les yeux. Ses bottes auraient mieux convenu à un soldat en campagne d'hiver : énormes, noires, lacées haut sur la jambe. Au-dessus de la tige émergeaient une paire de grosses chaussettes de laine grossière.

C'était la nuit du 20 mai, et un temps doux venu du sud-ouest donnait une température de quatorze degrés. Il était minuit moins vingt. L'homme s'arrêta à l'abri d'un buisson de groseilles à maquereaux et de deux bouleaux de taille moyenne. Il retira alors l'un de ses gants. Lentement, il laissa sa main droite s'infiltrer dans son large pantalon de camouflage. Il gardait les yeux sur la fenêtre du rez-de-chaussée, où les rideaux avaient été tirés. Ils n'auraient pas dû l'être. Il voulait voir l'ours en peluche vert. L'homme n'eut pas le temps de s'en agacer ; il se cambra avec un gémissement et sortit la main de son pantalon. Pendant deux minutes, il resta sans bouger. Ses oreilles bourdonnaient, et il ne put s'empêcher de fermer les yeux malgré la peur qu'il éprouvait. Puis il remit son gant, escalada de nouveau la haie et repartit dans le petit bout de rue, sans se retourner.

16

QUAND INGER JOHANNE VIK se leva le 20 mai, la journée était déjà bien entamée. En tout cas pour Kristiane. La gamine se levait aux aurores, en semaine comme le week-end. Même si l'enfant de six ans appréciait manifestement qu'on la laisse seule le matin, elle ne concevait pas une quelconque manière d'éviter de réveiller sa mère. Un *dam-di-rum-ram* métronomique provenant du salon était le réveille-matin d'Inger Johanne. Mais Kristiane ne voulait en aucune manière avoir affaire à elle. De six à huit, il était impossible d'entrer en contact avec elle. Lorsque Inger Johanne avait recommencé à travailler quand la santé de Kristiane n'avait plus été en péril, cela avait été la croix et la bannière tous les matins pour la préparer à partir pour le jardin d'enfants. Elle avait fini par renoncer. Kristiane devait pouvoir être livrée à elle-même durant ces deux heures. L'université était un lieu de travail flexible. Elle avait même obtenu de ne pas enseigner un semestre sur deux jusqu'à ce que Kristiane ait dix ans. Ses amis l'enviaient : profites-en, tel était leur conseil ; tu as la chance de pouvoir lire le journal avant même le début de la journée. Le problème, c'est que Kristiane réclamait de l'attention. Personne ne pouvait prévoir ce qu'elle allait inventer. Inger Johanne savait qu'Isak était plus indulgent. Par deux fois, elle avait découvert qu'il dormait sur ses deux oreilles tandis que Kristiane vaquait à ses occupations.

C'était maintenant elle qui l'avait fait.

Perdue, elle regarda sa montre. Neuf heures moins le quart. Elle jeta sa couette.

– Maman ! s'écria gaiement Kristiane. Maman s'est levée pour sa Kristiane !

La petite fille se tenait à la porte du salon, toute habillée. Même si elle avait choisi un épouvantable pull rose que sa grand-mère lui avait offert et un pantalon de velours vert sur lequel elle avait enfilé une jupe écossaise. Ses cheveux étaient rassemblés en cinq couettes. Mais elle était habillée, et Inger Johanne essaya de sourire.

– Ce que tu es douée, murmura-t-elle. Maman a eu une jolie panne de réveil.

– Réveillesurveille. Dam-di-rum-ram.

Kristiane vint vers elle et grimpa sur ses genoux. Elle posa la joue sur la poitrine de sa mère et commença à sucer son pouce. Inger Johanne laissa sa main droite glisser lentement sur le dos de sa fille, dans un sens, dans l'autre, dans un sens, dans l'autre. Lorsqu'elles étaient ainsi, dans l'un de ces instants impossibles à provoquer ou à éviter, Inger Johanne arrivait à peine à respirer. Elle sentait la chaleur de l'enfant à travers le pull-over rose, la douce odeur de ses cheveux, de sa respiration et de sa peau. Elle dut se maîtriser pour ne pas la serrer contre elle.

– Ma Kristiane, murmura-t-elle contre les couettes.

Le téléphone sonna. Kristiane fit un bond, se laissa glisser des genoux de sa mère et sortit de la pièce en traînant les pieds.

– Oui ?

– Je ne te réveille pas ?

– Bien sûr que non, tu ne me réveilles pas, maman. Kristiane est chez moi, cette semaine.

Inger Johanne essaya d'atteindre son peignoir. Le fil du téléphone n'était pas assez long. Elle enroula donc la couette autour de ses épaules. La fenêtre laissait entrer un courant d'air.

– Ton père s'inquiète.

C'est *toi* qui t'inquiètes, eut envie d'aboyer Inger Johanne. Elle retint un soupir résigné et tenta de prendre un ton enjoué.

– Ah ? Il s'inquiète pour moi ? Il n'y a pas de quoi.

– Ton comportement, l'autre jour à la télé, et de plus... oui, il reste éveillé, la nuit, il se demande si... est-ce que tout va bien, trésor ?

– Passe-moi papa.

– Ton père ? Il est... Euh, il est occupé. Mais écoute moi, plutôt. On se disait que de petites vacances pourraient te faire du bien. Il s'est passé pas mal de choses, ces derniers temps, avec Kristiane, ton travail, et... Tu ne veux pas venir faire un tour au chalet, aujourd'hui ? Tu pourras certainement poser ton lundi, et peut-être mardi aussi. Toi et ton père, vous pourrez pêcher, et on fera de chouettes promenades... J'en ai déjà parlé à Isak, et il ne voit aucun problème à récupérer Kristiane dès aujourd'hui.

– Tu as parlé à Isak ?

C'était une chose qu'Inger Johanne et Isak puissent coopérer sans problème en ce qui concernait Kristiane. Elle reconnaissait que tous – en premier lieu Kristiane – gagnaient à ce qu'Isak garde de bonnes relations avec ses ex-beaux-parents. Mais il y avait des limites. Elle le soupçonnait de passer les voir une fois par semaine, avec ou sans Kristiane.

– Oui, grands dieux ! Il projette de s'acheter un nouveau voilier, tu ne savais pas ? Pas pour faire des régates, cette fois, il dit qu'il commence à en avoir assez... Oui, c'est aussi étroitement lié à Kristiane. Elle *adore* tout simplement être sur l'eau, et ces voiliers rapides ne sont pas conçus pour les enfants. Il est passé hier après-midi, et on a discuté un peu de toi, tu sais, de l'inquiét...

– Maman !

– Oui ?

– Ne vous en faites pas. Je vais on ne peut mieux. En plus, je pars aux...

Si elle racontait à sa mère qu'elle partait aux États-Unis, elle serait abreuvée de conseils en matière d'itinéraires et de choses à faire et à ne pas faire. Pour finir, sa mère débarquerait pour s'occuper de sa valise.

– Maman, je suis un peu occupée, en ce moment. Je n'aurai malheureusement pas le temps de venir au chalet, mais merci quand même. Embrasse papa de ma part.

– Mais Inger Johanne, tu ne peux pas au moins venir nous voir ce soir ? Je préparerai quelque chose de bon, toi et ton père, vous pourrez jouer...

– Je croyais que vous partiez au chalet.

– Seulement si tu nous accompagnes, tu comprends bien.

– Salut, maman.

Elle s'obligea à reposer doucement le combiné. Sa mère lui avait souvent reproché de lui raccrocher au nez. Ce n'était pas injustifié, mais ça faisait quand même meilleur effet si ce n'était pas fait trop violemment.

LA DOUCHE FIT DU BIEN. Kristiane était assise sur le couvercle du siège des toilettes et parlait à Sulamit, un camion de pompiers avec un visage et qui clignait des yeux. Sulamit était presque aussi vieux que Kristiane, il avait perdu son échelle et trois roues. Kristiane était la seule à savoir d'où il tirait son nom.

– Aujourd'hui, Sulamit a sauvé un cheval et un éléphant. Brave Sulamit.

Inger Johanne démêla ses cheveux mouillés et essaya d'essuyer la buée sur le miroir.

– Qu'est-ce qui était arrivé au cheval et à l'éléphant ? lui demanda-t-elle.

– Sulamit et dynamite. Elephanpellefant[1].

Inger Johanne retourna dans la chambre, passa un jean et un pull de peluche rouge. Heureusement, elle avait fait toutes les courses la veille, avant d'aller chercher Kristiane au jardin d'enfants. Elles pouvaient ainsi s'offrir une longue promenade ; Kristiane devait sortir quelques heures pour être calme le soir. Le temps était prometteur ; elle tira les rideaux de la chambre et plissa les yeux vers l'extérieur.

On sonna à la porte.

– Et merde, maman !

– Et merde, répéta gravement Kristiane.

Inger Johanne gagna l'entrée au pas de charge, et ouvrit la porte à la volée.

– Salut, fit Yngvar Stubø.

– Salut...

– Salut, embraya Kristiane qui pointa la tête de derrière les hanches de sa mère, avec un grand sourire.

– Tu es incroyablement jolie, aujourd'hui !

Yngvar Stubø tendit une main vers la petite fille. Aussi inconcevable que cela pût paraître, elle la saisit.

– Je m'appelle Yngvar, déclara-t-il très sérieusement. Et toi, comment t'appelles-tu ?

– Kristiane Vik Aanonsen. Bonjour. Bonne nuit. J'ai un canari.

– Ah ? Je peux le voir ?

---

1. Personnage de bande dessinée créé en 1962 par Rune Andréasson. Pellefant (sur le prénom Pelle, cf. *Pelle le conquérant*) est un petit jouet vivant, un éléphant bleu.

Kristiane lui montra Sulamit. Lorsqu'il voulut prendre le camion de pompiers, elle recula d'un pas.

— Je crois bien que c'est le plus joli canari que j'aie jamais vu.

L'enfant disparut.

— Je passais dans le coin, alors...

Il haussa les épaules. Ce mensonge manifeste lui fit plisser les yeux en un sourire presque charmeur. Inger Johanne fut troublée par un choc étranger dans tout son être, une pression sur ses poumons qui lui fit baisser les yeux et bredouiller une phrase dans laquelle il était question d'entrer.

— Ce n'est pas très bien rangé, s'excusa-t-elle machinalement en notant que ses yeux faisaient à toute vitesse le tour du salon.

Il s'assit dans le canapé. Celui-ci était trop mou et profond pour un homme du poids d'Yngvar Stubø. Ses genoux remontèrent un peu haut, on eût dit qu'il était assis à même le sol.

— Tu seras peut-être mieux dans ce fauteuil, suggéra-t-elle en ôtant un livre de photos qui occupait le siège.

— Je suis très bien assis, répondit-il.

Elle remarqua alors la grosse enveloppe qu'il avait posée sur la table basse devant lui.

— Je dois simplement...

Elle fit un geste vague en direction de la chambre de l'enfant. C'était chaque fois le même problème. Puisque Kristiane avait l'air – et par moments se comportait – comme une enfant de quatre ans en bonne santé, Inger Johanne ne savait jamais trop bien ce qu'elle devait dire. À quel moment elle devait simplement expliquer que l'enfant était un peu petite pour son âge, qu'elle avait six ans et souffrait d'une anomalie cérébrale qui laissait tout le monde perplexe. Si elle devait révéler que toutes les bizarreries qui sortaient de la bouche de l'enfant n'étaient dues ni à de la bêtise ni à de l'insolence précoce, mais à des connexions erronées dans sa tête, auxquelles personne ne pouvait mettre bon ordre. En général, elle attendait trop longtemps. Comme si un miracle allait se produire : sa fille se montrerait rationnelle. Logique. Cohérente. Ou elle arborerait tout à coup un défaut apparent : une langue trop épaisse et des yeux de travers dans un visage plat, qui ferait que tout le monde sourirait avec chaleur et reconnaissance. Au lieu de cela, tout était pénible.

Kristiane regardait *Les 101 dalmatiens* dans le bureau de sa mère.

– Je n'ai pas pour habitude...

Elle fit de nouveau ce mouvement désolé, presque d'excuse, vers la pièce où était la gamine.

– Ne t'en fais pas, la rassura le policier depuis le canapé. Je dois reconnaître qu'il m'arrive de recourir aux mêmes stratagèmes. Avec mon petit-fils. Il peut être exigeant. Le magnétoscope fait un bon baby-sitter, de temps en temps.

Inger Johanne sentit qu'elle rougissait, et partit à la cuisine. Yngvar Stubø était grand-père.

– Pourquoi es-tu venu ? demanda-t-elle en revenant avec un mug de café qu'elle posa devant lui sur une serviette. Cette explication « dans le coin » ne tenait pas trop, j'imagine...

– Il s'agit de notre affaire, cette blague...

– Nos affaires.

Il sourit.

– Exact. Les affaires. Un bon point. Quoi qu'il en soit... J'ai le sentiment que tu peux m'aider. Tout bonnement. Ne me demande pas pourquoi. Sigmund Berli, un bon ami et collègue, n'arrive pas à piger pourquoi je te poursuis de la sorte.

Il plissa de nouveau les yeux d'une façon qui *devait* être charmeuse. Inger Johanne employa tout son pouvoir pour se retenir de rougir. Des gâteaux. Elle n'avait pas de gâteaux. Des biscuits. Kristiane avait mangé les derniers, la veille.

– Du lait ?

Elle se leva à demi, mais il l'arrêta d'un geste.

– Écoute, recommença-t-il en tirant un paquet de photos de l'enveloppe. Voici Émilie Selbu.

La première photo montrait une belle petite fille avec une couronne de tussilage dans les cheveux. Elle avait un air grave, des yeux bleu sombre, presque tristes. Une courte fossette se dessinait sur son menton étroit. Sa bouche était petite, mais ses lèvres charnues.

– Le cliché est tout récent, il a été pris il y a trois semaines. Jolie, n'est-ce pas ?

– C'est elle qu'on n'a pas retrouvée ?

Elle toussota, sa voix l'avait trahie.

– Oui. Et voici Kim.

Inger Johanne tint la photographie tout contre ses yeux. C'était la même que celle qu'ils avaient montrée à la télévision. Le petit garçon avait les deux mains serrées sur un camion de pompiers. Rouge. Sulamit. Elle lâcha brusquement la photo et dut la ramasser par terre avant de la repousser vers Yngvar Stubø.

– Étant donné qu'Émilie est toujours portée disparue, tandis que Kim est... Qu'est-ce qui peut te faire croire qu'il s'agit du même ravisseur ?

– C'est la question que je me pose.

Il y avait d'autres clichés dans le paquet. Pendant un moment, il parut vouloir les lui montrer. Puis il changea manifestement d'avis et les rangea dans l'enveloppe. Les photos de Kim et d'Émilie restèrent sur la table, côte à côte ; les deux enfants faisaient face à Inger Johanne.

– Émilie a été enlevée un jeudi, précisa-t-il d'un ton lent. En plein jour. Kim a disparu la nuit de mercredi. Émilie est une fillette de neuf ans. Kim était un petit garçon de cinq ans. Émilie habite à Asker. Kim à Bærum. La mère et le père de Kim sont respectivement infirmière et plombier. La mère d'Émilie est morte, son père est philologue et gagne sa vie en traduisant de la littérature. Ils ne se connaissent pas entre eux. Nous avons cherché dans tous les sens des points de contact entre les deux familles. Il n'y en a qu'un : le père d'Émilie et la mère de Kim ont habité Bergen pendant un moment au début des années 1990. Là-bas non plus, ils ne se connaissaient pas. Pas du tout...

– Curieux.

– Oui. Ou tragique. Tout dépend de la façon dont on choisit de voir les choses.

Elle essayait d'éviter de regarder les photos. C'était comme s'ils lui reprochaient tous les deux de refuser de s'investir.

– En Norvège, il y a toujours un petit quelque chose qui lie les gens, commença-t-elle. Du moins quand ils vivent aussi près que Bærum et Asker. Tu as bien dû en faire l'expérience, toi aussi. Quand tu t'assieds pour discuter avec quelqu'un, je veux dire. Il finit presque toujours par y avoir une connaissance commune, un ami commun, un lieu de travail auquel vous avez été liés tous les deux, une expérience. Non ?

– Oui...

Il hésitait. Cela n'avait pas l'air de l'intéresser. Il inspira brusquement, comme pour protester, mais renonça.

– J'ai besoin d'une personne qui construise des profils, déclara-t-il. Un *profiler*.

Il prononçait ce mot comme dans une série TV américaine.

– Certainement pas, répondit Inger Johanne carrément ; la conversation prenait un tour qu'elle n'appréciait pas. Si tu veux qu'un *profiler* te soit utile, il te faut d'autres affaires comme celles-là. En partant du principe qu'il s'agit bien d'une seule et même personne.

– Dieu m'en garde. Qu'il y ait d'autres cas, je veux dire.

– Évidemment. Mais il est pour ainsi dire impossible de tirer des conclusions d'après ces deux-là.

– Comment le sais-tu ?

Il ne flirtait plus.

– Simple logique, rétorqua-t-elle sans ménagement. Il va de soi que... Le profil d'un criminel inconnu s'élabore sur les traits connus des actes qu'il commet. C'est comme ces dessins que l'on reconstitue en joignant des points dans un ordre défini. On laisse le crayon suivre les numéro jusqu'à ce qu'une image concrète apparaisse. Deux points n'apportent rien ; il en faut beaucoup. Et là, bien sûr, tu as raison : tout ce qu'on peut espérer, c'est que ça n'arrive pas. Qu'il ne vienne pas d'autres points.

– Comment sais-tu ça ?

– Pourquoi veux-tu tellement qu'il y ait une seule et non deux affaires ?

– Je crois que tu n'as pas choisi le droit et la psychologie par hasard. Ce n'est pas habituel. Tu devais avoir un projet. Un but.

– C'est tout à fait par hasard, en réalité. Ce n'est que le résultat d'une indécision de jeunesse. En plus, je voulais aller aux États-Unis. Et tu sais...

Elle se surprit à mordiller ses cheveux. Aussi discrètement que possible, elle replaça la mèche mouillée derrière son oreille et rajusta ses lunettes.

– Je crois que tu te trompes. Émilie Selbu et le petit Kim n'ont pas été enlevés par le même homme.

– Ou la même femme.

– Ou la même femme, répéta-t-elle avec un certain découragement. Mais à présent, au risque d'être impolie, je vais devoir te prier de... J'ai tout un tas de choses dont il faut que je m'occupe aujourd'hui, parce qu'il faut... Désolée.

Elle sentit de nouveau ce poids sur sa poitrine ; il lui était impossible de regarder cet homme dans le canapé. Il se leva avec une aisance remarquable de cette position inconfortable.

– Si cela se reproduit, si un autre enfant disparaît, est-ce que tu m'aideras, à ce moment-là ? demanda-t-il en ramassant les photos.

Cruella d'Enfer poussa un grand cri dans le bureau. Kristiane l'accompagna d'un gloussement de plaisir.

– Je n'en sais rien, répondit Inger Johanne Vik. On verra.

PUISQU'ON ÉTAIT SAMEDI et que le plan dans son ensemble se déroulait comme prévu, il s'accorda un verre de vin. En y réfléchissant, c'était la première fois en plusieurs mois qu'il buvait de l'alcool. D'habitude, il en craignait les effets. Un verre ou deux suffisaient à le rendre gris. La colère survenait avant d'avoir terminé le troisième. Au fond du quatrième se trouvait la fureur.

Rien qu'un verre. Il faisait encore clair au-dehors, et il tint le verre à contre-jour.

Émilie était curieuse. Ingrate. Même s'il voulait maintenir la petite fille en vie, en tout cas un certain temps, il y avait des limites à ne pas dépasser.

Il but. Le vin avait un goût sombre, celui de la cave.

Il ne put s'empêcher de sourire de son propre sentimentalisme. Il ressentait trop de choses, voilà tout. Il était trop gentil. Pourquoi donc Émilie aurait-elle le droit de vivre ? À quoi bon ? Qu'avait fait la gamine pour mériter cela ? Elle avait à manger, de bonnes choses, souvent. De l'eau pure au robinet. Il lui avait même acheté une poupée Barbie, sans que cela semble l'apaiser particulièrement.

Heureusement, elle avait cessé de se plaindre. Au début, en particulier après que Kim avait disparu, il suffisait qu'il ouvre la porte pour qu'elle se mette à pleurer. On eût dit qu'elle n'arrivait pas à respirer, ce qui n'était que sottises. Il avait installé un dispositif d'aération efficace longtemps auparavant ; il n'était pas du tout dans ses projets que la gosse étouffe. Elle était à présent plus calme. Au moins, elle ne pleurait plus.

La décision de laisser vivre Émilie était venue d'elle-même. Ce n'était pas prévu, pas à l'origine. Elle avait quelque chose de spécial, même si elle ne le comprenait évidemment pas. Il verrait combien de temps cela durerait. Elle devait faire attention. Il était sentimental, mais pour lui aussi, il y avait des limites.

Elle aurait bientôt de la compagnie.

Il reposa son verre et se représenta la petite Sarah Baardsen. Il avait mémorisé ses traits, les avait appris par cœur, s'était exercé sur son visage jusqu'à pouvoir l'imaginer, n'importe où et à n'importe quel moment. Il n'avait pas de photo. Les photos pouvaient se perdre. Il l'avait donc plutôt étudiée dans la cour de l'école, sur le trajet quand elle allait voir sa grand-mère, dans le bus. Il avait même occupé le siège à côté d'elle durant toute une séance de cinéma. Il connaissait l'odeur de ses cheveux. Douce, chaude.

Il reboucha la bouteille et la rangea sur l'une des étagères presque vides de la cuisine. En jetant un coup d'œil par la fenêtre, il se figea. Juste de l'autre côté, à seulement quelques mètres du mur, il vit un chevreuil adulte. Le bel animal leva la tête et le fixa un moment droit dans les yeux avant de filer d'un pas nonchalant vers le bois, à l'ouest. Il en eut les larmes aux yeux.

Sarah et Émilie s'entendraient sûrement bien, le temps que ça durerait.

17

L'AÉROPORT INTERNATIONAL DE LOGAN, à Boston, était un chantier gigantesque. L'odeur de moisi et la poussière étaient bien présentes sous le plafond bas. Des lettres noires sur fond rouge lui criaient des avertissements de tous les côtés. Il fallait faire attention aux câbles sur le sol, aux poutres qui n'étaient pas bien fixées aux murs, et aux bâches qui recouvraient bétonneuses et matériaux de construction. Quatre avions en provenance d'Europe avaient atterri en moins d'une demi-heure. La file d'attente pour le contrôle des passeports était longue, et Inger Johanne essaya de lire un journal déjà lu en long, en large et en travers tout en faisant le pied de grue. De loin en loin, elle faisait avancer d'un petit coup de pied son bagage à main. Un Français vêtu d'un manteau en poil de chameau la poussait dans le dos chaque fois qu'elle attendait quelques secondes de trop.

Linc était passée la veille au soir, avec trois bouteilles de vin et deux nouveaux CD. Kristiane avait été sagement confiée à Isak, et la copine avait bien raison : Inger Johanne n'avait pas besoin de s'en faire pour le lendemain, étant donné qu'elle ne partait pas pour Gardermoen[1] avant midi. Il n'y avait sûrement aucun intérêt à aller travailler avant. Les bouteilles de Line disparurent, à l'instar d'un quart de cognac et de deux irish coffees. Lorsque la navette ferroviaire arriva à quai sous le nouvel aéroport le matin du lundi 22 mai, Inger Johanne dut courir aux toilettes pour se débarrasser des restes d'une nuit fort agréable. Le voyage fut pénible.

En passant au-dessus du Groenland, elle s'était heureusement endormie.

---

1. L'aéroport d'Oslo (qui a remplacé Fornebu en octobre 1998), à une quarantaine de kilomètres au nord-nord-est de la capitale.

Ce fut enfin à elle de montrer son passeport. Elle tenta de couvrir sa bouche. Des relents de sommeil et d'une cuite vieille de vingt-quatre heures la rendaient peu sûre d'elle. Le préposé au contrôle fut inutilement long. Il la regardait, étudiait le passeport, hésitait. Il finit par apposer son cachet dans le carnet avec un claquement presque résigné. On lui fit signe d'entrer aux États-Unis.

C'était si différent d'habitude. Arriver aux États-Unis, c'était comme se défaire d'un sac à dos. Le sentiment de liberté était bien concret, elle se sentait plus légère, plus jeune, plus heureuse. Elle frissonnait, pour l'heure, dans un vent pinçant en essayant de se souvenir de l'endroit précis où se trouvait la gare routière. Plutôt que de louer une voiture à Logan, elle avait décidé de prendre le car pour Hyannis. Une Ford Taurus l'y attendait, et elle n'aurait pas à se préoccuper de la circulation dans Boston. À condition de pouvoir dénicher ce fichu car. Les choses n'étaient pas simples dans ce chaos de carrefours provisoires et d'affichages temporaires. Le découragement s'empara d'elle, ajoutant à la légère nausée qui ne l'avait pas lâchée. Le parfum du coléreux Français avait imprégné ses vêtements.

Deux hommes étaient appuyés à une voiture de couleur sombre. Ils portaient tous les deux une casquette et l'imperméable court et noir caractéristique. Ils n'eurent pas besoin de se retourner pour qu'Inger Johanne sache qu'ils avaient FBI écrit dans le dos, en énormes lettres réfléchissantes.

Inger Johanne Vik avait elle aussi une veste semblable. Elle l'avait laissée chez ses parents, à la campagne, et ne la sortait qu'en cas de pluie diluvienne. Le F était à moitié effacé, le B ne se voyait presque plus.

Les deux agents rirent. L'un se fourra un chewing-gum dans la bouche avant de rectifier la position de sa casquette et d'ouvrir la portière à une femme qui traversa rapidement la rue en biais. Inger Johanne leur tourna le dos. Elle devait se dépêcher si elle voulait attraper son car. Elle se sentait toujours à côté de ses pompes et nauséeuse. Il fallait espérer qu'elle pourrait dormir pendant le voyage, faute de quoi elle devrait chercher une chambre à Hyannis pour la nuit ; elle était à peine en état de conduire.

Inger Johanne passa au pas de course. Sa valise tressautait sur ses roues trop petites. Hors d'haleine, elle la confia au conducteur et grimpa à bord.

Elle se rendit compte qu'elle n'avait pas accordé la moindre pensée à Aksel Seier depuis son départ de Gardermoen. Demain, elle le rencontrerait peut-être. Sans raison précise, elle s'était forgé une image de lui. Il était assez beau, mais pas particulièrement grand. Peut-être barbu. Dieu seul savait si l'accueil serait bon. Partir aux États-Unis, pratiquement sur un coup de tête, sans rendez-vous, sans plus de renseignements concrets qu'une adresse à Harwichport et la vieille histoire d'un homme condamné pour un crime qu'il n'avait probablement pas commis. C'était si impulsif et cela lui ressemblait si peu qu'elle ne put s'empêcher de sourire à son reflet dans la vitre. Elle était en Amérique. D'une certaine façon, de retour à la maison.

Elle s'endormit avant qu'ils ne passent Ted Williams Tunnel.

Sa dernière pensée fut pour Yngvar Stubø.

18

INGER JOHANNE VIK AVAIT PERDU la notion du temps lorsqu'elle se réveilla le mardi matin.

La veille au soir, elle était allée chercher la voiture au Barnstable Municipal Airport. L'aéroport ne consistait qu'en quelques minces raies d'asphalte le long d'un long terminal bas. La fille installée derrière le comptoir Avis lui avait donné les clés avec un bâillement gêné. Il restait deux heures avant minuit. Bien qu'il n'y eût qu'une demi-heure de route jusqu'à la chambre qui l'attendait à Harwichport, elle ne s'y était pas risquée. Elle avait pris une chambre dans un motel à Hyannisport, à cinq minutes de l'aéroport. Après une douche, elle était sortie dans l'obscurité.

L'été se faisait attendre le long des quais. Des adolescents qui s'étaient ennuyés au cours d'un hiver pauvre en événements appelaient et riaient dans la nuit, en attendant que la ville explose. Des gosses ayant tout juste passé les dix ans fuyaient leur mère et l'heure du coucher, filant en zigzag sur des trottinettes entre de vieux bidons, malgré l'interdiction. Le Memorial Day n'était qu'à quelques jours. La population de Cape Cod allait doubler en un week-end et resterait ainsi jusqu'à ce que septembre arrive avec le Labor Day et le début d'une nouvelle saison hivernale oiseuse.

Inger Johanne chercha à tâtons sa montre, qui était tombée.

Il était six heures tout juste. Elle avait dormi cinq heures. Malgré tout, elle se sentait en forme. Elle se leva et enfila le T-shirt trop grand qu'elle mettait souvent pour dormir. Le dispositif d'air conditionné émit des soupirs crispés et se tut brusquement. Il devait faire plus de vingt-cinq degrés dans la chambre. Le matin déferla dans la pièce lorsqu'elle tira les rideaux. Elle plissa les yeux vers le sud-ouest. Le rapide de Martha's Vineyard était à quai, tout blanc, tout propre ; le vent de terre faisait se tendre les haussières entre le quai et le bateau. Derrière le ferry, à l'abri d'un petit bois, se dressait l'énorme monument gris à la mémoire de Kennedy. Elle y était allée la veille au soir, juste pour s'asseoir sur un banc et regarder la mer. L'air était déjà lourd d'un début de nuit estivale, sucrée-salée. Elle avait le monument dans le dos, un mur de pierre massif orné en son milieu d'un relief de cuivre sans âme. Un profil de président qui n'exprimait rien, comme sur une pièce de monnaie – un roi sur une pièce colossale.

– Le Roi de l'Amérique, murmura Inger Johanne en connectant son ordinateur portable à Internet.

Un seul mail valait les unités payées : un dessin de Kristiane. Trois personnages verts dans un cercle. Kristiane, maman et papa. Les mains qu'ils se donnaient étaient énormes, leurs doigts s'emmêlaient comme les racines d'une mangrove. Au centre du cercle, Inger Johanne vit un animal plein de dents qu'elle ne parvint pas à identifier. Elle lut le mot d'Isak qui accompagnait le dessin.

– Il lui a offert un chien, gémit-elle en se déconnectant brutalement.

En s'asseyant au volant un peu après neuf heures, elle se sentait résignée. Il lui avait fallu environ vingt-quatre heures pour venir de chez elle, et Isak avait acheté un chien. Kristiane insisterait pour garder l'animal avec elle pendant les semaines où elle serait chez Inger Johanne. Qui ne voulait pas entendre parler de chien.

Isak aurait au moins pu lui demander.

L'IRRITATION N'AVAIT PAS DÉCRU de façon notable. Elle prit la Route 28 qui longeait la côte, serpentant de bourg en bourg, offrant par endroits de soudains points de vue sur le Nantucket Sound, au large de marinas et d'embouchures de rivières. Le soleil était aveuglant. Elle s'arrêta dans un magasin vulgaire de gadgets à touristes pour s'acheter une paire de lunettes de soleil bon marché. Elle avait oublié sa bonne paire en Norvège. Elle avait le choix entre voir assez mal sans verres correcteurs ou très mal dans la forte lumière. Le vendeur voulait lui refiler un chapeau de cow-boy – comme s'il y avait jamais eu un seul cow-boy à des kilomètres à la ronde autour de Yarmouth, Massachusetts. Elle finit par céder. Trente dollars à la poubelle ; au sens propre. Elle espéra qu'il ne la voyait pas flanquer le couvre-chef dans un seau vert. Le bonhomme n'avait plus de jambe droite, et avait dû être un jeune soldat de dix-neuf ans en pleine possession de ses moyens en 1972.

Mid-Cape Highway, l'autoroute à quatre voies qui coupait la péninsule en deux dans le sens de la longueur, aurait été plus adaptée. En choisissant malgré tout la route côtière, elle se soupçonnait de vouloir jouer la montre. La veille, elle avait souri de son impulsivité. Elle ne trouvait plus cela drôle.

La boîte de vitesses semblait avoir un problème.

Qu'allait-elle dire ?

Isak avait pu se tromper. Il avait posé la main sur son cœur et ouvert de grands yeux quand elle avait demandé des garanties. Il devait bien exister plusieurs Aksel Seier. Pas tant que ça, mais plusieurs. Isak pouvait se tromper. L'Aksel Seier de Harwichport n'avait peut-être jamais vécu à Oslo. Jamais fait de prison non plus. Et s'il en avait réellement fait, il n'avait peut-être pas très envie qu'on vînt lui remémorer toute l'histoire. Il pouvait avoir une famille, femme, enfants, petits-enfants, qui ignoraient le passé derrière les verrous du *pater familias*. Ce n'était pas très honnête de remuer tout ça. Pas très juste envers Aksel Seier. La veille, elle avait souri de son impulsivité. Aujourd'hui, elle comprenait qu'elle avait entrepris ce voyage aux États-Unis autant pour rechercher une vérité que pour *fuir* quelque chose. Rien de grave, ajouta-t-elle rapidement pour elle-même. Il n'était en somme pas question d'une fuite. C'était en Amérique qu'elle était le plus proche de ce qu'elle était, et c'était surtout cela qui l'avait fait partir. Elle ne savait pas vis-à-vis de quoi elle avait besoin de faire une pause.

Avant d'arriver à Dennisport, à environ un mile américain de l'adresse glissée derrière la photo de Kristiane dans son portefeuille, elle était fermement décidée à faire demi-tour. Ce serait un coup pour rien. Alvhild Sofienberg comprendrait. Inger Johanne ne pouvait pas faire davantage. Ses recherches pourraient continuer sans Aksel Seier. Son cas n'était pas nécessaire pour elle. Elle avait bien d'autres affaires à considérer, pour lesquelles il suffisait de prendre le métro ou un vol intérieur à destination de Tromsø pour voir le coupable.

La boîte de vitesses émit un vilain raclement.

Elle poursuivit sa route.

Elle devrait peut-être se contenter de voir sa maison. Elle n'avait pas besoin de prendre contact. Maintenant qu'elle avait fait tout ce voyage, se faire une idée de la façon dont Aksel Seier s'en était sorti suffirait. Une maison, un jardin et peut-être une voiture raconteraient une histoire qui vaudrait la peine d'être écoutée, après ce long voyage.

Aksel Seier habitait au 1, Ocean Avenue.

La maison fut facile à trouver. Elle était petite. Comme celles qui l'entouraient, elle était habillée de cèdre, rendue grise par l'âge, marquée par les intempéries et typique de cette partie de pays. Les volets étaient bleus. Sur le toit, une girouette tournait péniblement vers le vent. Un homme trapu se débattait avec une échelle contre le mur à l'est. Il n'était pas encore l'heure du déjeuner. Inger Johanne sentit malgré tout qu'elle avait faim.

AKSEL SEIER DEVAIT se trouver une nouvelle échelle. Il fallait qu'il monte sur le toit. L'ancienne échelle avait perdu trois barreaux et émettait des grincements peu rassurants. Mais il devait monter. Sa girouette était devenue paresseuse. Il arrivait à Aksel de se réveiller la nuit à cause du vent qui forçait l'oiseau entêté, et qui poussait de vilains cris quand le temps était au sud-est.

– *Hi, Aksel ! Pretty thing you've got there*[1] *!*

Un homme relativement jeune vêtu d'une chemise de flanelle à carreaux se pencha contre la haie en riant. Aksel répondit à son voisin d'un rapide hochement de tête et leva l'animal devant lui. Il pencha la tête de côté et haussa les épaules.

– *Kind of original, I guess. I like it*[2].

L'animal, en cuivre oxydé, était une truie élancée qui prenait une posture canine sur quatre flèches en croix indiquant les points cardinaux. Aksel Seier avait échangé cette girouette contre quelques bouées colorées. Celles-ci étaient percées et inutilisables, mais pas dénuées de valeur sur le marché des souvenirs.

– *Help me with this ladder, will you*[3] *!*

Matt Delaware était bien au-dessus du poids qu'il aurait normalement dû faire. Aksel espéra que son cadet de bien des années ne se proposerait pas pour remplacer le coq par le porc. Ils parvinrent enfin à positionner l'échelle.

– *I would have helped you, you know. But*[4]...

Matt jeta un coup d'œil de biais vers l'échelle. Il donna une légère tape sur l'un des barreaux et ramena sa casquette vers l'arrière. Aksel poussa un grognement et posa le pied sur le premier barreau. Qui tint. Il grimpa lentement jusqu'au sommet. Le coq était à ce point rouillé qu'il se brisa quand Aksel essaya de le

1. Salut, Aksel ! C'est un chouette truc, que tu as là ! (tous les dialogues et phrases qui figurent en italique sont en anglais dans le texte).
2. Original, si on peut dire. J'aime bien.
3. Aide-moi avec cette échelle, tu veux !
4. Je t'aurais bien aidé, tu sais. Mais...

dévisser. En revanche, les fixations étaient encore en bon état. Le porc se laissa facilement dompter par le vent, et l'ajustement des flèches de direction ne prit qu'un court instant.

– *Awesome*, déclara Matt avec un grand sourire nigaud, incapable de détacher son regard de la nouvelle girouette. *Just awesome, you know*[1] !

Aksel murmura un merci. Matt remit l'échelle à sa place. Aksel entendit son petit rire longtemps après que l'autre eut disparu au coin de la maison des O'Connor, qui n'avaient pas encore ouvert pour l'été.

Quelqu'un s'était garé dans Ocean Avenue. Aksel jeta un coup d'œil indifférent à la Ford. Une nana était assise à l'intérieur, seule. Il était interdit de se garer là. Il faudrait qu'elle aille sur le parking d'Atlantic Avenue, comme tous les autres visiteurs. Elle n'était pas du coin. C'était une évidence, sans qu'il comprît bien pourquoi. C'était un véritable enfer, cette saison estivale. Des citadins partout. Pleins aux as. Qui croyaient que tout était à vendre.

– Ce n'est qu'une question de prix, avait dit l'agent immobilier ici même au printemps dernier. *Name your price, Aksel.*

Il ne voulait pas vendre. Un richard de Boston avait voulu payer un million de dollars pour la petite maison près de la plage. Un million ! Ce souvenir fit renâcler Aksel. La maison était petite, et c'est tout juste s'il avait assez d'argent pour l'entretien de base. Il faisait la majeure partie lui-même, mais les matériaux n'étaient pas donnés. Il en allait de même pour les plombiers et les électriciens. Cet hiver, il avait dû faire refaire les canalisations, les vieilles se fissuraient. La pression était tombée à un ruissellement quasi nul dans la cuisine, et la compagnie des eaux se plaignait, mena-

----

1. Effrayant. Tout simplement effrayant, tu sais !

çant d'une action en justice s'il ne réagissait pas immédiatement. Lorsque tout fut terminé et la facture payée, il restait cinquante-six dollars sur son compte-épargne.

Un million !

Le richard aurait rasé le taudis. C'était le terrain qui l'intéressait. Le bord de mer. Plage *privée*. Le droit de planter d'énormes panneaux marqués *No trespassing* et *Police takes notice*. Aksel Seier avait éconduit l'agent immobilier en lui recommandant de s'épargner de nouvelles visites. Il avait bien besoin de quelques centaines de dollars de temps à autre, il le reconnaissait, mais seulement quand il les avait gagnés lui-même. Aksel n'avait aucune idée de ce qu'il ferait avec un million.

Il avait débarrassé les outils. La fille était toujours dans sa Taurus. Ce qui l'agaçait. Il entrait habituellement dans un état de grande indulgence à cette période de l'année ; sans cela, peu de chances de passer l'été. Mais cette fille était différente. Elle paraissait l'observer. Sa voiture jurait avec la vue de l'océan. Elle était trop loin dans la rue. Trop serrée contre le gros chêne qui s'étirait vers la maison des Picola ; cet été, il faudrait qu'ils fassent quelque chose, qu'ils le coupent ou qu'ils taillent au moins quelques branches, qui pendaient lourdement sur le toit et faisaient sauter les tuiles. Les fuites ne tarderaient pas.

La nana dans sa voiture ne s'intéressait pas à l'océan. C'était lui qu'elle observait. Une peur primaire le traversa à la vitesse de l'éclair. Aksel Seier hoqueta et fit brusquement volte-face. Il rentra et verrouilla derrière lui, bien qu'il ne fût pas encore onze heures du matin.

AKSEL SEIER ÉTAIT TEL qu'Inger Johanne se l'était imaginé. Trapu, dense. Avec la distance, il était malaisé de voir s'il était rasé, mais il n'était en tout état de cause pas question d'une barbe à proprement parler.

Il était pourtant comme elle se l'était représenté, dès la première nuit, quand elle avait lu le dossier d'Alvhild Sofienberg, et essayé de faire apparaître une image du vieil Aksel Seier, trente-cinq ans après sa remise en liberté. Sa veste était bleu marine, fatiguée. Il portait de lourdes bottes, alors qu'il devait faire plus de vingt degrés. Ses cheveux étaient gris et un peu trop longs, comme si son apparence n'avait aucune importance pour lui. Même à une centaine de mètres, on voyait qu'il avait de grandes mains.

À deux ou trois reprises, il avait regardé dans sa direction. Elle tenta de se recroqueviller sur son siège. Sans rien faire d'illégal, elle sentit néanmoins qu'elle rougissait lorsqu'il se redressa pour la seconde fois en plissant les yeux dans sa direction. S'il avait vraiment remarqué à quoi elle ressemblait, ce serait pénible de lui parler par la suite.

Elle ne lui parlerait pas. Elle voyait bien qu'il n'avait pas de problèmes. Il vivait correctement. Sa maison était petite et marquée par les intempéries, mais le terrain devait avoir de la valeur. Un petit camion, un *truck*, était garé dans le jardin, assez récent. Un homme relativement jeune s'était arrêté pour bavarder. Il avait fait un petit signe avant de repartir en riant. Aksel Seier avait été adopté.

Inger Johanne avait faim. La chaleur dans la voiture était insupportable, bien qu'elle fût garée à l'ombre d'un gros chêne. Elle descendit lentement sa vitre.

– *You can't park here, sweety*[1] *!*

Un impressionnant pull angora rose faisait ressembler la vieille dame à une barbe à papa. Elle fit un large sourire dans tout ce rose, et Inger Johanne lui répondit par un hochement de tête d'excuse. Elle ralluma le contact en espérant que la boîte de vitesses tiendrait

---

1. Vous ne pouvez pas vous garer là, mignonne !

encore vingt-quatre heures. Elle constata qu'il était onze heures précises, mardi matin, 23 mai.

POUR UNE RAISON INCONNUE, il remarqua qu'il était cinq heures de l'après-midi. On avait accroché une vieille horloge de gare à la paroi d'acier. La petite aiguille était cassée, seul un moignon pointait vers ce qui était probablement le 5. Yngvar Stubø se sentit fébrile, et il contrôla l'heure sur sa propre montre.

– Viens, Amund, viens voir grand-père.

Le petit garçon se tenait entre les antérieurs d'un cheval brun. L'animal pencha la tête et poussa un petit hennissement. Yngvar Stubø prit son petit-fils et l'assit en travers sur le cheval, qui n'était pas sellé.

– Et maintenant, dis au revoir à Sabra. On va rentrer dîner. Toi et moi.

– Et Sabra.

– Non. Pas Sabra. Sabra, elle habite à l'écurie. Il n'y a pas assez de place pour elle dans le salon de grand-père.

– Au revoir, Sabra !

Amund se pencha en avant et frotta son visage dans la crinière du cheval.

– Au revoir !

La tension qu'il éprouvait ne l'abandonnait pas. Elle en était presque douloureuse, un tressaillement dans son dos qui se fixait dans son cou et le faisait se raidir. Il serra le gamin tout contre lui et se dirigea vers la voiture. Il sentit le malaise en attachant Amund dans son siège. Dans le temps, avant l'accident, il s'était senti doué de double vue. Même s'il n'avait jamais cru à ce genre de choses. Il avait malgré tout apprécié que les autres le remarquent au fil du temps ; une perception qui le distinguait. De loin en loin, il ressentait des vagues glaciales dans tout le corps, qui lui faisaient regarder sa montre. Noter des heures. Dans le passé, il trouvait cela utile. À présent, c'était de la honte qu'il ressentait.

– Ressaisis-toi, murmura-t-il en passant une vitesse.

19

IL APPARUT PAR LA SUITE que personne n'avait remarqué Sarah Baardsen dans le bus. C'était la pleine heure de pointe, et les gens étaient serrés les uns contre les autres dans l'allée centrale. Tous les sièges étaient occupés. Il y avait de nombreux enfants parmi les voyageurs, la plupart accompagnés d'adultes. La seule chose qui put être clairement définie après l'audition de plus de quarante témoins, ce fut que Sarah avait été mise dans le bus numéro 20 à cinq heures moins cinq, comme tous les mardis. Sarah avait huit ans, et il y avait plus d'un an qu'elle allait seule chez sa grand-mère à Tøyen. Le trajet était court, à peine un quart d'heure. Sarah était décrite comme une petite fille fiable et autonome, et même si sa mère était à présent dans tous ses états de ne pas l'avoir accompagnée, personne ne reprocherait à une mère célibataire d'avoir laissé une fillette de huit ans prendre le bus seule pour un trajet de ce type.

Si Sarah était bien montée dans le bus, elle n'était en revanche jamais arrivée à l'endroit convenu. Sa grand-mère l'avait attendue à l'arrêt habituel. Sarah savait bien où c'était, elle sautait toujours dans les bras de son aïeule aussitôt les portes du véhicule ouvertes. Cette fois-là, elle n'était pas arrivée. La grand-mère avait eu la présence d'esprit de retenir le bus, et l'avait parcouru deux fois, lentement, sans se laisser perturber par un chauffeur irrité. Sarah s'était volatilisée.

Quelqu'un pensait avoir vu la petite descendre à Carl

Berner. Elle avait un bonnet bleu, affirmèrent les deux témoins sans hésiter. Ils étaient près des portes arrière, et avaient tiqué en voyant une si jeune enfant seule dans un bus bondé.

Sarah ne portait pas de bonnet.

Une dame d'un certain âge disait avoir porté une attention toute particulière à une petite fille d'environ six ans accompagnée d'un adulte. La fillette était blonde et avait une poupée. Elle pleurait comme une âme en peine, précisa la dame. On aurait dit que l'homme était en colère contre elle. Un groupe d'adolescents expliquait que le bus était rempli de mômes qui ne cessaient de brailler. Un gourou de l'informatique, doté de surcroît d'un statut de pseudo-célébrité, ce qui à son avis faisait de lui un particulièrement bon témoin, jura qu'une fille seule tenant une bouteille de Coca était assise tout à l'avant du bus. Elle s'était levée subitement et était descendue sans être accompagnée d'aucun adulte, comme si elle avait vu quelque chose d'inattendu à l'arrêt près du musée Munch.

Sarah était brune et n'avait pas de bouteille de Coca. Elle n'avait jamais eu de poupée, avait huit ans et était en outre assez grande pour son âge.

Si les nombreux passagers qui étaient dans le bus numéro 20 ce mardi de la fin du mois de mai avaient regardé attentivement, ils auraient remarqué un homme qui s'approchait d'une fille au fond du bus. Ils auraient vu que celle-ci s'était levée pour laisser sa place à une vieille dame, comme sa mère lui avait appris à le faire. Ils l'auraient vue sourire. Ils auraient aussi peut-être vu que l'homme s'accroupissait devant elle dans la foule, qu'il lui souriait à son tour et qu'il lui disait quelque chose avant de lui attraper la main. S'il n'avait pas été cinq heures précises de l'après-midi, si tout le monde n'avait pas eu faim et n'avait pas été affaibli par une glycémie basse conduisant à ne penser qu'au prochain repas, ils auraient peut-être pu raconter à la police que la fillette avait l'air troublée, mais qu'elle avait docilement suivi l'homme lorsqu'il était descendu à l'arrêt suivant.

La police avait plus de quarante témoignages de passagers de la ligne numéro 20. Pas un seul ne semblait contenir le moindre élément expliquant ce que la petite Sarah Baardsen était devenue.

20

CETTE FOIS-CI, elle vint à pied. Même si beaucoup étaient partis avant le signal de départ et si Harwichport portait déjà la marque de touristes étrangers et de vieux estivants, il la reconnut immédiatement. Elle arriva calmement dans Atlantic Avenue, comme pour une visite anodine. Parvenue au parking, où la vue sur la plage n'est pas bouchée par des maisons et des jardins clos, elle s'arrêta et se tourna vers le sud, vers l'océan. Elle n'alla pourtant pas vers la clôture. Elle portait des lunettes de soleil, et il pouvait jurer qu'en réalité, c'était vers sa maison qu'elle regardait. Vers lui.

Aksel Seier ferma le portillon de son jardin. La peur se transformait lentement en colère. Si elle lui voulait véritablement quelque chose, qu'elle ait les tripes de venir le voir. Il tira sur son pull, il faisait chaud, l'après-midi approchait. Les cris d'un groupe de gamins qui se baignaient dans le Nantucket Sound lui parvenaient de la plage. L'eau était encore glaciale. Deux jours plus tôt, le mercure s'était arrêté à soixante degrés Fahrenheit. Il avait mesuré avant de partir pêcher. La femme en coupe-vent passa lentement devant lui, de l'autre côté de la rue.

– What do you want, dammit[1] *?!*

Aksel serrait si fort son marteau qu'il n'osa rien faire d'autre que le laisser tomber. La dalle d'ardoise sur laquelle il se tenait résonna. Le sang battait contre ses tympans. La peur lui était devenue totalement étrangère, après toutes ces années. Il y avait des années qu'il avait fini par surmonter cette terreur sans nom qui l'avait submergé pour la première fois dans une cellule de détention préventive en janvier 1957.

C'était quelques semaines après l'arrestation. La mère d'Aksel s'était donné la mort. Il n'avait pu assister aux obsèques. Le vieux policier avait fait tinter son trousseau de clés, et l'avait regardé droit dans les yeux. Tout le monde savait que Seier était coupable, avait-il grogné. Les clés battaient contre le mur de la cellule, sans relâche. Aksel n'avait aucune chance d'être acquitté. Alors ne pouvait-il pas avouer, au moins pour soulager la douleur des parents de la petite Hedvig ? Ils n'avaient pas assez souffert, les pauvres ? Les yeux du policier débordaient de mépris. Il avait passé brutalement la manche de sa veste contre ses yeux, et Aksel avait compris que tout était perdu. La peur l'avait tenu éveillé durant quatre jours et quatre nuits remplis de honte. Lorsque les hallucinations survinrent, on lui administra des médicaments pour qu'il puisse dormir.

Aksel devint un animal nocturne qui se reposait quelques heures chaque après-midi et comptait les étoiles à travers les barreaux quand tous les autres dormaient. La peur le suivit dans le studio nu de huit mètres carrés dans lequel il vécut après sa surprenante libération. Elle le poursuivit par-delà l'océan et le tourmenta ensuite à intervalles réguliers. Jusqu'à un matin de mars 1993. Ce jour-là, Aksel Seier se réveilla tard, étonné d'avoir dormi toute la nuit. Pour la première fois

1. Qu'est-ce que vous voulez, bordel ?!

en trente-six ans, le policier au trousseau de clés et aux yeux méprisants l'avait laissé en paix.

– *What the hell do you want*[1] *?!*

La femme s'arrêta et sembla hésiter. Aksel avait beau avoir la gorge nouée et des difficultés à respirer, il remarqua tout de même que la fille était jolie. De façon ennuyeuse : comme si elle ne se donnait pas réellement la peine de s'arranger. Elle devait avoir la petite trentaine, elle portait des vêtements plutôt asexués. Un jean et un pull rouge à col en V. Des tennis. Aksel se rendit compte qu'il la dévisageait, qu'il enregistrait une image d'elle pour un usage ultérieur. Elle avait les yeux marron, il le vit lorsqu'elle vint vers lui d'un pas hésitant, au moment où elle troqua ses lunettes de soleil contre une paire de lunettes de vue. Ses cheveux étaient bruns, mi-longs, et tombaient en vagues qui devaient faire des boucles par temps humide. Ses mains étaient fines, les doigts qu'elle passa en hésitant dans ses cheveux étaient longs. Aksel se mordit la langue.

– Aksel Seier ?

La peur menaçait de l'étouffer. La femme avait prononcé son nom comme on ne l'avait pas fait depuis 1966. Il ne s'appelait plus Aksel Seier, mais *Æksel Sayer*, bien rond, en le faisant traîner. Pas durement, sèchement : Aksel Seier.

– *Who's asking*[2] *?* réussit-il à articuler.

Elle lui tendit la main. Il ne la saisit pas.

– Je m'appelle Inger Johanne Vik. Je suis chercheuse, et je suis venue discuter avec vous de votre ancienne condamnation – à tort – pour viol et meurtre sur mineur. Si vous le voulez bien, évidemment. Si vous acceptez d'en parler maintenant, si longtemps après.

1. Qu'est-ce que vous voulez, nom de Dieu ?!
2. C'est de la part de qui ?

La main était toujours tendue vers lui. Il y avait une marque de défi dans ce geste, une insistance qui lui fit ouvrir la bouche et prendre une profonde inspiration avant de la saisir.

– *Æksel Sayer*, répondit-il d'une voix rauque. C'est comme cela que je m'appelle, maintenant.

La femme barbe à papa remontait vers eux d'un pas traînant depuis la plage. Elle contourna la clôture, et ouvrit ostensiblement la bouche avant de s'exclamer :

– *Female visitor, Aksel ! I'll say*[1] *!*

– Venez à l'intérieur, imita-t-il en tournant le dos au pull-over rose.

INGER JOHANNE VIK NE SAVAIT PAS à quoi elle s'était attendue. Il est vrai qu'elle s'était fait une représentation claire du personnage d'Aksel Seier, mais elle n'avait jamais cherché à en savoir davantage sur son environnement, sur ce qu'était réellement sa vie aux États-Unis. Elle s'arrêta dans l'ouverture de la porte. Le salon se prolongeait par un coin cuisine ouvert, et il était archi-plein. Le mobilier à proprement parler ne se composait, en tout et pour tout, que d'une petite table basse devant un canapé fatigué et d'une table de cuisine grossièrement menuisée, à côté de laquelle était tirée une unique chaise en bois rustique. Il était malgré tout délicat de savoir où poser les pieds. Un chien énorme occupait un coin de la pièce, et elle sursauta avant de remarquer que sa fourrure avait été sculptée poil après poil dans le bois et que ses yeux jaunes étaient en verre. Dans le coin opposé, une figure de proue était suspendue sous le plafond ; elle représentait une femme à la poitrine opulente, au regard lointain et aux lèvres rouge intense, presque mauves. Ses cheveux or déferlaient sur son corps ferme. La sculpture

---

1. Une visiteuse, Aksel ! Eh bien !

était trop imposante pour la pièce. Elle semblait pouvoir dévisser du mur d'une seconde à l'autre, et menaçait d'écrabouiller une armée de ce qui ressemblait à des soldats d'étain, éparpillés à même le sol en une bataille particulièrement violente sur deux mètres carrés. Inger Johanne fit un pas prudent vers les bataillons et s'accroupit. Les soldats étaient en verre. De minuscules soldats de l'Union, des soldats faits un par un avec leurs baïonnettes et leurs canons, leurs chapeaux et leurs distinctions, en lutte contre des confédérés en gris.

– C'est... c'est incroyablement beau !

Elle ramassa un général et l'observa de près. Il se tenait bien assis sur son cheval, à bonne distance des violents combats. Même ses yeux étaient nets, bleu clair, avec en leur centre un soupçon de noir pour la pupille. Le cheval écumait autour de la bouche, et elle avait l'impression de sentir la chaleur de l'animal en nage.

– Où... Vous avez fait ça ? Je n'ai jamais rien vu de tel, de toute ma vie !

Aksel Seier ne répondit pas. Inger Johanne entendit des casseroles s'entrechoquer. Il était caché derrière la paillasse de la cuisine.

– Café ? demanda-t-il d'une voix tendue.

– Non merci. Si... si vous en prenez. N'en faites pas rien que pour moi.

– Une bière.

Ça ne sonnait pas comme une question.

– Oui, volontiers, hésita-t-elle. J'en veux bien une.

Aksel Seier se releva et ouvrit la porte du réfrigérateur. Il avait l'air soulagé. L'appareil poussa un grognement revêche lorsque son propriétaire en tira deux boîtes de bière. L'horripilant bourdonnement mourut dans un gémissement. Les rayons du soleil perçaient à grand-peine à travers les fenêtres crasseuses, la poussière dansait dans les taches de lumière qui se dessinaient sur le sol. Un chat surgit de nulle part dans le coin cuisine. Il miaula et vint se frotter contre les jambes d'Inger Johanne, avant de disparaître par une chatière dans la porte d'entrée. À côté de la figure de proue, derrière les soldats, elle vit une barrique cerclée d'anneaux rouillés. Une poupée de plastique vêtue d'un costume same trônait sur son couvercle. Les couleurs, jadis sans doute vives, rouge et bleu, jaune et vert, avaient pâli jusqu'à des teintes pastel ternes. La poupée fixait un regard vide sur le mur opposé couvert d'une broderie imposante, presque une tapisserie. Elle commençait dans un coin par un motif figuratif, un chevalier du Moyen Age en armure prêt pour le tournoi, lance levée, et s'achevait dans le coin supérieur droit en une orgie de couleurs abstraite.

– Il faut... Est-ce vous qui avez fait toutes ces choses extraordinaires ?

Aksel Seier la regardait sans rien dire. Il porta lentement la boîte de bière à ses lèvres. Il but et s'essuya la bouche avec sa manche.

– Qu'est-ce que vous avez dit ?

– C'est vous qui...

– Quand vous êtes arrivée. Vous avez dit quelque chose à propos de...

– J'ai des raisons de croire que vous avez été condamné à tort.

Elle le regarda et tenta de poursuivre. Il recula d'un pas, comme si le soleil qui passait par la fenêtre à petits carreaux de la cuisine le gênait. Il hocha légèrement la tête et se plaça de telle sorte que ses yeux se trouvent dans l'ombre de sa lourde frange grise. Elle le regarda et s'en voulut terriblement.

Elle n'avait rien à lui offrir. Aucune réparation de préjudice. Pas de réhabilitation. Pas de compensation pour les années perdues, que ce soit en prison ou dehors. Inger Johanne avait traversé l'océan, en partie sur un coup de tête, sans rien d'autre dans sa valise que la conviction sacrée d'une vieille dame et un monceau de questions demeurées sans réponses. S'il était exact qu'Aksel Seier avait naguère été condamné à tort pour le plus infâme des crimes, la plus sordide des offenses – quelle était sa situation actuelle ? Quelle impression cela faisait-il, après toutes ces années, d'entendre quelqu'un déclarer : « Je crois que vous êtes innocent ! » Inger Johanne n'en avait pas le droit. Elle n'aurait pas dû venir.

– Je veux dire... Certaines personnes ont examiné votre affaire de plus près... Une personne... Elle est... On peut s'asseoir ?

Il semblait pétrifié, un bras pendant mollement le long du corps, c'était tout juste si elle ne percevait pas un mouvement de balancier, en rythme avec les battements de son cœur, en avant, en arrière, en avant, en arrière. Sa main gauche était serrée sans trop d'énergie autour de la boîte de bière. Il se cachait toujours sous cette frange grasse, ses yeux étaient de petits éclats de quelque chose qu'elle ne pouvait pas voir.

– Je crois qu'il vaudrait mieux que nous nous asseyions, monsieur Seier.

Un renâclement monta de la gorge de son interlocuteur. Une contraction involontaire, comme s'il avait avalé de travers. Elle crut d'abord qu'il essayait de dompter ses larmes. Puis il renâcla de nouveau, comme un hoquet, tout son corps trembla, et il posa sa boîte.

– Monsieur Seier, répéta-t-il d'une voix rauque. Personne ne m'a appelé comme ça depuis pas mal d'années. Qui êtes-vous ?

– Vous savez quoi ?

Elle s'écarta prudemment de la scène de bataille sur le sol.

– J'ai envie de vous inviter au restaurant. On y grignotera quelque chose en discutant de la raison de ma visite. Je crois que j'ai beaucoup de choses à vous raconter.

Mensonges, se dit-elle. *Je n'ai pratiquement rien à te raconter. Je viens avec un millier de questions, et il est important pour moi d'avoir les réponses. Pour moi et pour une vieille femme qui se maintient en vie dans l'attente de ces réponses. Je te berne. Je te jette de la poudre aux yeux. Je profite de toi.*

– Où peut-on se faire servir un repas *decent*[1] dans cette ville ? demanda-t-elle d'un ton badin.

– Venez, répondit-il en allant vers la porte.

Elle le suivit et piétina un général qui émit un craquement étouffé sur le sol grossier. Désemparée, elle leva le pied. Le petit personnage était pulvérisé, des morceaux bleus et jaunes restaient fixés à sa chaussure.

Aksel Seier regarda fixement par terre, puis releva les yeux vers elle.

– Vous y croyez réellement ? Vous croyez à mon... *innocence*[2] ?

Il se détourna aussitôt, sans attendre la réponse.

21

LA NOUVELLE s'appelait Sarah. Elle était aussi grande qu'Émilie, bien qu'elle eût un an de moins. C'était un peu difficile de la consoler. Exactement comme avec papa. Quand maman était morte, Émilie ne demandait qu'à le consoler. Après l'enterrement et après que la maison avait été pleine de gens venus les aider, il ne voulait pas pleurer quand elle le regardait.

---

1. En anglais dans le texte.
2. *Idem.*

Mais elle savait bien ce qu'il ressentait. Elle l'avait entendu, la nuit, quand il croyait qu'elle dormait et qu'il avait l'oreiller sur la tête pour être sûr qu'elle n'entende pas. Elle voulait le réconforter, ce qui était impossible car il était adulte. Il était plus grand qu'elle. Il n'y avait rien qu'elle pût faire ou dire. Lorsqu'elle essayait malgré tout, il lui faisait un très large sourire, se levait de son lit et faisait des gaufres en parlant de leurs futures grandes vacances.

Il y avait un peu de cela avec Sarah. Elle ne cessait de pleurer, mais elle était un peu grande pour être consolée. En réalité, Émilie était heureuse que Sarah soit là. C'était bien mieux d'être deux. En particulier d'être deux filles, et encore mieux puisque Sarah avait pratiquement le même âge qu'elle. C'était tout ce qu'Émilie savait d'elle. Son nom, son âge. Chaque fois qu'elles essayaient de discuter, Sarah se mettait à pleurer. Elle bafouilla quelques mots où il était question d'un bus et d'une grand-mère. Sa grand-mère était peut-être chauffeur de bus, et Sarah pensait qu'elle viendrait les sauver. Exactement comme elle-même pensait encore parfois que sa mère veillait sur elle, dans sa robe rouge, avec ses diamants gros comme des prunes à chaque oreille.

Sarah n'avait pas compris qu'il était plus avisé d'être gentille avec le monsieur.

En fin de compte, il apportait à manger et à boire, et il avait donné un cheval pour Barbie, il y avait quelque temps de cela. Si Émilie souriait, remerciait et était gentille et polie, l'homme lui souriait aussi. Il avait l'air heureux, en quelque sorte, plus content quand il la regardait. Sarah l'avait mordu. Au moment où ils étaient entrés dans la pièce, elle avait planté ses dents dans son bras. Il avait crié et fichu un bon coup sur la tête de Sarah, qui saignait juste au-dessus de l'œil. Elle

111

avait encore une jolie coupure avec un peu de sang qui n'avait pas complètement séché.

– Tu dois être gentille avec le monsieur, lui conseilla Émilie en s'asseyant sur le lit à côté d'elle. Il apporte de la nourriture et des cadeaux. Il vaut mieux être polie. Je crois qu'en réalité, il est assez gentil.

– Il m'a... Il m'... Il m'a tapée, hoqueta Sarah en portant une main à son œil. Il a dit qu'il était le nouveau...

Il ne fut pas possible d'entendre le reste. Émilie se sentit légèrement prise de vertige. Elle ressentit de nouveau cette vieille sensation, cette idée infâme, écœurante, qu'il n'y avait pas assez d'air dans la cave. La meilleure chose à faire, c'était s'allonger et fermer les yeux.

– Il a dit qu'il était le nouveau copain de maman, murmura Sarah d'une voix étranglée par les larmes.

Émilie ne sut pas si elle s'était endormie. Elle fit claquer sa langue contre son palais. Elle avait un goût de sommeil dans la bouche, et ses yeux lui paraissaient lourds.

– Maman s'est trouvé un nouveau copain que je devais voir de... dehe...

Émilie s'assit lentement. Elle avait moins de mal à respirer.

– Essaie de respirer calmement, lui intima-t-elle comme le faisait sa mère quand Émilie pleurait si violemment qu'elle n'arrivait plus à parler. Respire calmement. Inspire. Expire. Il y a plein d'oxygène, ici. Tu vois la trappe, au plafond ?

Elle pointa un doigt, et Sarah hocha la tête.

– Par là, il nous envoie de l'air. Le type. Il envoie tout plein d'air dans la cave, pour qu'on puisse respirer même s'il n'y a pas de fenêtre. Tu n'as pas besoin d'avoir peur. Tu peux jouer avec ma Barbie. Ta grand-mère est chauffeur de bus ?

Sarah avait l'air complètement claquée. Son visage était blanc, constellé de taches rouges, et ses yeux tellement gonflés qu'ils en étaient presque clos.

– Grand-mère est électricienne, répondit-elle, parlant pour la première fois sans pleurer.

– Ma mère est morte, lui confia Émilie.

– Ma mère a un nouveau copain, lui confia à son tour Sarah en se mouchant.

– Il est gentil ?

– Je ne sais pas, je devais le rencontrer...

– Allez, ne pleure plus.

Émilie s'agaçait. Le type pouvait les entendre. Même s'il n'était pas là, il pouvait avoir posé des micros à un endroit ou à un autre. Émilie y avait pensé plus d'une fois. Elle avait vu ce genre de choses dans des films. C'était tout juste si elle n'osait pas chercher pour de bon. Au début, les premiers temps qu'elle était là, elle avait fait le tour de la pièce en cherchant quelque chose dont elle ignorait la nature exacte. Sans rien trouver. Mais il existait des micros si petits qu'ils tenaient dans une molaire. Ils étaient si minuscules qu'on ne pouvait pas les voir. Il fallait un microscope. Il se pouvait que l'homme soit ailleurs et qu'il les regarde et les écoute. Il existait aussi de minuscules caméras. Aussi petites qu'une tête de clou, et ce n'était pas ce qui manquait dans les murs de cette cave. Un jour, Émilie avait vu un film qui s'appelait *Chérie, j'ai rétréci les gosses*. C'était l'histoire d'un papa gentil mais un peu fêlé qui faisait des expériences au grenier. Les enfants se mêlaient de quelque chose qui ne les regardait pas et devenaient tout petits. Comme des insectes. Personne ne pouvait plus les voir. L'homme pouvait la voir. Il avait certainement une télé, des écouteurs, et il savait de façon très précise ce qu'elles faisaient.

– Souris, murmura-t-elle.

Sarah pleurait de nouveau comme une madeleine, Émilie posa la main sur sa bouche.

– Il faut que tu souries, ordonna-t-elle en déformant ses lèvres en un sourire. Il nous voit.

Sarah se dégagea.

– Il a dit qu'il était le cop... co... copain de...

Émilie ferma très fort les yeux et s'étendit sur le lit. Il n'y avait presque pas assez de place pour elles deux. Elle poussa Sarah et se tourna face au mur. En fermant très fort les yeux, c'était comme si elle avait de la lumière dans la tête. Elle voyait des choses. Elle voyait papa qui la cherchait. Il portait une chemise de flanelle. Il cherchait dans les fleurs des champs sur le terrain derrière la maison, avec une loupe parce qu'il pensait qu'on l'avait rétrécie.

Émilie aurait voulu que Sarah ne soit jamais arrivée.

22

À L'ENDROIT OÙ le cartable d'Émilie Selbu avait été retrouvé, sur un sentier tranquille entre deux rues très fréquentées, il y avait à présent une mer de fleurs. Certaines étaient à moitié fanées, d'autres déjà mortes. Par endroits, on avait déposé des roses fraîches dans des vases en plastique. Des dessins d'enfants battaient silencieusement dans le vent du soir.

Une flopée d'adolescents arrivaient en vélo. Ils gueulaient et riaient, mais baissèrent le ton en passant autour des fleurs et des lettres. Une gamine de quatorze ans posa pied à terre et attendit quelques secondes avant de pousser un juron, de secouer la tête et de repartir à toute allure derrière les autres.

L'homme tira le bord de sa casquette plus bas sur ses yeux. L'autre main se dirigeait vers son pantalon. Il allait peut-être oser avancer encore un peu. L'idée de se retrouver penché sur le lieu même, le point exact où Émilie avait été enlevée, l'endroit où elle avait été kidnappée, lui mit le feu à l'entrecuisse. Il perdit l'équilibre et dut appuyer ses hanches à un arbre pour ne pas tomber. Il gémit et se mordit la lèvre.

– Qu'est-ce que tu fous, bordel ?

Deux personnes surgirent de derrière. Elles sortirent de nulle part, d'un épais taillis. Surpris, il se retourna vers elles, son sexe toujours à la main ; celui-ci se flétrit entre ses doigts, et l'homme essaya de sourire.

– R... rien, bégaya-t-il, médusé.

– Il... Il se branle, nom de Dieu !

Il leur fallut deux minutes pour le neutraliser. Ils ne s'en contentèrent pas. Lorsque l'individu en tenue paramilitaire entra en trébuchant dans l'hôtel de police, poussé par un groupe de surveillance privé nouvellement établi, son œil avait déjà eu le temps de gonfler et de virer au bleu. Son nez saignait et son bras paraissait salement amoché.

Il ne dit rien, pas même quand la police lui demanda s'il avait besoin de voir un médecin.

23

– TU ES SÛR que nous ne devons pas parler anglais ?

Il secoua la tête. À deux ou trois occasions, il lui avait semblé qu'Aksel ne comprenait pas ce qu'elle disait. Elle avait répété en utilisant d'autres mots, plus simples, sans pouvoir déterminer si cela avait été utile. Il exprimait toujours la même chose, et parlait assez peu.

Aksel Seier avait commandé un filet mignon et une

bière. Inger Johanne Vik se contenta d'une salade César et d'un verre d'eau glacée. Ils étaient les seuls clients de *The 400 Club*, un mélange local de restaurant et de *diner*, à seulement sept minutes à pied d'Ocean Avenue. Aksel Seier était allé vers sa voiture, mais avait haussé les épaules et suivi Inger Johanne quand celle-ci avait insisté. L'heure du lunch était passée, celle du dîner pas encore arrivée. La cuisine fonctionnait à mi-régime. Avant qu'on ne les serve, Inger Johanne avait eu le temps de parler d'Alvhild Sofienberg, la vieille dame qui avait jadis nourri un intérêt énorme pour Aksel Seier, mais qui depuis avait été contrainte de laisser tomber l'affaire. De l'acharnement qu'Alvhild mettait maintenant, tant d'années après, à découvrir pourquoi il avait été condamné, puis libéré de façon aussi inattendue neuf ans plus tard. Inger Johanne décrivit la vaine chasse aux documents relatifs à cette affaire. Pour finir, et presque en un appendice destiné à minimiser l'ensemble, elle dressa un bref compte rendu de son propre intérêt pour cette histoire.

Les plats arrivèrent. Aksel Seier leva couteau et fourchette. Il mangeait lentement, mâchait longtemps. Il laissa de nouveau retomber sa frange sur ses yeux. Ce devait être un truc vieux comme le monde : ces grosses mèches grises qui faisaient comme un mur entre elle et lui.

Pas intéressé, se dit-elle. *Tu n'as pas l'air intéressé. Et d'abord, pourquoi m'as-tu accompagnée ici ? Pourquoi tu ne m'as pas fichue à la porte ? Je l'aurais accepté. Ou bien tu aurais pu écouter ce que j'avais à dire, pour ensuite me remercier et m'éconduire. Tu peux te lever, maintenant. Tu peux finir de manger, recevoir un repas gratuit d'un passé que tu as oublié, planqué, et t'en aller. C'est ton droit. Tu as passé tant d'années à oublier. Je te détruis. Je t'écrase. Va-t'en.*

– Que veux-tu que je te dise ?

116

Il restait la moitié du morceau de viande dans l'assiette. Aksel glissa la lame du couteau entre les dents de la fourchette et vida son verre de bière. Puis il se renversa sur sa chaise et croisa les bras sur sa poitrine.

J'attends une forme d'admiration, pensa-t-elle. *C'est absurde. Je me suis sentie comme un ange, comme la messagère d'une merveilleuse nouvelle. J'attends... Qu'est-ce que j'espère? Depuis le moment où j'ai lu ton histoire, depuis l'instant où j'ai compris qu'Alvhild avait raison, je me suis vue dans le rôle de la bonne fée. Celle qui allait rectifier ce qui n'était pas juste. J'allais venir te raconter ce que tu savais déjà : tu es innocent. Tu es innocent. Je te le confirme, je viens d'aussi loin que de Norvège, et tu vas le montrer... reconnaissant. Je souhaite de la reconnaissance, bon sang de bonsoir!*

— Je n'attends absolument rien, répondit-elle calmement. Si tu veux, je m'en vais.

Aksel sourit. Ses dents étaient régulières et grises, et ne cadraient pas avec son visage. Comme si on avait découpé une bouche usagée pour la coudre à un endroit où elle n'avait pas du tout sa place. Mais il souriait, et il posa ses mains sur la table devant lui.

— Je me suis imaginé ce que cela ferait d'obtenir...

Il chercha un mot. Inger Johanne ne savait pas trop si elle devait l'aider. La pause s'éternisa.

— Réparation.

— Exactement. Réparation.

Il jeta un coup d'œil dans sa pinte vide. Inger Johanne fit un signe pour qu'on le resserve. Elle avait mille questions et n'arrivait pas à se souvenir d'une seule d'entre elles.

— Pourquoi... ? commença-t-elle sans savoir ce qu'elle voulait demander. As-tu conscience que la presse s'est montrée pour le moins critique à l'égard du verdict ? Tu savais que plusieurs journalistes ont tanné... ont tourné en dérision l'avocat et les témoins de la partie civile ?

– Non.

Le sourire avait disparu, la frange était sur le point de retomber. Il n'avait pourtant pas l'air agressif. Pas curieux non plus. Sa voix était parfaitement neutre. Peut-être parce qu'il n'avait plus l'habitude du norvégien. Il devait peut-être faire un effort pour comprendre ce qu'elle disait.

– Je ne recevais pas les journaux.

– Mais après ? Tu as bien dû l'apprendre, depuis, par d'autres, des codétenus, par...

– Je n'avais aucun camarade en prison. Ce n'était pas spécialement une... *friendly place*.

– Il n'y a pas eu des journalistes qui ont voulu te parler ? J'ai apporté les coupures, tu pourras les voir, et j'ai cru comprendre que certains ont essayé de prendre contact avec toi après le verdict. J'ai moi-même essayé de retrouver les journalistes les plus critiques, mais ils sont malheureusement morts tous les deux. Te rappelles-tu qu'ils aient essayé de t'interroger ?

Le verre était de nouveau à moitié vide. Il laissa glisser un index sur le bord.

– Possible. Ça fait si longtemps. Je croyais que tout le monde... Je croyais que tout le monde...

Tu croyais que tout le monde te voulait du mal, songea Inger Johanne. *Tu ne voulais parler à personne. Tu t'es laissé emmurer, au sens propre et au sens figuré, sans compter sur personne. Tu ne dois pas compter sur moi non plus. Ne crois pas que je puisse rectifier quoi que ce soit. Ton cas est trop ancien. Il n'y aura aucune révision. Je suis simplement curieuse. J'ai des questions à poser. J'aimerais prendre des notes. Dans mon sac, j'ai un bloc et un magnéto. Si je les sors, je risque*

de te voir filer. Refuser. Comprendre enfin que ce sont
mes intérêts que je défends.

— Comme je te l'ai dit...

Elle fit un signe de tête vers le verre ; voulait-il une autre bière ? Il secoua la tête.

— Je suis chercheuse. Je travaille sur un projet dans lequel je compare...

— Tu me l'as expliqué.

— Bien. Je me demandais si... Cela t'ennuie si je prends quelques notes ?

Une femme assez volumineuse posa d'un geste sec l'addition sur la table devant Aksel. Inger Johanne la subtilisa un peu trop rapidement. La bonne femme jeta la tête en arrière et retourna en se tortillant à la cuisine, sans lancer un seul regard derrière elle. Aksel s'assombrit.

— Je vais payer. Si tu veux bien me donner l'addition...

— Non, non, laisse. On me rembourse... Je veux dire c'est moi qui t'invite.

— *Give me that*[1] !

Elle lâcha la note, qui tomba par terre. Il la ramassa, tira un portefeuille usé de sa poche et commença à compter lentement les billets.

— Il se peut que je veuille te parler dans un futur plus ou moins proche, déclara-t-il sans lever les yeux. Il faut que je réfléchisse. Combien de temps restes-tu ?

— Au moins quelques jours.

— Quelques jours. *Thirty-one, thirty-two*[2].

La liasse était épaisse, les billets fatigués.

— Où loges-tu ?

— À l'Augustus Snow.

— Je t'appelle.

1. Donne-moi ça !
2. Trente et un, trente-deux.

Il repoussa la chaise et se leva lourdement. Il ressemblait peu à l'homme qui avait gravi une échelle fragile pour remplacer une girouette en forme de coq par une autre en forme de porc, un peu plus tôt dans la journée.

— Est-ce que je peux te poser juste une question ? demanda Inger Johanne très vite. Juste une avant que tu ne t'en ailles ?

Il ne répondit pas, mais ne fit pas non plus mine de s'en aller.

— Ont-ils dit quelque chose quand tu as été libéré ? Je veux dire, as-tu eu des éclaircissements sur ce qui s'était passé ? Est-ce qu'ils t'ont expliqué que tu étais gracié, ou bien...

— Rien. Ils ne m'ont rien dit. On m'a donné une valise pour ranger mes affaires. Une enveloppe avec cent couronnes dedans. L'adresse d'un appartement. Mais ils n'ont rien dit. *Except*[1], il y avait un type, un... Il n'avait pas d'uniforme ou quoi que ce soit. Il m'a dit de fermer ma gueule, et que je devais m'estimer heureux. « Ferme-la et estime-toi heureux. » Cette phrase, je m'en souviens bien. Mais des explications ? *Nope*[2].

Il montra derechef les dents. La grimace était repoussante et son interlocutrice dut baisser les yeux. Aksel Seier se dirigea vers la porte et disparut, sans l'attendre, sans convenir d'une prochaine rencontre. Elle joua un moment avec son verre d'eau. Elle essayait de se souvenir d'un détail, qui ne se laissait pas attraper.

Il y avait chez Aksel Seier quelque chose qui n'y avait pas sa place. Qu'elle avait remarqué. Qui l'avait fait réagir, après coup, quand il avait été trop tard. Un détail qui ne jurait pas dans cet intérieur bizarre, mais s'en distinguait malgré tout. Elle ferma les yeux et tenta

1. Sauf.
2. Que dalle.

de reconstituer le salon d'Aksel Seier. La figure de proue. La scène de guerre. Le Same triste dans son caban passé. Le chevalier au mur. Une pendule murale dont le balancier était un fer à cheval. L'étagère et ses quatre livres, dont les titres lui échappaient. Une vieille boîte à café pleine de petite monnaie, juste à côté de la porte. La télévision et son antenne intérieure. Un lampadaire en forme de requin, qui semblait vouloir vous happer depuis le sol en éclairant la pièce avec les ampoules fixées sur sa queue. Un labrador plus vrai que nature, en bois peint en noir. Des objets absurdes et séduisants qui allaient ensemble sans qu'on puisse expliquer pourquoi.

Plus autre chose. Qui l'avait fait réagir sans qu'elle en prenne conscience avant qu'il ne soit trop tard.

AKSEL SEIER MARCHAIT rapidement. Il repensait à un jour de printemps 1966, quand il avait vu Oslo pour la dernière fois. Le brouillard planait au-dessus du fjord. Il se tenait sur le plat-bord du *MS Sandefjord*, en route pour les États-Unis avec une cargaison d'engrais chimique. Le capitaine avait fait un vague hochement de tête quand Aksel lui avait expliqué la situation, ouvertement, sans tourner autour du pot. Il avait purgé une longue peine de prison, cela semblait ne servir à rien de rester en Norvège. Le capitaine pouvait dormir sur ses deux oreilles, Aksel Seier avait la nationalité américaine. Il fit claquer son passeport sur la table, le document paraissait authentique. Tout ce qu'il voulait, c'était se rendre utile en attendant d'atteindre l'autre côté de l'Atlantique. S'il en avait la possibilité.

Il donnerait un coup de main en cuisine. Avant qu'ils aient atteint Dyna Fyr, il avait épluché quatre kilos de pommes de terre. Il fila alors à l'extérieur pour un court instant. Il comprit qu'il partait pour de bon. Il pleura sans savoir pourquoi.

Depuis, il n'avait pas versé une larme. Jusqu'à maintenant.

Il rentra en courant. Le portillon se joua de lui avec son loquet récalcitrant. Le facteur s'arrêta, sortit la tête par la vitre de sa voiture, montra du doigt le porc et rit. Aksel Seier bondit par-dessus la clôture basse et entra. Il referma soigneusement la porte derrière lui et se glissa sous les draps. Le chat braillait tant qu'il pouvait derrière la fenêtre, mais il l'ignora.

24

– ET C'EST À ÇA que vous perdez votre temps ?

Yngvar Stubø se frotta le visage. Sa paume râpait sèchement les courts poils de sa barbe. Il était plus de deux heures du matin, le mercredi 24 mai. Un groupe de vingt-cinq journalistes et presque autant de photographes étaient rassemblés devant le commissariat d'Asker et Bærum, à Sandvika. Ils étaient maintenus hors du bâtiment de brique par quelques aspirants policiers qui avaient depuis un petit quart d'heure sorti leurs matraques. Ils marchaient lentement de long en large devant l'entrée en se donnant de petits coups rageurs dans les mains, en parfaites caricatures des policiers des films de Chaplin. Les photographes battirent légèrement en retraite. Des journalistes se mirent à regarder leur montre. Un type de *Dagbladet*, qu'Yngvar Stubø crut reconnaître, bâilla de manière ostensible et bruyante. Il aboya en direction d'un photographe avant d'aller à pas lourds jusqu'à une Saab garée en stationnement interdit. Il s'installa au volant, sans démarrer.

Yngvar Stubø laissa retomber le rideau et se retourna.

– Bon sang, Hermansen, ce pauvre gars n'a jamais fait de mal à une mouche !

– Et qui dit que notre kidnappeur de mioches a nécessairement un casier ?

Hermansen se moucha dans ses doigts et poussa un juron.

– Ce n'est pas ce que je veux dire.

– Et qu'est-ce que tu veux dire, alors, merde ? On a ici un mec qu'on a pris à l'endroit exact où la première victime a été enlevée, quatre heures après qu'une autre petite fille a été kidnappée ; il est camouflé à tel point qu'on pourrait penser qu'il compte postuler dans la CIA, il se branle en geignant le nom de la mioche ! Et maintenant, il est ici, incapable d'expliquer où il se trouvait le mercredi 4 mai, quand Émilie Selbu a disparu, et le mercredi 10 mai, quand Kim s'est fait choper. Bon sang ! il ne se rappelle même pas ce qu'il a fait aujourd'hui à cinq heures !

– C'est tout simplement parce qu'il est incapable de rendre compte de quoi que ce soit, informa Yngvar Stubø sèchement. Cet homme est idiot. Presque au sens propre. Il est en tout cas psychiquement attardé. Il est complètement terrorisé, Hermansen.

Hermansen porta un mug sale à ses lèvres. L'odeur acide de sueur et de stress imprégnait toute la pièce. Yngvar n'était pas certain de savoir de qui elle provenait.

– Il est chauffeur de métier, gronda Hermansen. Il ne peut pas être totalement idiot. Il est coursier. Et il *a* un casier. Pas moins de...

Il attrapa un dossier et en tira d'une main énergique une feuille A4.

– Cinq contraventions et deux condamnations pour attentats à la pudeur.

Yngvar Stubø ne réagit pas. Il regarda de nouveau discrètement vers les journalistes. Ils n'étaient plus aussi nombreux. Il se pinça la base du nez et essaya de calculer l'heure qu'il pouvait bien être sur la côte est des États-Unis.

– Exhibitionnisme, soupira-t-il lourdement sans regarder son collègue. Ce type a plongé pour exhibitionnisme. Rien d'autre. Ce n'est pas lui que nous cherchons. Malheureusement pas.

– EXHIBITIONNISME.

Yngvar essayait de se montrer neutre. C'était impossible. Le mot portait en lui un tel mépris de ce qu'il décrivait, qu'il l'avait comme craché, avec dédain. L'homme en tenue de camouflage s'était dissous en un tas de textile. La sueur coulait. Ses épaules étaient si étroites que les manches de sa veste dissimulaient ses mains. Il avait une écharpe autour du cou, mais ne l'utilisait pas. Le fond de son pantalon lui descendait presque entre les genoux.

– Cinquante-six ans, poursuivit lentement Yngvar Stubø. C'est bien cela ?

L'homme ne répondit pas. Yngvar tira une chaise jusqu'à lui et s'assit. Il posa les coudes sur ses genoux et essaya de ne pas froncer le nez devant l'odeur d'urine et de vieille transpiration. Cette fois-ci, il n'avait plus de doute sur la provenance de cette puanteur.

– Écoute, reprit-il à voix basse. Je peux t'appeler Laffen ? C'est comme cela qu'ils t'appellent, n'est-ce pas ?

Un faible hochement de tête révéla qu'en tout état de cause, le bonhomme était capable d'entendre.

– Laffen, sourit Stubø. Je m'appelle Yngvar. Tu as eu une soirée épuisante.

Nouveau vague hochement de tête.

– On va bientôt arranger tout ça. Il me faut juste les réponses à quelques questions, OK ?

Encore un signe de tête, presque imperceptible cette fois-ci.

– Tu te souviens où tu as été pris ? Où ces deux hommes... Où ils t'ont trouvé ?

L'homme ne réagit pas. Ses yeux, bien nets à faible distance, faisaient comme deux billes noires dans son crâne étroit. Yngvar posa une main prudente sur le genou de l'homme, toujours sans obtenir de réaction.

– Tu conduis, toi !

– Ford Escort 1991. Bleu métallisé, moteur 1,6 litre ; mais elle est boostée. La sono a coûté onzemillequatrecentquatrevingtdixcouronnes[1]. Sièges baquets et déflecteur.

– Super.

– Je n'ai rien fait.

– Pourquoi étais-tu là-bas, alors ?

– Pour rien. Juste... J'étais juste là. Je regardais. Ce n'est pas interdit, de regarder.

L'homme tira sur sa manche gauche. Un plâtre blanc neige apparut.

– Ils m'ont cassé le bras. Je n'ai rien fait.

Il était trois heures et demie du matin. Cela faisait vingt et une heures qu'Yngvar Stubø était éveillé. Dieu seul savait depuis combien de temps l'interpellé n'avait pas dormi. Yngvar lui tapota le genou et se leva.

– Essaie de t'allonger sur la paillasse, là-bas, dit-il d'un ton aimable. Il fera bientôt jour, on pourra s'occuper de ça en détail. Tu pourras rentrer chez toi.

En refermant doucement la porte derrière lui, il prévoyait que l'homme en tenue de camouflage pouvait devenir un problème. Il était à peine capable de planifier quoi que ce soit. Encore moins de procéder à trois enlèvements sophistiqués, et à la restitution complexe d'un cadavre d'enfant. Le type avait, il est vrai, le per-

1. Environ 1 450 euros.

mis de conduire, et il était par conséquent fort probable qu'il sache lire et écrire. Le titre de chauffeur de métier dont l'avait gratifié Hermansen était cependant très abusif. Laffen Sørnes ne bénéficiait d'aucune protection sociale, et livrait des repas chauds deux après-midi par semaine aux personnes âgés de Stabekk. Bénévolement.

Le plus ennuyeux n'était pas l'exhibitionniste en lui-même, mais que la police n'avait pas d'autre suspect. Trois enfants avaient disparu. Un garçon était déjà mort. Tout ce que la police avait, après trois semaines d'enquête, c'était un exhibitionniste d'un certain âge dans une Ford Escort.

Ce type-là pouvait devenir un sacré problème.

– Laissez-le partir, trancha Yngvar Stubø.

Hermansen haussa les épaules.

– Ouais. Alors on n'a rien. Que dalle. Va leur expliquer, toi, aux vautours qui sont dehors, jeta-t-il avec un mouvement de tête vers la fenêtre.

– Laisse-le rentrer chez lui dès qu'il fera jour, bâilla Stubø. Et pour l'amour de Dieu, trouve-lui un autre avocat. Un qui se donne la peine de veiller à ce que son client ne soit pas privé de sommeil toute la nuit. C'est mon conseil. Il n'est pas celui qu'on recherche. Et au fait...

Il attrapa un cigare dans sa poche de poitrine et leva un index.

– Je n'arrive pas à déterminer ce que vous faites ici, à Asker et Bærum, mais si j'étais toi... Plombe les enfoirés qui lui ont pété le bras. Sinon, ce sera du western devant vos portes avant la fin de la semaine. Crois-moi. Le Texas comme si vous y étiez.

25

DANS LA CAMPAGNE, dans une vallée à bonne distance au nord-est d'Oslo, dans une petite maison perchée sur la colline, un homme était assis, une télécommande à la main. Il contrôlait le télétexte. Il aimait bien le télétexte, qui lui permettait d'avoir les informations quand il le désirait, comme il le désirait : concises, conformes. C'était le matin. La lumière blanche de ce jour encore intact qui déferlait par la fenêtre de la cuisine lui donnait l'impression de renaître chaque jour. Il éclata de rire bien qu'il fût seul.

Un homme de 56 ans arrêté dans l'affaire de la petite Émilie.

Il joua avec les touches de la télécommande. Les lettres grossirent, rapetissèrent, s'élargirent, rétrécirent. Un homme arrêté. Le prenaient-ils pour un amateur ? Et croyaient-ils qu'il allait céder à la colère ? Qu'il allait perdre son sang-froid juste parce qu'ils avaient appréhendé la mauvaise personne ? Parce qu'ils attribuaient ses actes à quelqu'un d'autre ? La police pensait-elle vraiment qu'il allait se dépêcher, faire des erreurs, commettre des imprudences ?

Il rit de nouveau, presque avec ravissement, et l'écho se répercuta entre les murs nus. Il savait précisément comment pensait la police. Il était psychopathe, croyaient-ils. Orgueilleux de ses crimes, supposaient-ils. La police voulait le blesser. Le pousser à la faute. À se vanter de ce qu'il faisait. L'homme à la télécommande le savait, il avait lu, étudié ; il savait ce que ferait la police lorsqu'ils comprendraient qu'il était libre, lui qui enlevait les enfants et les tuait sans qu'ils comprennent pourquoi. Ils cherchaient à le provoquer.

Il les imaginait. Toutes les informations à propos des petits, rassemblées sur un grand tableau. Les photos, les données. Les ordinateurs. Age, sexe, vécu. Dates. Ils cherchaient des connexions. Ou un rythme. Ils faisaient certainement grand cas du fait qu'Émilie avait été enlevée un jeudi, Kim un mercredi, Sarah un mardi. Ils pensaient voir la lumière et s'attendaient qu'il se passe quelque chose un lundi. Le temps venu, quand l'enfant suivant disparaîtrait un dimanche, ils paniqueraient. Aucun rythme, se diraient-ils. Aucune routine ! Le trouble les paralyserait et deviendrait insupportable à la disparition d'un nouvel enfant.

L'homme alla à la fenêtre. Il devrait bientôt aller travailler. D'abord, il fallait qu'il descende à manger aux deux petites. Et de l'eau. Des corn-flakes et de l'eau, il était tout simplement tombé en panne sèche de lait.

Émilie s'était ressaisie. Elle était gentille. Gaie et agréable. Exactement comme il s'y était attendu. Même s'il avait douté qu'elle vaille la peine d'être enlevée, il en était heureux, à présent. Émilie avait à l'évidence un petit quelque chose bien à elle. Lorsqu'il avait compris que sa mère était morte, il avait décidé de la laisser tranquille. Heureusement, il avait changé d'avis. C'était une gamine reconnaissante. Elle remerciait correctement pour la nourriture, et avait été contente du cheval bien qu'elle n'ait presque rien dit lorsqu'il lui avait offert la poupée Barbie. Il ne savait toujours pas très bien ce qu'il ferait d'Émilie, à la fin, quand tout serait terminé. Somme toute, ça n'avait aucune espèce d'importance. Il avait largement le temps.

Sarah était une vraie petite peste.

Il aurait pu le dire à l'avance. La morsure dans son bras était rouge et enflée ; il passa doucement une main sur la blessure et s'en voulut de ne pas avoir été plus vigilant.

Lorsqu'il regarda la crête de la colline par la fenêtre, en plissant les yeux vers le soleil matinal, il s'étonna de ne pas avoir commencé plus tôt. Il avait accepté trop de choses, trop longtemps. Trop donné. Trop supporté. Reçu trop peu. Il s'était donné trop souvent. Cela avait commencé lorsqu'il avait quatre ans. Probablement plus tôt encore, mais c'était à cela que remontaient ses premiers souvenirs.

On lui avait envoyé un cadeau. Il ne savait pas qui. Sa mère était allée le chercher à la poste.

L'homme à la télécommande aimait se replonger dans ses souvenirs. C'était important pour lui de se retourner sur le passé. Il éteignit le poste et remplit sa tasse de café. Il aurait dû préparer les corn-flakes et l'eau. Mais la mémoire, c'était son carburant, et il fallait s'en occuper en temps et en heure. Il ferma les yeux.

Il était installé sur une chaise de cuisine, à genoux sur une chaise en bois peinte en rouge. Il dessinait. Devant lui, il avait un verre de lait ; il sentait toujours ce goût suave qui se collait au palais, la chaleur du poêle dans le coin ; on était au début de l'hiver. Sa mère entra. La grand-mère venait de partir travailler. Le paquet était gris et le papier chiffonné par le transport. La ficelle allait dans tous les sens et tenait à force de nœuds, et sa mère dut recourir aux ciseaux bien qu'ils aient l'habitude de prendre soin de la ficelle et du papier kraft.

Le cadeau, c'était une combinaison d'hiver. Bleue, avec un zip à la veste et un anneau au zip. Sur la poitrine, il y avait le dessin d'un camion avec de grosses roues. Le pantalon avait des élastiques sous les pieds et des bretelles croisées dans le dos. Sa mère l'habilla. Il put monter sur la table de la cuisine. Il fit claquer sa langue pour sentir le goût du lait et reçut la lampe dans la tête lorsqu'elle revint lentement sur sa trajectoire de balancier. Sa mère sourit. La tenue bleue était légère. Elle ne pesait rien. Il leva les bras lorsqu'elle remonta la fermeture Éclair. Il plia les genoux, se sentant capable de voler. La veste était chaude, le tissu serré et lisse, et il voulait sortir dans la neige avec le dessin du camion avec les grosses roues. Il rit en regardant sa mère.

L'homme lâcha la télécommande. Il était presque huit heures, le temps pressait. Les mômes à la cave ne mourraient bien sûr pas de faim s'il laissait passer un repas, mais il valait mieux s'en occuper. Il ouvrit le placard de la cuisine et se regarda dans un miroir de salle de bains accroché à l'intérieur de la porte.

La grand-mère revint. Elle avait oublié quelque chose, et elle se figea en le voyant.

Ce fut quelqu'un d'autre qui eut la combinaison d'hiver. Un autre enfant. Quelqu'un qui l'avait davantage méritée, dit la grand-mère. Cela, il se le rappelait bien. Sa mère ne protesta pas. On lui avait envoyé un cadeau. C'était à lui, mais il ne l'avait pas eu. Il avait quatre ans.

Ses traits paraissaient tirés dans le miroir. Ce n'était pas ainsi qu'il se sentait. Il se sentait fort et résolu. Le paquet de corn-flakes était vide. Les gamines auraient faim jusqu'à son retour. Elles s'en sortiraient.

26

INGER JOHANNE VIK AVAIT travaillé toute la soirée, dans une concentration toute relative. Le portier de nuit de l'Augustus Snow Inn était un garçon qui devait avoir menti sur son âge pour pouvoir décrocher ce boulot. Sa moustache était manifestement noircie au mascara. Dans le courant de la soirée, elle était devenue plus frêle. Des taches noires se dessinaient en revanche juste sous son nez, là où il n'arrivait pas à laisser ses furoncles en paix. Il avait révélé les codes d'accès Internet de l'hôtel. Inger Johanne pouvait se connecter depuis sa chambre. En cas de problème, elle n'avait qu'à appeler la réception. Le jeune lui fit un large sourire crétin en passant son pouce et son index sur sa moustache. L'essentiel en avait disparu.

Elle aurait dû être fatiguée. Elle bâilla à cette idée. Elle avait sommeil, mais pas comme à l'accoutumée. D'habitude, le décalage horaire la perturbait bien plus. Il était déjà deux heures du matin, et elle calcula l'heure qu'il devait être en Norvège. Huit heures. Kristiane était levée depuis longtemps. Elle zonzonnait à droite à gauche chez Isak, avec le nouveau chien, tandis que le maître de céans dormait certainement. Le chien aurait pissé partout, Isak laisserait sécher sans se soucier de nettoyer.

Elle se massa la nuque avec irritation et parcourut la pièce du regard. Par terre, juste devant la porte, elle vit un petit mot. Il devait déjà être là au moment où elle était rentrée. L'escalier qui montait au deuxième était vieux et grinçait horriblement. Elle n'avait entendu personne. Elle était seule à l'étage, la chambre au-dessus du couloir était vide, éteinte. Elle était allée se chercher du café trois fois, était entrée et sortie de sa chambre, mais n'avait pas remarqué le mot.

Il avait été reçu à dix-huit heures.

Please call Ingvard Stubborn. Important. Any Time. Don't mind the time difference[1].

Stubborn[2]. Stubø. Yngvar Stubø. Le mot indiquait trois numéros de téléphone. Personnel, professionnel et mobile, supposa-t-elle. Elle ne voulait appeler aucun d'entre eux. Elle passa son pouce sur le nom du policier. Puis froissa le morceau de papier. Au lieu de le

1. Merci d'appeler Ingvard Stubborn. Important. Quelle que soit l'heure. Ne vous souciez pas du décalage horaire.

2. Têtu, obstiné.

jeter, elle le fourra dans la poche de son pantalon et consulta la page Internet de *Dagbladet*.

Une petite fille avait disparu. Encore une. Sarah Baardsen, huit ans, kidnappée dans un bus plein, à l'heure de pointe, alors qu'elle allait retrouver sa grand-mère. La police n'avait encore aucune piste. Le public était furieux. Autour de la capitale, de Drammen à Aurskog, d'Eidsvoll à Drøbak, toutes les activités bénévoles au profit des enfants étaient suspendues jusqu'à nouvel ordre. On organisait des escortes collectives pour accompagner les élèves à l'école et les y récupérer. Certains parents exigeaient des compensations pour pouvoir rester à la maison. L'organisation des congés scolaires ne pouvait pas garantir que les enfants soient en permanence sous une surveillance convenable. On n'avait pas le personnel nécessaire pour la renforcer. La centrale de taxis d'Oslo avait affrété des taxis spéciaux pour enfants, conduits par des femmes qui donnaient la priorité aux mères se déplaçant seules avec un enfant. Le Premier ministre appelait au calme et à la raison, tandis que la représentante de l'Enfance pleurait à la télévision. Une voyante avait vu Émilie dans une soue, et reçu le soutien d'une collègue suédoise. Il y a davantage entre le Ciel et la Terre que nous ne le croyons, déclara le Syndicat norvégien des agriculteurs et des petits exploitants avant de promettre une fouille minutieuse de tous les élevages de porcs du pays avant la fin de la semaine. Un membre du FrP[1] du Sørland avait très sérieusement proposé que le Storting[2] rétablisse la peine de mort. Inger Johanne sentit un frisson sur ses avant-bras et baissa les manches de son pull.

Bien sûr, elle ne voulait pas aider Yngvar Stubø. Les

1. Fremskrittpartiet : littéralement parti du progrès, le principal parti d'extrême droite norvégien.
2. Le Parlement norvégien.

enfants enlevés deviendraient les siens, tout comme elle voyait chaque fois sa propre fille, Kristiane, dans les photos de gosses affamés d'Afrique et de prostituées de sept ans en Thaïlande. Eteindre la télé, refermer le journal. Veux pas voir. C'était une affaire de cet acabit. Inger Johanne ne voulait pas y être liée. Veux pas entendre.

Mais ce n'était malgré tout pas ainsi.

Cette histoire la stimulait. Elle l'alléchait de façon si grotesque qu'elle en eut le souffle court lorsqu'elle se rendit soudain compte, comme dans une révélation bien malheureuse, qu'elle avait en réalité envie de tout laisser tomber. Inger Johanne voulait oublier Aksel Seier, se moquer éperdument du nouveau projet de recherches, tourner le dos à Alvhild Sofienberg. Ce qu'elle désirait réellement, c'était sauter dans le premier avion qui rentrait au pays et laisser Isak s'occuper de Kristiane. Elle se focaliserait sur une seule et unique tâche : trouver l'inconnu qui rôdait en volant des enfants aux gens.

Le travail était déjà amorcé. Ce n'était que par courts intervalles qu'elle parvenait à se concentrer pleinement sur d'autres choses. Depuis qu'Yngvar Stubø l'avait contactée pour la première fois, elle avait inconsciemment essayé de se composer une image provisoire du coupable, dans la tension, à contrecœur. Elle n'avait aucune base suffisante, pas assez de données. Avant son départ, elle avait fouillé dans de vieilles caisses sous couvert de vouloir ranger. Des notes datant de ses années d'études aux États-Unis occupaient maintenant les étagères émaillées de son bureau. Il fallait les mettre ailleurs. Un sacré ménage. Rien d'autre, s'était-elle dit à mi-voix en faisant de hautes piles de livres sur son bureau.

Plus que tout, Inger Johanne voulait aider Yngvar Stubø. Cette affaire était un défi. Un gros boulot pour universitaire. Un test intellectuel. Une compétition entre elle et un criminel inconnu. Inger Johanne savait qu'elle se laisserait très facilement absorber, qu'elle travaillerait jour et nuit, comme dans une épreuve harassante ; qui serait le plus fort, elle ou le criminel ; qui serait le plus rusé, le plus gourmand, le plus dur. Qui gagnerait. Qui serait le meilleur.

Elle repêcha le bout de papier, le posa sur son genou et le déplia avec soin, en l'aplatissant du tranchant de la main. Elle le relut avant de le déchirer brusquement en trente-deux petits morceaux qu'elle lâcha dans la cuvette des toilettes.

27

AKSEL SEIER SE LEVA dès l'aube, bien qu'il eût veillé toute la nuit. Il se sentait l'esprit étonnamment clair. Il porta la main à sa tempe et manqua de tomber en se levant de son lit. Le chat se glissa vers ses jambes nues et poussa un miaulement doux. Aksel le prit sur ses genoux, et resta un bon moment à le caresser en regardant dehors d'un œil vide.

Une personne avait cru en lui. Longtemps avant que cette Inger Johanne Vik arrive avec ses belles paroles et ses trucs incompréhensibles, une femme avait compris qu'il n'avait pas commis ce pour quoi il avait été condamné. Il y avait eu une autre personne, à une autre époque.

Il l'avait rencontrée après sa libération, lors de son premier passage hésitant dans un bar. Presque neuf ans d'abstinence avaient laissé des traces. L'alcool lui fila tout droit au cerveau. Un seul verre, et la tête lui tournait. Sur le chemin des toilettes, il tomba contre le coin d'une table. La femme qui y était installée portait une robe à fleurs et sentait le lilas. En voyant que la plaie ne cessait pas de saigner, elle lui proposa de venir chez elle. Juste au coin, s'empressa-t-elle de préciser. Il était encore tôt dans la soirée. Il pouvait bien venir; il avait l'air gentil, ajouta-t-elle avec un petit rire. Ses doigts s'occupèrent délicatement de la blessure. De l'ouate et de l'iode qui dégageait une odeur âcre et dessinait des coulures brunes dans son cou. Un bandage. Le regard inquiet de la femme. Ils devaient peut-être aller voir le médecin de garde, il valait sûrement mieux faire poser un ou deux points de suture. Il avait ce parfum de lilas dans les narines, et ne souhaitait pas s'en aller. Elle lui tenait la main, et il lui raconta son histoire, telle qu'elle était; cela ne faisait qu'une semaine et demie qu'il était libre. Il était encore jeune et gardait une sorte d'espoir que la vie pouvait se corriger. Il avait essuyé quatre refus de postes. Malgré tout, il y avait des possibilités. Avec un peu de patience, les choses s'arrangeraient. Il était jeune, fort, et ne ménageait pas sa peine. De plus, il avait appris une chose ou deux en prison.

Cette femme s'appelait Eva, elle avait vingt-trois ans. À onze heures moins cinq, lorsqu'il dut partir, à cause de sa logeuse, Eva ressortit avec lui. Ils flânèrent dans les rues, côte à côte, des heures durant. Aksel sentait la peau d'Eva en caresses prudentes à travers le tissu de sa robe, la chaleur de son corps cognait contre la veste de laine grossière qu'il finit par retirer pour la lui poser sur ses épaules. Elle l'écoutait d'un air grave. Elle le croyait, et elle l'embrassa rapidement avant de partir en courant vers la porte cochère de son immeuble. À mi-chemin, elle s'arrêta et éclata de rire, elle avait oublié de lui rendre sa veste. Ils ne se quittèrent plus. Aksel n'avait pas de boulot. Quatre mois plus tard, il comprit enfin que la vérité ne le conduirait nulle part et se créa un passé en Suède. Il avait été menuisier à Tärnaby pendant dix ans, mentait-il, ce qui lui permit finalement de décrocher un poste d'assistant motorisé. Cela dura trois mois. Un employé de l'entrepôt connaissait quelqu'un qui l'avait reconnu. Il fut viré le jour même, mais Eva ne le trahit pas.

Le chat sauta de ses genoux, et il décida de quitter Harwichport.

Il n'irait pas loin. Un tour au nord, dans le Maine. Quelques jours seulement. La chercheuse norvégienne abandonnerait sans doute au bout de peu de temps. Elle n'avait rien à faire ici. Même si elle avait l'air de connaître le coin, elle était norvégienne. Elle avait un but de retour. En constatant qu'il était parti, elle renoncerait sûrement. Il n'avait pas d'importance. Aksel irait à Old Orchard Beach, là où Patrick avait un manège et gagnait pas mal d'argent pendant l'été. Patrick et Aksel étaient devenus amis à Boston, quand Aksel, dans ses premiers temps aux États-Unis, travaillait à la plonge dans un troquet italien de North End. Patrick s'arrangea pour que son ami touche une paie sur un bateau de pêche de Glouchester. Après deux bonnes saisons, ils se sentirent riches. Patrick contracta un emprunt et acheta le manège dont il avait toujours rêvé. Aksel eut tout juste assez pour la maison de Harwichport avant que les nouveaux riches ne fassent exploser les prix et rendent impossible pour le commun des mortels de se trouver un petit coin près de la mer sur Cape Cod. Les vieux amis se voyaient rarement et ne se disaient pas grand-chose lorsqu'ils se retrouvaient. Mais Aksel serait le bienvenu chez Patrick. Cela ne faisait aucun doute.

Le chat poussa un miaulement déchirant. La chatière était fermée. Aksel entrebâilla la porte du jardin et alla chercher une valise tout au fond du placard de la chambre.

Il y avait quatre caleçons propres dans la commode. Il les plia avec soin et les déposa dans le fond. Quatre paires de chaussettes. Deux chemises. Le pull bleu.

Quelques maillots de corps sans manches. Il n'avait besoin de rien d'autre. Les vêtements formaient une pile morne et plate dans la valise, qui n'était même pas à demi pleine. Il tendit les courroies sur le pull en haut de la pile. Puis il ferma, avant de changer d'avis. Il voulait emporter les lettres. Il ne l'avait encore jamais fait, lors de ses rares sauts de puce jusqu'à Boston ou dans le Maine. Elles étaient à leur place habituelle, sur l'échiquier qui n'avait jamais servi parce que personne ne venait jamais le voir, en un paquet tenu par un morceau de corde. Cette fois-ci, mieux valait les emporter.

Il ferma de nouveau la valise.

Avec trois boîtes de nourriture pour chat dans un sac et la valise dans l'autre main, il sortit et verrouilla la porte. Mrs. Davis était toujours réveillée à cette heure. Dès qu'il approcha de la voiture, elle jeta un coup d'œil par la porte de la cuisine et cria d'une voix enjouée que la journée était superbe. Aksel leva les yeux. Ce pouvait être une belle journée en perspective, Mrs. Davis avait raison. Les mouettes lâchaient des coquillages depuis le ciel et plongeaient vers la plage pour manger. Deux bateaux sortaient en glissant d'Allen Harbor. Le soleil était déjà haut au-dessus de l'horizon. Mrs. Davis, dans son éternel pull rose, traversa la pelouse au petit trot et prit le sac de nourriture pour le chat. Cela ne suffirait pas, expliqua-t-il, il serait absent un moment. Qu'elle lui fasse une note, il la rembourserait dès son retour. Quand ? Il ne le savait à vrai dire pas. Il devait aller voir quelqu'un. Au sud. New Jersey, bougonna-t-il avant de cracher. Ça pouvait être long. Super qu'elle s'occupe du chat pendant ce temps-là.

— Merci, conclut-il sans remarquer qu'il l'avait dit en norvégien.

– *SORRY, SWEETIE, HE'S GONE*[1].

Mrs. Davis pencha la tête de côté et se composa une tête d'enterrement.

– *Left this morning, I'm afraid. For New Jersey, I think. Don't know when he'll be back. Might take weeks, you know*[2].

Inger Johanne regardait fixement le chat affalé dans les bras de la bonne femme, et qui se laissait dorloter. Ses yeux étaient d'un jaune effroyable, presque phosphorescent ; le regard arrogant, comme si l'animal se moquait d'elle, une intruse qui se figurait qu'Aksel Seier attendrait sur le pas de sa porte, trépignant d'impatience devant ce qu'elle aurait à raconter, prêt à toutes les questions, rasé de frais et tenant le café au chaud sur la cuisinière. Le chat bâilla. Ses petites canines luirent lorsque ses yeux disparurent dans deux fentes profondes de sa fourrure rousse. Inger Johanne se retira et retourna à sa voiture.

La seule chose à faire, c'était laisser une carte de visite. Pendant un instant, elle se demanda si elle pouvait la donner à la petite dame. Puis elle songea à ce chat sinistre et alla plutôt à la maison d'Aksel Seier. Elle griffonna rapidement un mot sur l'envers du carton et le glissa dans la boîte aux lettres. Par acquit de conscience, elle en glissa un autre sous la porte.

– *He seemed kind of upset, you know*[3] !

La voisine était d'humeur loquace. Elle approcha, toujours avec le chat dans les bras.

– *He's not used to visitors. Not very friendly, actually. But his heart*[4]...

---

1. Désolée, mon ange, il est parti.
2. Parti ce matin, j'en ai bien peur. Dans le New Jersey, je crois. Je ne sais pas quand il reviendra. Ça pourrait prendre plusieurs semaines, vous savez.
3. Il avait l'air passablement troublé, vous savez.
4. Il n'a pas l'habitude de recevoir de la visite. Il n'est pas très aimable, en fait. Mais son cœur...

Le chat se laissa nonchalamment tomber sur le sol. La femme posa une main théâtrale sur sa poitrine.

– *His heart is pure gold. I tell you : pure gold. How do you know him, miss*[1] *?*

Inger Johanne lui fit un sourire absent, comme si elle ne comprenait pas bien. Elle aurait bien sûr dû discuter avec la vieille dame. À l'évidence, rien ne lui échappait dans ce minuscule morceau de rue. Inger Johanne s'éloigna pourtant, et s'installa au volant de sa voiture. Elle se sentait agacée et soulagée en même temps. Cela l'irritait d'avoir laissé Aksel Seier quitter le restaurant sans convenir d'un rendez-vous ultérieur. Elle ressentait comme une provocation d'avoir été roulée dans la farine et qu'il soit parti. En même temps, cette disparition apportait une explication franche : Inger Johanne n'était pas la bienvenue dans la vie d'Aksel Seier, quoi qu'elle eût à raconter. Aksel Seier voulait voler de ses propres ailes. Elle était libre.

Le jeudi 25 mai était arrivé, et elle pouvait rentrer chez elle. En fait, elle devait appeler Alvhild. Lorsqu'elle monta en voiture et partit vers la Route 28, elle décida de laisser tomber. Elle avait si peu de choses à raconter. Elle ne se souvenait même pas de ce qu'elle avait vu de si étonnant dans la petite maison d'Aksel Seier, et qui l'avait tenue éveillée la moitié de la nuit.

28

UNE VOITURE DE LIVRAISON approchait de l'immeuble. Il pluviotait. Le Ring 1[2] était complète-

---

1. Il a un cœur d'or. Vraiment : en or. Comment le connaissez-vous, mademoiselle ?
2. Succession de rues assez importantes qui permettent de contour-

ment paralysé au niveau d'Ullevaal, à la suite d'un accident. Le désordre s'était propagé comme une tumeur maligne ; le véhicule avait mis une heure pour parcourir une distance normalement expédiée en vingt minutes. Il approchait enfin de son lieu de destination. Le chauffeur donna un coup d'avertisseur excédé à l'adresse d'un taxi qui était arrêté en travers et bloquait la circulation. Un jeune, qui s'extrayait tant bien que mal du siège passager sur un plâtre et deux béquilles, montra le majeur et pointa un index teigneux vers une voiture de police, à cinquante mètres de là.

– Bon Dieu ! gueula-t-il. Tu ne vois pas que la rue est barrée ?!

Il ne manquait plus que ça. Que le chauffeur doive porter le paquet jusqu'à l'immeuble. Il conduisait depuis sept heures ce matin. Et il avait la crève. Il voulait être en week-end. Le vendredi après-midi était infernal. Il livrerait ce satané paquet et rentrerait chez lui. Et puis au lit. Avec une bière, devant une vidéo. Si seulement cette saloperie de voiture de police voulait bien dégager. Elle bouchait toute la rue, mais on n'aurait pas dit qu'il se passait quoi que ce fût de dramatique. Deux officiers en uniforme papotaient devant la voiture, l'un fumait en regardant régulièrement sa montre, l'autre semblait lui aussi avoir depuis longtemps commencé à vouloir regagner ses pénates. Le taxi parvint enfin à faire demi-tour, non sans aplatir quelques buissons sur le trottoir. Le coursier fit rugir son moteur et laissa avancer lentement la voiture tout en descendant sa vitre.

– Bonjour, aboya le policier. Il est interdit de passer.

– Je dois juste livrer un paquet.

---

ner les petites rues du centre-ville d'Oslo par le nord à partir de la gare centrale ; cet anneau (*ring*) est doublé de deux autres (Ring 2 et Ring 3) qui englobent chacun un peu plus du centre-ville.

– Ça me paraît compromis.

– Pourquoi ça ?

– Si on vous le demande, vous direz que vous ne savez pas.

– Mais putain de bon...

Le chauffeur se frappa le front.

– C'est mon boulot ! J'ai un paquet, là, dans la voiture, un sacrément gros paquet que je dois livrer là-bas, chez...

Il agita une main vers l'immeuble tout en cherchant dans le désordre sur le siège voisin du sien. Une boîte de soda à moitié pleine bascula de son support sur le tableau de bord, et un liquide jaune se répandit sur le sol. La voix du conducteur grimpa de deux octaves.

– C'est là-bas ! Lena Baardsen. 10b, escalier 2. Auriez-vous l'amabilité de m'expliquer comment...

– Qu'cst-cc que vous avcz dit ?

Le deuxième policier se pencha vers son visage.

– J'ai demandé un conseil pour savoir comment j'allais pouvoir faire mon putain de boulot maintenant que...

– Pour qui était ce paquet, avez-vous dit ?

– Lena Baardsen, 10b. C'est...

– Descendez du véhicule.

– Quoi ? Je...

– *Descendez du véhicule. Maintenant.*

La peur envahit le conducteur. Le plus jeune des deux policiers avait jeté sa cigarette et s'était écarté de quelques mètres pour parler dans une espèce de téléphone. Le chauffeur avait beau ne pas comprendre ce qui se disait, le ton renseignait suffisamment sur la gravité de la situation. L'autre homme en uniforme, un type d'environ quarante ans avec une grosse moustache, l'attrapa fermement par le bras en voyant qu'il n'osait rien faire d'autre qu'ouvrir sa portière. Il leva

141

les mains en l'air, comme s'il était déjà en état d'arrestation.

– Du calme, nom de Dieu ! Je devais juste livrer un paquet ! Un *paquet* !

– Où est-il ?

– Hein ? Dans la voiture, tiens ! Il est là, derrière, si vous...

– Les clés.

– Et merde, le hayon est ouvert, mais je ne peux pas laisser n'importe qui...

Le policier lui indiqua un endroit sur l'asphalte, à trois mètres du véhicule. Le type s'éloigna en traînant les pieds, tout en laissant lentement retomber ses mains.

– Il me faut votre numéro de service, votre nom, tout ! s'emporta-t-il. Vous n'avez pas le droit de...

Le policier l'ignora. L'autre haussa les épaules. Ce n'était en tout cas pas sa faute si le colis n'était pas livré. Ce serait au bureau de s'en occuper. Il sortit une cigarette, qui refusa de s'allumer. La pluie et le vent redoublaient d'intensité. Il se pencha sur la flamme en formant une sphère avec les mains. Puis il se redressa brusquement et se sentit gelé jusqu'à la moelle.

– Bon Dieu, feula-t-il à voix basse.

Sa cigarette tomba par terre.

Il allait se faire virer. En apercevant la voiture de police, il aurait bien évidemment dû faire machine arrière. S'il avait été un petit peu plus en forme, un soupçon moins enrhumé, moins claqué, il aurait fait demi-tour et serait reparti. Histoire d'être sûr.

Ils ne pouvaient pas le virer. Ce n'était qu'une bagatelle. La première fois, pourrait-il alléguer. En tout cas, il ne s'était encore jamais fait prendre. Il en fallait quand même plus pour perdre son boulot ! Les policiers avaient la tête dans le coffre, ils ne touchaient pas à l'unique colis qui s'y trouvait, le tout dernier paquet pour la journée. Il était assez gros, peut-être un mètre trente de long, et assez étroit.

– C'est lourd ?

Le moustachu tourna la tête vers lui.

– Oui, assez. Tenez, regardez.

Il essayait d'être aimable. Ils voulaient peut-être juste voir ce foutu paquet. L'écouter avec Dieu sait quel appareil technique, ou ce qu'ils pouvaient bien faire pour savoir si ce n'était pas une bombe. S'il répondait comme il le fallait et les laissait faire leur boulot, il pourrait sûrement s'en aller. Il se fichait du colis pour l'heure, il aurait pu l'abandonner à un coin de rue, juste pour pouvoir se tailler.

Mais ils ne touchaient pas le paquet.

Ils n'avaient aucun instrument de mesure.

En revanche, le coursier entendait des sirènes qui enflaient sans cesse. Lorsqu'il put enfin compter quatre voitures et un car, il comprit qu'il avait fait une énorme boulette. Une partie de lui-même voulut prendre la poudre d'escampette ; cours, fonce, c'est après le paquet qu'ils en ont, pas après toi ; fous le camp ! Il poussa un soupir résigné et se moucha dans ses doigts. Le pire qui pût lui arriver, c'était de perdre son boulot. Il pouvait également y avoir un peu de friture sur la ligne avec le fisc. En mettant les choses au pire. Mais ils ne pourraient rien prouver.

– Ils ne peuvent rien prouver, se murmura-t-il lorsqu'il fut aimablement conduit jusqu'au car par une femme policier. Pas plus que ça, là, en tout cas.

LORSQUE LE COLIS FUT OUVERT, trois heures plus tard, il était sur une table entourée d'un médecin légiste portant le bouc, de l'inspecteur principal Yngvar Stubø, de l'inspecteur Sigmund Berli, de Kripos, et de deux officiers de la Brigade technique. Le paquet ne contenait pas de bombe, ça, c'était clair. Il mesurait

134 × 30 × 45 cm et pesait 31 kg. Il semblait provisoirement qu'il n'y ait qu'un seul jeu d'empreintes digitales sur le paquet, provenant sans aucun doute du coursier, qui l'avait manipulé sans gants. Il faudrait quelques jours pour en être complètement sûr, mais il y avait de bonnes raisons de supposer d'ici là que le colis avait été nettoyé de façon quasi clinique avant d'être récupéré par le coursier. L'un des employés de la Technique trancha le carton, en une longue coupure droite qui allait du sommet d'un des longs côtés à sa base, comme pour une autopsie. Le légiste n'exprimait absolument rien. Le technicien souleva avec précaution un pan du couvercle. Deux flocons de polystyrène tombèrent par terre. L'officier ouvrit le paquet en grand.

Une main d'enfant pointait du polystyrène.

Elle n'était pas complètement fermée, comme si elle venait de lâcher quelque chose. On voyait des restes écaillés de vernis à ongle rouge vif sur le pouce. Un petit anneau doré de pacotille scintillait au majeur. La pierre était bleu clair.

Personne ne dit rien.

Tout ce à quoi Yngvar Stubø fut en mesure de penser fut que ce devait être à lui de parler à Lena Baardsen. Il avait les yeux qui piquaient. Il retint son souffle et écarta quelques billes blanc étincelant ; cela faisait la même impression que de creuser dans de la neige sèche. Le bras apparut. Sarah Baardsen était allongée sur le ventre, les jambes légèrement écartées. Lorsque deux des officiers la retournèrent doucement, ils virent le message, scotché sur le ventre de l'enfant ; une grande feuille écrite en lettres rouges.

Tu as eu ce que tu méritais.

– AU NOIR, OK ? JE GAGNAIS juste un peu avec des trucs comme ça !

Le chauffeur renifla, les larmes coulaient.

– Et est-ce qu'on va bientôt me donner quelques mouchoirs en papier ? J'ai une crève de tous les diables, au cas où vous ne l'auriez pas remarqué !

– Si je peux te donner un conseil, c'est de te calmer.

– Me calmer ! Ça fait cinq heures que je suis ici, bordel ! Cinq heures ! Je n'ai pas droit à des mouchoirs, je n'ai pas droit à un avocat...

– Tu n'as pas besoin d'un avocat. Tu n'es pas arrêté. Tu es ici de ton plein gré. Pour nous aider.

Yngvar Stubø sortit son propre mouchoir de sa poche et le tendit au coursier.

– Vous aider comment ?

L'homme avait l'air véritablement perturbé. Ses yeux étaient rouges, il avait sans aucun doute de la fièvre et avait du mal à respirer normalement.

– Écoutez-moi, implora-t-il. Je ne demande qu'à vous aider, mais je vous ai déjà dit tout ce que je sais ! On m'a appelé. Je vous l'ai dit. Sur mon mobile, perso.

Il se moucha énergiquement et secoua la tête avec résignation.

– Il était question que j'aille chercher un paquet, sous un porche dans Urtegata. C'est un immeuble en démolition, et le portail est ouvert. Sur le paquet, il devait y avoir un mot avec l'adresse de livraison et une enveloppe avec deux mille couronnes[1]. *Piece of cake !*

– Ouais. Et tu as trouvé ça parfaitement normal.

– Normal, normal... Nos missions doivent passer par le central, et je sais que...

– Ce n'est pas à cela que je pensais. Je me disais qu'un inconnu peut, sans se présenter, te faire livrer un paquet simplement en t'appâtant avec quelques billets de mille. Voilà à quoi je pense. Je trouve ça... curieux, pour être honnête.

---

1. Environ 250 euros.

Yngvar Stubø sourit. Le chauffeur lui retourna un sourire troublé ; quelque chose clochait chez ce policier.

– Et s'il y avait eu une bombe, dans ce colis, par exemple... ou de la drogue.

Yngvar Stubø souriait toujours, de plus belle.

– Ce n'est jamais ce genre de choses.

– Non, non. Jamais. Alors c'est un truc que tu fais souvent ?

– Non, non, non... ce n'est pas ce que je voulais dire.

– Qu'est-ce que tu voulais dire, alors ?

– Écoutez, commença le chauffeur.

– Mais je ne fais que ça, moi.

– Bon, il m'arrive d'accepter de temps en temps une mission de ce genre. Il n'y a rien de louche là-dedans. Tout le monde...

– Non. Pas tout le monde. La plupart des compagnies de coursiers sont organisées de telle sorte que les chauffeurs sont indépendants sur le plan économique. Mais pas BigBil. Toi, tu es employé chez eux. Quand tu fais n'importe quoi, c'est BigBil que tu plumes. Et moi, par la même occasion. Toute la société, d'une certaine manière.

Yngvar Stubø laissa échapper un petit rire.

– Mais on va laisser tomber ça pour l'instant. Donc, tu ne pouvais pas voir le numéro de l'appelant ?

– Je ne m'en souviens pas. Juré. J'ai répondu, c'est tout.

– Ça ne t'a pas fait tiquer que le type... parce que c'était bien un homme ?

– Oui.

– Jeune, vieux ?

– Je ne sais pas.

– Voix aiguë ? Grave ? Un dialecte particulier ?

– Mais j'ai déjà répondu à tout ça ! Je ne me rappelle pas comment était sa voix. Je n'ai pas réagi comme ci ou comme ça parce qu'il ne me disait pas qui il était. J'avais besoin de cet argent ! C'est aussi simple que ça. Deux mille couronnes en moins de deux. Aussi simple que ça.

— Tu ne pouvais pas tout simplement prendre l'argent et laisser le paquet à sa place ? demanda Yngvar Stubø en haussant les sourcils et en se passant un doigt sur le menton.

— Je...

Le chauffeur éternua. Le mouchoir était déjà détrempé. Yngvar Stubø se détourna.

— Tu quoi ?

— Si je fais ça, les gens comme ça n'appelleront plus. Pour d'autres missions, je veux dire.

Il était plus calme, sa voix était plus posée.

— D'accord. Alors tu comprends bien qu'une livraison de ce genre doit être un tantinet louche ? Tu *comprends* que personne ne paie deux mille couronnes pour faire porter un paquet à trois petits kilomètres quand on peut le faire faire contre un ou deux billets de cent, de façon légale ? Il n'y a donc rien de défectueux dans tes *facultés de compréhension* ?

— Qu'est-ce qu'il y avait, dans ce foutu colis ? bredouilla-t-il. Qu'est-ce qu'il y avait dans ce putain de colis ?

— À mon avis, tu ne veux vraiment pas le savoir. Tu peux y aller. On te rappellera sans doute. Bon rétablissement, garde la serpillière. Salut.

29

SARAH DISPARUT, POINT. Émilie se réveilla, seule. Elle avait très mal à la tête, et pour une fois, il faisait complètement noir dans la pièce. Émilie était certainement devenue aveugle. Elle resta un long moment allongée sans bouger, à regarder droit en l'air. Elle ouvrit les yeux et les ferma plusieurs fois. Aucune différence. C'était peut-être un peu plus clair avec les yeux fermés, en y réfléchissant. À ce moment-là, il y avait des points qui dansaient devant elle. En serrant suffisamment fort, les points se changeaient en grosses bulles rouges, bleues et vertes. Émilie rit, elle était devenue aveugle. Elle voulait dormir encore. Sa tête lui faisait mal, et elle sourit. Voulait dormir. Puis elle se souvint de Sarah.

– Sarah, appela-t-elle à voix haute. Où es-tu ?

Personne ne répondit. Il n'y avait personne non plus à côté d'elle. Bien. De toute façon, le lit n'était pas assez grand pour elles deux. Et Sarah n'était pas vraiment idéale. Elle frimait comme pas permis. Quand elle ne frimait pas, elle pleurnichait. Elle ne supportait pas que l'homme se montre. Elle hurlait et se plaquait au mur. Elle n'avait rien compris. Que l'homme était celui qui veillait à ce qu'elles aient suffisamment d'air. Quand Émilie avait vidé la soupe de tomate dans les toilettes pour que l'homme ne soit pas attristé parce qu'elle n'aimait pas ce qu'il lui donnait à manger, Sarah avait menacé de cafter.

– Sarah ? Sarahsarahsarahsarah !

Non. Elle n'était pas là.

La lumière survint comme une explosion colossale. Elle se jeta sur elle depuis le plafond. Émilie gémit et se recroquevilla, les bras sur la tête. La lumière faisait comme une pluie de flèches qui lui piquaient le visage, ses yeux menacèrent de disparaître dans les profondeurs de son crâne.

– Émilie ?

L'homme cria son nom. Elle voulut répondre mais ne parvint pas à ouvrir la bouche. La lumière était trop puissante. La pièce était toute blanche ; des tas de blanc, d'argent et d'or. Des éclats qui entaillaient la peau.

– Émilie, tu dors ?

– Nsnanffsh...

– Je me suis dit que ça te ferait du bien, pour une fois, d'être dans le noir. Tu as dormi très profondément.

Sa voix n'était pas près du lit. Il était à l'entrée, près de la porte froide. Il avait peur que celle-ci ne claque. C'était presque toujours le cas. Il entrait rarement. Émilie laissa retomber lentement ses bras vers le matelas. Respirer. Inspirer. Expirer. Ouvrir les yeux. Le scintillement l'atteignit. Elle réessaya. Elle n'était plus aveugle. Lorsqu'elle tourna la tête vers la voix, elle vit que l'homme s'était fait beau.

– Tu es chic, complimenta-t-elle à voix basse. Très élégante, ta veste.

– Tu trouves ? sourit l'homme. Je pars en voyage. Tu vas rester seule un moment.

– Beau pantalon, aussi.

– Ça ne posera pas de problème pour toi d'être seule. Je laisse pas mal d'eau et de pain, de confiture et de corn-flakes là-bas.

Il déposa deux sacs.

Tu feras sans lait. Il tournerait.

– Mmm.

– Si tu es sage et si tu ne fais pas de difficultés pendant que je suis absent, tu auras le droit de monter regarder la télé avec moi, un soir. Avoir quelque chose de bon et regarder la télé. Samedi, peut-être. Mais seulement peut-être. Ça dépendra de ton comportement. Tu veux avec ou sans lumière ?

– Avec, répondit-elle à la fraction de seconde même. S'il te plaît.

Il avait un drôle de rire. On eût dit celui d'un petit garçon qui ne savait pas trop de quoi il riait. C'était

149

comme s'il se forçait à rire sans trouver quoi que ce soit de drôle. Fort et dur.

— C'est à étudier, lâcha-t-il simplement en repartant.

Émilie essaya de se redresser dans le lit. L'homme ne devait pas éteindre la ventilation, quand bien même il partirait. Elle se sentait extrêmement faible, et elle roula sur le côté.

— N'éteins pas la ventilation, pleura-t-elle. S'il te plaît, n'éteins pas la ventilation !

Si elle avait su quelle tête de clou était réellement une caméra, elle aurait joint les mains. Au lieu de cela, elle posa la bouche tout contre une petite tache sur le mur, juste au-dessus du lit.

— S'il te plaît, pleura-t-elle devant la tache qui était peut-être un micro. S'il te plaît, donne-moi de l'air. Je serai la petite fille la plus gentille du monde, mais ne coupe pas la ventilation !

30

LES JOURNAUX AVAIENT EU LE TEMPS de publier deux éditions spéciales depuis la parution des premiers tabloïdes, vers deux heures, dans la nuit du samedi 27 mai. Les premières pages hurlaient vers Inger Johanne Vik lorsque celle-ci jeta un coup d'œil vers la station-service avant d'entrer sur le parking d'ICA, au stade d'Ullevaal. Il n'était pas facile de trouver une place. Le magasin d'alimentation était en général assidûment fréquenté, en particulier le samedi matin, mais c'était pour l'heure le chaos le plus total. Les gens semblaient ne plus savoir tout à fait ce qu'ils devaient faire. Ils ne voulaient en tout cas pas rester chez eux. Ils devaient sortir. Ils recherchaient la compagnie d'autres personnes aussi angoissées, aussi furieuses. Les mères ne lâchaient pas la main de leurs enfants, les plus petits étaient bien attachés dans des poussettes ou des landaus. Les pères installaient les plus grands sur leurs épaules, pour plus de sûreté. Les gens se regroupaient pour discuter, qu'ils se connaissent ou non. Tous avaient le journal. Certains avaient un écouteur dans l'oreille pour suivre les infos. Il était midi précis. Ils regardaient devant eux d'un œil vide en répétant lentement à l'attention de ceux qui les entouraient :

– La police n'a toujours aucune piste.

Et tous de soupirer. Un gémissement commun, résigné, balaya le parking.

Inger Johanne se faufila à travers la foule. Elle était sortie faire des courses, son réfrigérateur étant vide après le voyage. Elle avait mal dormi et les landaus qui obstruaient les grandes portes automatiques l'énervaient. Sa liste de courses tomba par terre, se colla à la semelle d'un homme qui passait et disparut.

– Excusez-moi, jeta-t-elle en obtenant de haute lutte un chariot libre.

Il lui fallait au moins des bananes. Du muesli pour le petit déjeuner et des bananes. Du lait, du pain et de quoi se faire ses tartines du déjeuner. Le dîner de ce soir, qui serait simple puisqu'elle était seule, et celui de demain, quand Isak reviendrait avec Kristiane. Des gâteaux de viande. Les bananes d'abord.

– Salut.

Elle rougissait rarement. Elle sentit la chaleur sur ses joues. Yngvar Stubø se tenait devant elle, quelques bananes à la main. Il sourit en permanence, se dit-elle, il ne devrait pas sourire à l'heure qu'il est. Il n'y a pas tant de choses dont il puisse se réjouir.

– Tu n'as pas appelé.

– Comment as-tu pu savoir où j'étais ? Dans quel hôtel ?

– Je suis policier. Il m'a fallu une heure pour le découvrir. Tu es mère. Tu ne peux aller nulle part sans laisser tout un tas d'indices derrière toi.

Il déposa les bananes dans le chariot d'Inger Johanne.

– Tu en voulais ?

– Mmm.

– Il faut que je te parle.

– Comment as-tu su que j'étais ici ?

– Il fallait bien que tu fasses tes courses. Tu t'es absentée. C'est ton supermarché, que je sache.

Tu sais où je fais mes emplettes, songea-t-elle. *Tu as enquêté pour le savoir, et tu as dû passer un bon moment ici. À moins d'avoir un bol hors du commun. Il y a un millier de personnes dans ce magasin. On aurait pu se contourner. Tu sais où je fais mes courses, et tu me cherchais.*

Elle attrapa quatre oranges sur une montagne de fruits et les glissa dans un sac, qu'elle eut du mal à nouer.

– Donne, je vais t'aider.

Yngvar Stubø lui prit le sachet. Ses doigts étaient courtauds, mais agiles. Rapides.

– Là. Il faut réellement que je te parle.

– Ici ?

Elle fit un large geste des bras en essayant de prendre un air sarcastique, ce qui n'était pas aisé tant que son visage conservait le coloris des tomates dans la caisse juste à côté d'elle.

– Non. Est-ce qu'on peut... Tu veux m'accompagner au bureau ? C'est à l'autre bout de la ville, alors si tu penses que c'est plus simple...

Il haussa les épaules.

Tu veux venir à la maison. Doux Jésus, cet homme

veut venir chez moi ! Kristiane est... On va être seuls.
Non. Pas ça.

— On pourrait aller chez moi, proposa-t-elle d'un ton léger. J'habite là-bas. Mais ça, tu le sais déjà.

— Donne-moi ta liste, on va expédier ça en deux coups de cuiller à pot.

Il tendit la main.

— Je n'ai pas de liste, expliqua-t-elle rapidement. Qu'est-ce qui te faisait croire ça ?

— C'est l'impression que tu donnes, répondit-il en laissant retomber sa main. Tu es le genre « liste de courses », si on peut dire. Je l'aurais juré.

— Eh bien, tu t'es trompé, conclut-elle en se détournant.

— TU ES VRAIMENT bien, ici.

Il était debout au milieu du salon. Heureusement, elle avait rangé. Elle lui fit un geste peu convaincu en direction du canapé, et s'assit dans un fauteuil. Il s'écoula quelques minutes avant qu'elle ne s'aperçoive qu'il était assis droit comme un piquet, tout au bord de son siège. Lentement, pour que son mouvement ne soit pas trop visible, elle se renversa dans son fauteuil.

— Aucune cause visible de décès, répéta-t-elle en faisant durer chaque mot. Sarah est morte, voilà tout.

— Oui. Une petite entaille au-dessus de l'œil droit. Mais pas d'autre blessure. Quelque chose de tout à fait insignifiant, en tout cas quand on parle de cause de décès. Une gamine de huit ans en bonne santé, pas faiblarde. Et cette fois, il... le meurtrier, j'entends, nous ne savons pas s'il s'agit d'un homme ou d'une...

— Je crois que tu peux sans plus de problème dire « il ».

— Pourquoi ?

Elle haussa les épaules.

— Tout d'abord parce que c'est plus simple que de

dire sans arrêt « il ou elle ». Ensuite, parce que je suis à peu près certaine que c'est un homme. Ne me demande pas pourquoi. Je ne peux pas le justifier. Ce ne sont peut-être que des préjugés. Je ne peux en quelque sorte pas imaginer une femme qui traiterait les enfants de cette façon.

– Et à ton avis, qui traiterait les enfants de cette façon ?

– Qu'est-ce que tu allais dire ?

– Je voulais savoir...

– Non, je t'ai interrompu. Tu disais que cette fois aussi...

– Ah ! oui. Cette enfant aussi avait du diazépam dans les urines. En quantités infimes.

– Et quel serait l'intérêt de donner des tranquillisants à un enfant ?

– Le calmer, je crois. Il les garde... Il les garde peut-être dans un endroit où ils doivent se tenir tranquilles. Il doit les faire dormir.

– Si le but, c'est les faire dormir, il pourrait leur donner des somnifères.

– Oui. Mais il n'a peut-être pas accès à ce genre de choses. On peut imaginer qu'il ne dispose que de... Valium.

– Et qui peut se procurer du Valium ?

– Oh ! grands dieux...

Il étouffa un bâillement, et secoua énergiquement la tête.

– Une foultitude de gens, soupira-t-il. À commencer par tous ceux qui se font prescrire ce médicament par un médecin. On parle de milliers, si ce n'est de dizaines de milliers de personnes. Viennent ensuite les pharmaciens, les médecins, les infirmiers... Même s'il doit régner un certain ordre dans la gestion des médicaments aussi bien dans les hôpitaux que dans les pharmacies, c'est tellement peu qu'il n'y a pour ainsi dire pas de limites à... En clair : ça peut être n'importe qui. Tu savais que soixante pour cent d'entre nous ouvrons l'armoire à pharmacie dans des toilettes qui ne sont pas les nôtres ? Piquer deux ou trois comprimés est un jeu d'enfant. Si on arrive un jour à mettre le grappin sur ce gus, ce ne sera pas parce qu'il est accro au Valium ou au Vival.

– Si un jour, reprit Inger Johanne. Ce n'est pas très optimiste.

Yngvar Stubø manipulait distraitement une petite voiture. Il la fit rouler sur le dos de sa main. Les roues luirent faiblement lorsqu'elles se mirent à tourner.

– Elle n'aime que les voitures rouges, l'informa Inger Johanne. Kristiane, je veux dire. Pas les poupées, ni les trains. Rien d'autre que les voitures. Rouges. Les camions de pompiers, les bus londoniens. On ignore pourquoi.

– Qu'est-ce que c'est, son problème ?

Il reposa avec soin le jouet sur la table basse. Le caoutchouc d'une des roues avait été arraché, et le petit essieu crissa sur le plateau de verre de la table.

– On n'en sait rien.

– Elle est gentille. Très gentille.

Il semblait le penser. Bien qu'il ne l'ait vue qu'une fois. Et encore.

– Et vous n'arrivez à rien en ce qui concerne la livraison elle-même de... Je veux dire, il a bien dû aller sous cette porte cochère d'Urtegata, ou envoyer quelqu'un à sa place... Qu'est-ce que vous savez là-dessus ?

– Une voiture de coursier. *De coursier !*

Yngvar posa l'index sur le toit de la voiture et la poussa lentement sur la table. Un fin sillon se dessina dans le verre derrière la roue manquante. Inger Johanne ouvrit la bouche. Mais ne dit rien.

– C'est tellement... tellement gonflé, bouillonna Yngvar sans remarquer ce qu'il faisait. Ce mec a de toute évidence compris qu'on ne tolérerait pas une livraison directe d'un cadavre d'enfant à sa mère. On avait posté des gardes partout. Une gaffe, évidemment. Trop de cuisiniers gâtent la sauce. Le meurtre de Sarah a brusquement fait entrer la police d'Oslo dans la danse, et les relations entre Kripos et... Oublie. On aurait dû être bien plus discrets. Le piéger. Essayer, en tout cas. Il a compris le manège, et il s'est servi... d'un coursier ! *D'un coursier !* Et dans Urtegata, personne n'a rien vu de spécial, personne n'a rien entendu, rien pigé. Le paquet contenant la petite a sûrement été déposé là au vu et au su de tous. Un bon vieux truc, en somme...

– On n'est jamais aussi bien planqué que là où il y a beaucoup de monde, compléta Inger Johanne. Malin. Et pourtant, c'est bizarre. Le paquet devait être...

Elle hésita avant de conclure à mi-voix :

– ... assez gros.

– Oui. Suffisamment pour contenir un enfant de huit ans.

Inger Johanne se connaissait. Elle était prévisible. Isak, par exemple, avait fini par la trouver ennuyeuse. Quand l'état de Kristiane se fut amélioré et que la vie reprit un rythme pesant, il ne tarda pas à se plaindre. Inger Johanne manquait d'impulsivité. Détends-toi, bon sang, lui disait-il de plus en plus souvent. Ça ne peut pas être si dangereux, soupirait-il avec résignation lorsqu'elle regardait d'un œil sceptique la pizza prête à cuire qu'il faisait avaler à la gosse chaque fois qu'il n'avait pas le courage de préparer le dîner. Isak la trouvait ennuyeuse. Line et les autres filles étaient en partie d'accord avec lui. Non qu'elles aient exprimé quoi que ce fût directement, elles non plus. Bien au contraire. Elles la louaient. Elle était si fiable, s'enthousiasmaient-elles. Si douée et responsable. On pouvait compter sur Inger Johanne, toujours. Ennuyeuse, en d'autres termes.

Il *fallait* qu'elle soit prévisible. Elle avait la responsabilité d'un enfant qui ne serait jamais véritablement adulte.

Inger Johanne se connaissait.

Cette situation était absurde.

Elle avait invité un homme chez elle, un homme qu'elle connaissait à peine. Elle le laissait lui exposer les détails d'une enquête policière qui ne la concernait pas le moins du monde. Il outrepassait son devoir de réserve. Elle devait le mettre en garde. Clore poliment la discussion. Elle avait pris sa décision dès cet instant dans sa chambre d'hôtel à Harwichport, quand elle avait déchiré le billet en trente-deux morceaux qu'elle avait fait disparaître dans la cuvette des toilettes.

— Tu ne devrais pas me raconter tout ça.

Yngvar Stubø inspira profondément, puis laissa l'air s'échapper entre ses dents serrées. Il donna l'impression d'être plus petit. Il ne fit peut-être que s'enfoncer un peu plus dans le canapé.

— À la vérité, je ne devrais sûrement pas. Pas tant que nous ne collaborons pas de façon officielle. Je commence à avoir la vague impression que tu ne le souhaites pas.

Il sourit, comme pour marquer de l'ironie ; puis il abandonna et poursuivit :

— En fait, cette affaire est un vrai cauchemar. En fait...

Il inspira de nouveau violemment.

— Ma femme et mon unique fille sont mortes il y a un peu plus de deux ans, révéla-t-il très vite. Tu ne le savais sans doute pas.

— Non. Je suis désolée.

Elle ne voulait pas en entendre parler.

— Un accident absurde. Ma fille... elle s'appelait

157

Trine, elle avait vingt-trois ans, Amund était encore bébé. Mon petit-fils. Elle devait... Je t'ennuie ? Je t'ennuie.

Il se ressaisit soudain. Il rejeta les épaules en arrière, comme pour emplir de nouveau la veste de tweed gris, puis fit un rapide sourire.

– Tu as des choses plus intelligentes à faire.

Mais il ne se leva pas. Rien dans son attitude ne laissait penser qu'il allait partir. Une mésange charbonnière s'était posée sur la mangeoire de la terrasse.

– Non, répondit Inger Johanne.

Lorsqu'il la regarda, elle ne sut pas ce qu'il voulait. Il avait surtout l'air reconnaissant. Soulagé, à la limite, car il se laissa retomber dans le canapé.

– Ma femme s'agaçait pour une gouttière bouchée, reprit-il en regardant dans le vague. Je lui avais promis d'y remédier. Depuis longtemps. Je n'ai jamais pu m'y résoudre. Un matin, ma fille est passée, et elle a dit qu'elle pouvait grimper sur le toit et nettoyer les gouttières. Ma femme tenait vraisemblablement l'échelle. Trine a dû perdre l'équilibre. Elle est tombée en entraînant un bout de gouttière avec elle. Elle a probablement cédé sous son poids, d'une certaine façon, parce que... elle s'est empalée dessus. Ma femme a reçu l'échelle, avec tout le poids de Trine dessus. L'un des échelons l'a atteinte au visage. L'os du nez est remonté jusqu'au cerveau. Quand je suis rentré quelques heures plus tard, je les ai retrouvées toutes les deux, mortes. Amund dormait encore.

Inger Johanne entendait sa propre respiration, rapide et courte. Elle essaya de casser le rythme, de retrouver un tempo plus paisible.

– J'étais capitaine de police, à cette époque, poursuivit-il calmement. Pour être honnête, je m'étais longtemps vu comme le futur chef de Kripos. Mais à la suite de ça... j'ai demandé à redevenir inspecteur principal. Je ne serai jamais rien d'autre. Si je tiens le coup, évidemment. C'est ce genre d'affaires qui me font douter. Ouioui.

Son regard vacilla. Il eut un sourire gêné, presque confus, comme s'il avait fait une bêtise, sans savoir exactement comment demander pardon. Il ouvrit et referma plusieurs fois la bouche, de toute évidence pour ajouter quelque chose, mais se mit à fixer ses mains.

— Ouioui, répéta-t-il finalement en se tordant les pouces. Il va falloir que je pense à y aller.

Il ne se levait toujours pas. Il ne donnait toujours aucun signe de vouloir s'en aller.

Je n'ai pas de place pour ça, pensa Inger Johanne. *Je n'ai pas de place pour une affaire comme celle-là dans ma vie. Je ne veux pas. Je n'ai pas de place...*

— ... pour toi, termina-t-elle à mi-voix.

— Quoi ?

Yngvar était assis dos à la grande fenêtre du salon. Le fort contre-jour rendait difficile de distinguer ses traits. Seuls ses yeux étaient visibles. Ils la regardaient bien en face.

— Je vais faire à manger ? proposa-t-elle avec un sourire. Tu dois avoir faim. En tout cas, moi, oui.

IL SE DONNAIT tellement d'importance.

Isak, le seul homme qui ait occupé sa cuisine plus de trente secondes, était petit, presque fluet. Yngvar Stubø emplissait toute la pièce. Il restait tout juste assez de place pour Inger Johanne. Il ôta sa veste et la suspendit au dossier d'une chaise. Puis il se lança dans la confection d'une omelette, sans rien demander au préalable. Inger Johanne pouvait à peine bouger sans se retrouver tout près de lui. Il sentait le gel douche et dégageait un léger parfum de cigare ; l'odeur d'une personne plus âgée qu'elle. Lorsqu'il remonta ses manches pour émincer un oignon, elle remarqua que les poils de ses avant-bras étaient blonds, presque dorés. Elle pensa à l'été et se détourna.

– À ton avis, qu'est-ce qu'il veut dire, ce message ? demanda-t-il en agitant son couteau vers le haut. – *Tu as eu ce que tu méritais*. Qui a eu ce qu'il ou elle méritait ? L'enfant ? La mère ? La société ? La police ?

– Dans les deux cas, le message était destiné à la mère, d'une certaine façon. Même si le meurtrier ne pouvait évidemment pas savoir que ce serait sa mère et personne d'autre qui retrouverait Kim. Son père aurait tout aussi bien pu aller faire un tour à la cave. Et en ce qui concerne Sarah, on peut penser que le meurtrier a admis que le colis n'arriverait jamais à bon port. Il n'est pas idiot. Je ne sais pas. Je crois qu'il est plus important de voir ce que contient le message que de spéculer sur son destinataire.

– Et par ce qu'il contient, tu entends quoi ?

Yngvar alluma une plaque sur la table de cuisson et sortit une poêle du placard qui se trouvait dessous sans même demander où elles étaient rangées. Inger Johanne s'était assise sur une chaise en bois, et toute son attention était concentrée au fond d'un verre d'eau dans lequel flottaient des glaçons.

– D'ailleurs, je crois qu'on devrait commencer par un tout autre bout, déclara-t-elle lentement.

– Bien. Lequel ?

Il s'essuya les yeux.

– On devrait toujours démarrer tout en bas, commença-t-elle, d'un ton presque absent, comme si elle cherchait dans ses souvenirs. Voir ce dont on dispose. Les faits. Les éléments objectifs. Empiler les briques *ab nihilo*. Ne jamais faire de spéculation avant d'avoir un fondement. Sérieux.

– Bien. On devrait.

– Oui.

Elle se redressa et repoussa le verre. Une bonne odeur émanait de la cuisinière. Yngvar sortit des assiettes, des verres, des couteaux et des fourchettes. Son visage exprimait une grande concentration lorsqu'il fit naître une belle décoration d'une tomate.

— Et voilà, annonça-t-il avec satisfaction en posant la poêle sur la table. Omelette à l'oignon. Ce que j'appelle un déjeuner correct.

— Trois enfants, récapitula-t-elle en mâchant lentement. En admettant qu'Émilie ait été enlevée par le même homme que Sarah et Kim. En réalité, on ne peut pas, mais quand même... Pour l'instant, c'est ce qu'on va faire. Trois enfants ont disparu. Deux ont été restitués. Morts. Des enfants morts.

— Des enfants morts, répéta Yngvar en posant sa fourchette. Et on ne sait même pas de quoi ils sont morts.

— Attends !

Elle leva la main :

— Qui tue des enfants ?

— Les délinquants sexuels et les automobilistes, murmura-t-il âprement.

— Tout juste.

— Hmm ?

— Ces gosses-là n'ont pas été tués par un automobiliste. Rien n'indique non plus qu'ils aient été tués par un délinquant sexuel. Pas vrai ?

Il hocha insensiblement la tête.

— Dans ce cas, ce doivent être des atteintes sexuelles qui ne laissent pas de traces. C'est évidemment à envisager.

— Qu'est-ce qui nous reste, alors, s'il ne s'agit ni de mœurs, ni d'accident de la route ?

— Rien, répondit-il en se resservant.

— Tu manges trop vite, fit-elle observer. Et tu te

trompes. Il nous reste pas mal de choses. Vous, je veux dire. Il vous reste pas mal de choses.

L'omelette lui plaisait. Un peu beaucoup d'oignons, peut-être, mais une pointe de Tabasco qui la sortait du lot.

– Il se trouve que tuer des enfants, c'est quelque chose que l'on ne fait pas de gaieté de cœur. Nous savons aussi bien l'un que l'autre que l'écrasante majorité des homicides commis dans ce pays le sont sous le coup d'une forte émotion. Le pourcentage de rechute parmi leurs auteurs est minime. Le meurtre est en règle générale le résultat d'un conflit familial qui durait depuis longtemps, une jalousie terrible, ou... de la malchance pure et dure. Une dispute au milieu d'une beuverie. Le ton monte. Et puis il y a une arme, un couteau ou un fusil. Pan. Quelqu'un est devenu meurtrier. C'est comme ça. On le sait tous les deux. Il est très, très rare que les enfants soient impliqués de façon directe, en tout cas en tant que victimes. Autrement que dans un sens purement figuré, j'entends.

– En ne tenant pas compte des adolescents. Ils s'entre-tuent de plus en plus souvent. Et de plus en plus jeunes. Je crois que je peux qualifier d'« enfant » un individu de quatorze ans. Il avait cet âge-là, le camarade qui a été coffré en janvier. À l'école de Møllergata, ce devait être.

Inger Johanne leva légèrement les yeux au ciel.

– Oui. Mais dans ces affaires de bande aussi, il est question de rivalités. D'honneur, selon leurs propres termes. Ils se tuent entre eux, ça sort rarement du groupe. Et en ce qui concerne les auteurs de crimes sexuels, ils tuent le plus souvent pour dissimuler leur crime. L'abus lui-même. Il est très rare que le meurtre fasse partie du jeu. Les délinquants sexuels tuent parce qu'ils y sont contraints, c'est tout. J'ai discuté avec bon nombre d'entre eux, et certains supportent tout juste de vivre avec le souvenir de ce qu'ils ont fait. Ils ressentent le repentir. La honte. Le chagrin. Pas tant pour l'acte sexuel. Ça, ils ont un don remarquable pour s'en débarrasser, en rationalisant. Mais vis-à-vis du meurtre. Du meurtre nécessaire, inévitable, de l'enfant.

– Où veux-tu en venir, en fait ?

Il vida son verre de lait et se tapota le ventre.

– Une personne qui tue des enfants innocents... les enlève, les tue et les retourne à leurs parents avec une lettre grossière... des actes de ce genre laissent supposer un psychisme qui lui permet de légitimer son action.

– À ses yeux, elle est équitable, tout bonnement. Donc il est fou.

Yngvar jouait distraitement avec un petit étui dans sa poche de poitrine.

– Non. Il n'est pas fou. Pas dans le sens que l'on donne traditionnellement à ce mot. Il n'est pas psychotique. Sinon, il n'aurait jamais été capable d'accomplir tout ça. N'oublie pas à quel point il enfreint la loi de façon *sophistiquée*. À quel point tout doit être planifié de A à Z. Mais... tout dépend de ce que tu entends par fou. Une âme détruite ? Oui. Dément ? Certainement pas.

– À côté de ça, cela ne lui pose aucun problème de tuer des enfants. C'est ce que tu es en train de me dire ? Qu'il trouve normal de tuer des mômes, mais qu'il n'est pas dément ?

– Oui. Ou non, en fait. Cela peut vouloir dire – dans un sens – qu'il est désolé que les enfants doivent mourir. Mais il a un but qui dépasse tout ça. Une tâche, si on peut risquer la comparaison. Une espèce de... mission ?

– Au nom de qui ?

L'étui glissait d'avant en arrière entre les doigts de son interlocuteur, et elle entendait un frottement quasi imperceptible de métal brossé contre la peau sèche.

– Aucune idée, répondit-elle simplement.

Tu me roules dans la farine, se dit-elle tout à trac. *Je suis là, assise en face de toi, et je t'expose des évidences que tu as déduites tout seul il y a belle lurette. Combien d'affaires de meurtres as-tu traitées ? Combien d'assassins aux facultés mentales affaiblies as-tu côtoyés ? Tu as lu des volumes et des volumes là-dessus. Tu pêches. Tu crois m'avoir au bout de ton hameçon. Pour Dieu sait quelle raison absurde, il est important pour toi de m'avoir dans ton équipe. Je ne me laisserai pas embobiner.*

– Café ? demanda-t-elle sur un ton badin en commençant à remplir la verseuse d'eau froide.

– Tu sais comment bosse un *profiler*.

Elle laissa l'eau déborder sur son poignet. Le récipient était plein depuis longtemps.

– Pour commencer, tu aurais lu tous nos documents, poursuivit Yngvar. Tout ce que nous avions possédé d'indices techniques et de faits concrets, objectifs. Après quoi tu aurais dressé un portrait de chacune des victimes. Ce qui dans le cas présent aurait été assez simple, puisqu'il s'agit d'enfants. Et incroyablement compliqué à cause du profil de leurs parents, qu'il aurait fallu déterminer pour compléter le tableau. Et puis tu aurais commencé à bâtir notre homme, lentement, à partir de rien. Si tu as raison, bien entendu. Si c'est un homme. Voilà ce que tu aurais fait. *Si seulement tu avais bien voulu m'aider.*

L'intensité de la dernière phrase l'effraya. Elle ferma le robinet et manqua de lâcher la verseuse.

– Pourquoi ? *Pourquoi ?*

Elle fit brusquement volte-face et posa sa main libre sur le plan de travail.

– Peux-tu me donner une seule bonne raison pour qu'un inspecteur principal de Kripos ayant du métier se démène tant qu'il peut et ait recours à des méthodes bizarres – c'est le moins qu'on puisse dire – pour qu'une malheureuse chercheuse l'assiste dans une affaire si horrible qu'elle dépasse probablement tout ce qu'on a vu dans ce pays ? Hein ? Tu peux m'expliquer pourquoi tu as l'air complètement infichu de comprendre que non, c'est non ?

Elle se tut. Il regardait ses mains. Elle lui tourna le dos. La machine à café glouglouttait. Par la fenêtre de la cuisine, dans la petite rue qui était en fait interdite à la circulation, une Golf rouge allait lentement de boîte aux lettres en boîte aux lettres.

– Je risque..., commença Yngvar à mi-voix en cherchant ses mots, que tu me trouves aussi fêlé que... que tu penses que j'ai pété les plombs.

Elle ne se retourna pas. Le type dans la Golf rouge s'était arrêté devant le numéro 16.

– Plus jeune, j'en étais fier, d'une certaine façon, poursuivit-il sans hausser le ton. Je m'en vantais, en réalité. De mon intuition. Les copains m'appelaient SS. Stubø le Sorcier. Je... Ce n'est pas vrai, je ne suis pas réellement voyant. Je ne crois pas à ces trucs-là. Je ne peux pas voir où sont les disparus. Mais... j'ai arrêté d'en parler. Les collègues commençaient à me regarder bizarrement. Ça papotait dans les coins, dans mon dos. Alors je l'ai bouclée. Mais j'ai ce don... non, pas un don. Une tendance. J'ai cette inclination à *sentir* les affaires sur lesquelles je travaille. C'est difficile à expliquer, quand on y pense. Il y a une espèce de distance induite par l'hypersensibilité. Je rêve de ces affaires. Je vois des choses.

Le conducteur de la Golf rouge balança un mégot par sa vitre et fit demi-tour. Inger Johanne ne pouvait pas voir ce qu'il avait apporté, mais la boîte du numéro 16 ne fermait plus complètement.

– Ça ne doit pas être si terrible que ça, relativisat-elle. Tous les bons enquêteurs devraient avoir de l'in-

tuition. Il n'y a rien de paranormal ni de surnaturel là-
dedans. L'intuition, ce n'est rien d'autre que le traitement par la conscience de tout un tas de facteurs bien
connus. Elle apporte des réponses que l'on n'arrive pas
à trouver par le calcul conscient.

Elle cessa enfin de lui tourner le dos.

– Certaines personnes parlent de sagesse, déclara-
t-elle avec un petit sourire. C'est peut-être pour ça
qu'on la considère comme une qualité féminine. Mais
en quoi suis-je concernée ?

– Je t'ai vue à la télé. Et j'ai été impressionné. Je me
suis dit qu'il faudrait que je te voie. Le lendemain, ça
m'était sorti de la tête. Un peu plus tard dans la journée,
un ami m'a appelé des États-Unis. Warren Scifford.

– Warren Sci...

– Ouaip. FBI.

Elle sentit la chair de poule sur ses avant-bras, en
une sensation aussi soudaine que désagréable.

– Il est souvent arrivé que nous donnions à Interpol
des infos concernant des kidnappings. Warren était
tombé dessus par le biais d'une autre affaire. Il m'a
appelé. Cela faisait plus de six mois que je ne l'avais
pas eu au téléphone. Vers la fin de notre conversation, il
m'a demandé si je ne connaissais pas par hasard une
certaine Inger Johanne Vik. Quand je lui ai donné de tes
nouvelles et que je lui ai expliqué à quoi tu travaillais,
il m'a conseillé de t'embaucher. À la vérité, c'est le
conseil le plus pressant que j'aie entendu à ce jour. La
journée a filé, et j'avais largement de quoi m'occuper.
La nuit même, j'ai fait un rêve. Un cauchemar, plus
exactement. Je ne vais pas te casser les pieds en te le
détaillant. Parce que là, tu penserais vraiment que j'on-
dule de la toiture.

Il partit d'un petit rire crispé.

– Mais tu étais dans ce rêve, tu avais un rôle qui rendait important que je te rencontre. Il faut que tu m'aides. Mais tu ne veux pas. Je vais m'en aller.

– Non.

Elle s'assit de nouveau, sur la chaise en bois, bien en face d'Yngvar.

– J'espère que Warren ne t'a pas donné de faux espoirs, prévint-elle d'une voix mesurée. Je ne suis absolument pas une *profiler*. Je n'ai fait qu'assister à ce cours, et...

– Et tu étais maj...

– Attends, l'interrompit-elle en plantant son regard dans celui du policier. Tu m'as prise pour une poire. Tu m'as menée par le bout du nez en me cachant que tu connaissais dès le début mon cursus. Ce n'est pas ce que l'on fait de mieux comme fondement pour une collaboration à venir.

Elle aurait pu jurer l'avoir vu rougir.

– Mais quoi qu'il en soit, je vais consacrer cinq minutes à écouter ton point de vue, poursuivit-elle en jetant un coup d'œil à l'horloge de la cuisinière. Je te donne cinq minutes.

– Cette enquête est un véritable merdier, avoua-t-il en toute honnêteté. Il y a un ordre dans ce désordre, à un endroit donné, mais je le perds de vue à intervalle de plus en plus court. Après le premier enfant, après Émilie, on avait une excellente vue d'ensemble. J'avais la principale responsabilité. Nous étions un groupe limité d'enquêteurs. Depuis, tout a explosé. Avec l'attention extrême dont nous gratifient les médias en ce moment, le moindre détail vient au premier plan. Toutes les déclarations doivent passer par le chef de Kripos en personne. Étant donné qu'il ne fait pratiquement plus rien d'autre que parler aux médias, il n'est jamais bien tenu au courant. De temps en temps, il s'avance beaucoup, et c'est nous, qui sommes aux étages inférieurs, qui nous faisons souffler dans les bronches. Loin de moi l'idée de critiquer. Loin de moi. Je n'envie à personne l'obligation de devoir répondre devant le public d'une affaire dans laquelle des gosses claquent comme des mouches et...

Il fit un mouvement de tête vers la machine à café, avant de se lever et d'aller remplir une Thermos bleue.

– ... *nous n'avons pas la moindre putain de piste !* martela-t-il.

Inger Johanne ne l'avait jamais entendu jurer. D'une certaine façon, cela lui seyait.

– Ou plutôt, nous avons un million de pistes. Simplement, elles ne mènent nulle part.

Il remplit deux tasses.

– Et ça n'arrange rien que la police d'Oslo soit aussi intervenue dans cette histoire. D'habitude, on ne les aide pas sur l'aspect tactique de l'enquête. Ils ont des tas de gens compétents, je ne dis pas. Mais là, c'est un bazar terrible.

– Et, alors que tu as déjà tous ces cuistots pour gâter la sauce, tu viens me chercher ?

Il reposa lentement sa tasse. L'anse était trop petite pour ses gros doigts courts.

– Je t'imagine dans une espèce de rôle de conseillère. Quelqu'un qui peut me renvoyer la balle. Il serait plus simple pour moi d'exploiter tes idées dans notre système. Tu vas devoir faire face à un certain scepticisme. Un intermédiaire – moi, en l'occurrence – pourrait avoir ses avantages.

Il fit un sourire en coin, comme s'il trouvait nécessaire d'excuser ses collègues.

– Il me faut quelqu'un pour me renvoyer la balle, avoua-t-il. Un tiers. Hors de ce désordre, si tu préfères.

– Et comment comptes-tu me permettre de prendre connaissance de tous les documents concernant cette affaire tant que je ne suis pas officiellement liée à Kripos par un contrat de collaboration ?

– Ça, tu me laisses en prendre la responsabilité.

– Il est de ma responsabilité de ne pas accepter de voir des documents protégés par le devoir de réserve.

Il secoua la tête, découragé.

– Tu ne veux pas me répondre, plutôt ? C'est la dernière fois que je te le demande. Même moi, j'ai des limites, tu sais. Même si ça ne se voit peut-être pas.

Inger Johanne posa un morceau de sucre sur sa langue. Il fondit contre son palais, le goût claquant contre ses dents. Il allait s'en aller. Elle le voyait. Elle ne le reverrait jamais.

– Oui, répondit-elle sur un ton badin, comme si c'était la première fois qu'il lui posait la question. Je t'aiderai, si je peux.

Inger Johanne crut qu'il allait se mettre à taper dans ses mains. Ce qu'il ne fit heureusement pas. Au lieu de cela, il commença à débarrasser la table, comme s'il faisait partie de la maison.

YNGVAR STUBØ NE QUITTA PAS l'appartement d'Inger Johanne Vik avant sept heures du soir. Elle avait déjà ouvert la porte d'entrée, et ne savait pas quoi faire de ses mains. Elle planta ses pouces dans ses poches.

– Tu me fais penser à elle, lui confia Yngvar d'un ton calme en boutonnant sa veste.

– Ta fille ? Je te rappelle... Trine ?

– Non.

Il se passa légèrement une main sur la poitrine.

– Tu me fais penser à ma femme.

Line arriva en courant en haut des marches.

– Oh ! Salut !

La copine jeta un coup d'œil curieux à l'inconnu.

– Yngvar Stubø, murmura Inger Johanne. Line Skytter.

– Enchantée !

– Bon, salut.

Yngvar Stubø tendit la main. Avant qu'Inger Johanne ait eu le temps de l'attraper, il la mit dans sa poche d'un mouvement las. Puis il fit un petit mouvement de tête et s'en alla.

– Fichtre ! s'exclama Line en refermant la porte derrière elles. Quel mec ! Mais pas quelqu'un pour toi, ça. Oh non.

– Ça, je ne te le fais pas dire, répondit vertement Inger Johanne. Qu'est-ce qui me vaut le plaisir ?

– Il est trop costaud pour toi, continua Line en allant vers le salon. Après le cas Warren, on ne tire rien de bon des mecs trop balèzes du côté d'Inger Johanne Vik.

Elle se laissa tomber sur le canapé et ramena les pieds sous elle.

– Ce sont des types comme Isak qu'il te faut, à toi. Des petits gars gentils, pas aussi futés que toi.

– Arrête.

Line renifla et plissa le nez.

– Tu l'as laissé... Il a pu *fumer* ici ? Alors que Kristiane revient demain, et tout ?

– Arrête, Line ! Qu'est-ce que tu veux ?

– Que tu me parles de ton voyage aux États-Unis, tiens ! Te rappeler la réunion du groupe de lecture, mercredi. C'est la troisième fois que tu sèches, tu en as bien conscience ? Les autres filles commencent à se demander si tu ne décroches pas. Après quinze ans ! Ha !

Line se renversa brusquement dans le canapé.

Inger Johanne renonça et alla chercher une bouteille de vin sur les rayonnages, dans la fraîche chambre à coucher. Elle saisit tout d'abord une bouteille de barolo, avant de la remettre en place précautionneusement. À côté des étagères, il y avait un bag-in-box.

De toute façon, elle n'y verra que du feu, se dit-elle.

En retournant auprès de Line, elle se demandait si Yngvar Stubø était abstinent. Il pouvait en donner l'impression. Sa peau était lisse et bien unie, sans pores apparents. Le blanc de ses yeux était véritablement blanc. Yngvar Stubø ne buvait peut-être tout simplement pas.

— Voici ton vin, assena-t-elle à Line. Je crois que je me contenterai d'une tasse de thé.

31

C'ÉTAIT AGRÉABLE DE CONDUIRE. Même si la voiture n'était pas la panacée, une Opel Vectra vieille de six ans, il était bien assis. Les amortisseurs avaient été changés. C'était une bonne voiture. Avec une bonne sono. Et de la bonne musique.

— Bonne, bonne, bonne.

Il bâilla et se frictionna le front. Il ne fallait pas qu'il s'endorme. Il avait fait tout le trajet d'une traite et approchait de Lavangsdalen. Il y avait vingt-cinq heures qu'il était sorti du garage, à la maison. Enfin, garage, garage... L'ancienne grange faisait parfaitement office à la fois d'abri pour la voiture et d'entrepôt pour toutes sortes de cochonneries qu'il n'avait pas le cœur de jeter. On ne savait jamais, tout pouvait resservir. Par exemple, il était heureux de ne jamais s'être débarrassé des vieux jerrycans laissés par le précédent propriétaire. Au premier coup d'œil, ils avaient l'air rouillés, mais après un bon coup de brosse métallique, ils étaient comme neufs. Cela faisait de nombreuses semaines qu'il accumulait de l'essence. Il faisait normalement le plein chez Bobben, à la coopérative. Pas trop souvent, pas trop chaque fois. Ni plus ni moins qu'à son habitude depuis son arrivée dans la petite exploitation. Une fois rentré chez lui, il siphonnait quelques litres dans les jerrycans. Il avait fini par mettre deux cents litres de côté. Il n'aurait pas besoin d'en acheter sur la route qui partait vers le nord. Aucun arrêt au cours duquel il pourrait être vu. Pas d'argent porteur d'empreintes digitales. Pas de caméras vidéo. Il conduisait une Opel Vectra bleu nuit, passablement sale, comme monsieur Tout-le-Monde. Un « personne » en balade. Les plaques étaient poussiéreuses, à peine lisibles. Rien de surprenant à cela : c'était le printemps dans le nord de la Norvège.

Dans le Lavangsdal, la neige formait encore des manchons gris sale autour des troncs d'arbres. Il était sept heures en ce dimanche matin. Cela faisait plusieurs minutes qu'il n'avait pas croisé de voitures. Dans un virage peu marqué, il s'arrêta presque. Le chemin sur lequel il s'engagea était humide et ravagé par les conséquences du dégel. Malgré tout, il put passer sans encombre. Il contourna une petite butte rocailleuse et s'arrêta. Il éteignit le moteur et attendit, l'oreille dressée.

Personne ne pouvait le voir. Il retira sa montre. Une grosse montre noire de plongée. Alarme. Il allait dormir deux heures.

Deux heures, cela suffisait.

32

– JE SUPPOSE QU'ON NE POUVAIT s'attendre qu'à ça.

Alvhild Sofienberg prenait la disparition d'Aksel Seier avec un étonnant fatalisme. Elle haussa légèrement ses sourcils étroits. Puis passa un doigt distrait sur le fin duvet de sa lèvre supérieure et émit un claquement de langue presque imperceptible, comme si son dentier était trop lâche.

– Dieu seul sait comment j'aurais moi-même encaissé une telle explication. Ce n'est pas évident de s'imaginer dans une situation pareille. Impossible. Mais, avait-il l'air de bien aller?

– Sans aucun doute. Enfin... évidemment, ce n'est pas facile de dire avec exactitude comment est sa vie d'après la courte entrevue que nous avons eue. Mais il habite un endroit extraordinaire. Au bord de l'océan. Une plage de rêve. Il a une bonne maison. J'ai eu l'impression qu'il... qu'il s'était fondu dans le paysage, je veux dire. Les voisins le connaissaient, et ils ne lui étaient pas indifférents. C'est à peu près tout ce que je peux dire.

– Fabuleux, murmura Alvhild Sofienberg.

– En tout cas compte tenu des circonstances.

– Je parlais de ces nouveaux bidules informatiques.

Alvhild fit des moulinets désordonnés avec les doigts.

– Imagine, il a fallu moins d'une semaine pour trouver où, dans le monde, Aksel Seier habitait. C'est fabuleux. Absolument fantastique.

– Internet, sourit Inger Johanne. Tu n'as jamais pensé aller sur le net, toi? Ça serait bien, ici, tu...

– ... attends la mort, conclut laconiquement Alvhild. Cela aurait de l'allure. J'ai bien mon vieux dinosaure IBM de 1982. Il est malheureusement un peu lourd pour l'avoir sur les genoux, mais s'il le faut, alors...

Elle jeta un coup d'œil vers le bureau sous la fenêtre, sur lequel une machine à écrire rosâtre était prête, une feuille vierge en place sous le rouleau.

– Je ne corresponds plus avec personne. Alors ça n'a pas d'importance. Ma maison est en bon état. Mes enfants viennent me voir tous les jours. Ils n'ont pas été délaissés, et d'après ce que je peux en juger, ils semblent plutôt heureux. Les petits-enfants ont l'air de bien s'en tirer. En fait, il arrive qu'ils passent sans qu'on puisse trop s'apercevoir qu'on le leur a expressément demandé. Je n'ai même pas besoin de téléphone. En revanche, si j'avais été plus jeune...

– Tu as des yeux si bleus, déglutit Inger Johanne. Ils sont tellement... bleus. Ils sont si incroyablement bleus.

Le sourire d'Alvhild était nouveau ; un sourire qu'Inger Johanne ne méritait pas. Elle baissa la tête et ferma les yeux. Elle sentit les doigts d'Alvhild sur son menton, secs, durs, comme les branches d'un arbre mort.

– Tu me fais plaisir, Inger Johanne. Mon mari me disait la même chose tout le temps.

On frappa à la porte. Inger Johanne se redressa vivement et s'écarta du lit, comme prise en flagrant délit.

– Maintenant, je crois qu'il est temps de se reposer, annonça l'infirmière.

– Cela revient à être mise sous tutelle, tout bonnement, se plaignit Alvhild en levant les yeux au ciel.

Alvhild enserrait le poignet d'Inger Johanne comme une griffe.

– Tu crois pouvoir disparaître comme ça ?

L'infirmière vint se planter d'un air impatient juste à côté du lit, le poing sur la hanche, et se mit à les regarder par en dessous.

– Un moment, intima Alvhild. Je n'ai pas fini avec cette jeune personne. Si vous vouliez bien avoir l'amabilité de vous retirer dans le couloir un court instant, je serais bientôt prête pour faire la sieste.

La bonne femme en blanc sortit de mauvaise grâce, comme si elle soupçonnait Inger Johanne d'avoir de noirs desseins. Elles entendirent qu'elle ne s'éloignait pas trop, la porte resta entrebâillée.

– Je ne vois pas comment je peux faire davantage, bredouilla Inger Johanne. J'ai lu les papiers. Je suis d'accord avec toi. Tout indique qu'Aksel Seier a été victime d'une grosse injustice. J'ai retrouvé le type, j'ai traversé l'océan, je lui ai parlé. Dans la mesure où je peux dire que je me suis vu confier une mission, elle est terminée.

Alvhild partit d'un rire sourd et rauque qui se transforma en quinte de toux sèche.

— On ne va pas capituler aussi facilement, Inger Johanne.

— Mais qu'est-ce...

— Il doit y avoir un avis de décès.

— Quoi ?

— Cette femme d'un certain âge qui est allée voir la police en 1965. Celle qui pensait que son fils devait être le coupable. L'événement qui a conduit à la libération d'Aksel Seier ! Si elle est allée voir la police, c'est parce que son fils était mort. Tout ce que je sais de cette femme, c'est qu'elle habitait Lillestrøm. Toi et cet Internet, là... Tu réussirais à trouver un avis de décès dans un journal régional de juin 1965 ? On parle sûrement d'un avis avec un seul proche.

Inger Johanne regarda vers la porte. Une masse blanche décrivait un mouvement impatient d'avant en arrière, puis d'arrière en avant...

— Un seul proche ; comment le sais-tu ?

— Je ne *sais* pas. Je le *suppose*. Il s'agissait d'un fils adulte qui vivait chez sa mère. D'après mon unique source, l'aumônier pénitentiaire, ce garçon devait être attardé. Cela me paraît être l'un de ces tristes...

Elle s'interrompit d'un rapide geste d'une main.

— Ça suffit. Essaie. Cherche.

La patience de l'infirmière avait atteint ses limites.

— Maintenant, je dois dire stop. Madame Sofienberg a besoin de repos.

Inger Johanne adressa un sourire terne à Alvhild.

— Si j'ai le temps, je...

— Tu l'as, mon amie. À ton âge, on a tout le temps.

Inger Johanne ne put même pas prendre décemment congé. Ce ne fut qu'une fois dans la rue qu'elle se rendit compte que cela ne sentait plus l'oignon dans la chambre d'Alvhild. Elle se souvint aussi d'une chose à laquelle elle n'avait pas pensé depuis son retour des États-Unis. Ce Dieu sait quoi qu'elle avait vu chez Aksel Seier, qui avait retenu son attention. Pour une raison inconnue, elle y avait repensé ; en haut, chez Alvhild, au cours de sa conversation avec la vieille dame. Cela avait été dit ou elle l'avait vu.

La migraine l'assaillit sur le chemin du retour.

– IL S'APPELLE le Roi de l'Amérique.

– Quoi ?

C'était l'animal le plus laid qu'Inger Johanne ait jamais vu. Sa couleur ressemblait au contenu des couches de Kristiane lorsque celle-ci était à son plus bas ; brun jaunâtre semé de taches plus sombres indéterminées. L'une de ses oreilles pointait tout droit en l'air, l'autre pendouillait. Sa tête était trop grosse par rapport à son corps. Sa queue tournait comme une hélice, et on eût dit que la bestiole riait. Sa langue balayait pratiquement le sol.

– Comment s'appelle-t-il, as-tu dit ?

– Le Roi de l'Amérique. Mon chien. Un chienquivient.

Kristiane voulut porter la bête, qui paraissait énorme pour trois mois seulement. Le chiot ne voulait pas être pris dans les bras. Kristiane se lança à sa poursuite, à quatre pattes, la langue pendante.

– Où a-t-elle été chercher ce nom ?

Isak haussa les épaules.

– On lit *Moumine le troll*, en ce moment. Celui où Moumine est transformé en Roi de Californie, tu sais. Peut-être de là. Aucune idée.

– Jack ! cria Kristiane depuis le salon. Il s'appelle Jack, aussi.

Inger Johanne frissonna légèrement.

– Qu'est-ce qu'il y a?

Isak lui passa la main sur le bras.

– Quelque chose ne va pas?

– Non. Si. Je ne m'y retrouve plus, avec cette gosse.

– Un nom, tout au plus. Bon sang, Inger Johanne, ce n'est quand même pas...

– Oublie. Comment ça s'est passé?

Elle lui tourna le dos. Le Roi de l'Amérique pissait sur le tapis du salon. Kristiane était occupée à tirer une boîte de biscuits du placard au-dessus du plan de travail dans la cuisine, perchée sur le tiroir du haut, et pouvait tomber à n'importe quel moment.

– Ouups!

Inger Johanne la rattrapa au vol et essaya de l'embrasser

– Jack aime bien les corn-flakes, l'informa Kristiane en se dégageant. Le couvercle s'ouvrit, et elle lâcha la boîte. Le chien arriva au pas de course. L'enfant et la bête se vautrèrent dans les pétales de maïs, qui craquèrent sur le sol. Kristiane éclata d'un rire violent.

– Elle, en tout cas, ça l'amuse, constata Inger Johanne avec un sourire résigné. Pourquoi as tu choisi quelque chose d'aussi... laid?

– Chut!

Isak posa un doigt sur la bouche d'Inger Johanne, qui recula.

– Jack est beau. Il y a eu un problème? Tu as vraiment l'air... Je ne sais pas ce que c'est, mais ça t'a vraiment chamboulée.

– Aide-moi, répondit-elle simplement avant d'aller chercher l'aspirateur.

Elle ne comprenait pas du tout comment Kristiane avait pu se mettre dans le crâne que le chien devrait s'appeler Jack, le Roi de l'Amérique.

33

IL SE SENTAIT étrangement nerveux. Il était peut-être juste fatigué. Les deux heures de sommeil sur un chemin de traverse dans le Lavangsdal, à seulement trois quarts d'heure de route de Tromsø, avaient bien entendu été utiles. Malgré tout, il ne se sentait pas en grande forme. Les muscles de son dos lui faisaient mal. Il avait les yeux secs, il cilla plusieurs fois avec vigueur et essaya de provoquer des larmes en bâillant. La nervosité se manifestait par un picotement dans le bout des doigts et une désagréable sensation de creux dans le ventre. Il prit une bouteille d'eau et but en longues gorgées. La voiture était garée derrière les appartements des étudiants près du Prestevann. Des étudiants vont et viennent. Ils empruntent des voitures. On passe les voir. C'était ici qu'il devait se garer. Mais il ne fallait pas qu'il reste assis là trop longtemps. On remarquerait ce genre de chose. Peut-être plus encore à un endroit où vivaient bon nombre de femmes célibataires. Il reboucha la bouteille et prit une profonde inspiration.

Il fallait moins de cinq minutes à pied pour aller au petit chemin tout en haut de Langnesbakken. Il le savait, évidemment, il était déjà venu. Il connaissait ses habitudes. Il savait qu'elle était toujours à la maison le dernier dimanche du mois. Sa mère viendrait, à cinq heures précises. Comme elle le faisait toujours. Pour contrôler. Inspecter son domaine. Revêtue de sa bonne humeur familière propre au dîner. Ragoût d'agneau au chou, un bon verre de vin, et un regard perçant. Suffisamment propre ? Suffisamment beau ? Est-ce que le joint de la salle de bains a été changé ?

Il savait ce qui allait se passer. Il était venu trois fois au cours de ce printemps. Pour regarder. Noter. Trois heures moins cinq. Il prit le virage et regarda par-dessus son épaule. Personne. Il pleuvait, mais pas beaucoup. Le ciel balayait les montagnes de Kvaløya ; il s'obscurcissait à l'ouest, et le temps se dégraderait dans la soirée. D'un pas léger et rapide, il traversa un jardin et entra dans les taillis. Ceux-ci étaient trop maigres à son goût. Bien qu'il fût vêtu de gris et bleu nuit, il serait facilement repérable si quelqu'un regardait dans sa direction. Sans se retourner, il trottina jusqu'au mur de la maison. Au nord-ouest, il ne restait personne. Rien que quelques petits bouleaux ramollis par le printemps et des résidus épars de neige salc. Il respirait péniblement. Ce n'était pas cela qu'il devait ressentir. La nervosité lui appuyait sur la pomme d'Adam et le faisait déglutir rapidement, par salves. Ça n'avait pas été comme ça les fois précédentes. Il saisit à deux mains la petite sacoche qu'il avait à sa ceinture. L'allégresse. Voilà ce qu'il devait éprouver. Un sentiment de sûreté qui le ferait jubiler intérieurement. C'était son heure.

C'était son heure.

Il l'entendait à peine. Sans regarder sa montre, il sut qu'elle indiquait trois heures. Il retint son souffle. On n'entendit plus rien. Lorsqu'il jeta un œil au coin, il dut avouer qu'il avait plus de chance qu'il n'aurait pu l'espérer. Elle avait posé le couffin à même le sol. Un vieux hamac était entreposé sur la terrasse, il n'y avait pas de place pour le couffin. Il n'y avait aucun autre bruit que sa propre respiration rapide et un avion qui préparait son atterrissage à Langnes. Il ouvrit sa sacoche. Se prépara. S'approcha du couffin.

Celui-ci était sous l'avant-toit, à l'abri de la pluie printanière qui tombait régulièrement. Pourtant, le môme était couvert comme si les tempêtes hivernales hurlaient tout autour de la maison. La capote était remontée. Un protège-pluie était fixé sur le couffin. La mère avait de surcroît entortillé une sorte de filet autour de l'ensemble, peut-être pour tenir les chats errants à l'écart. Il se battit avec la protection antichats. Défit et baissa le protège-pluie. L'enfant était couché dans un sac bleu, et portait un bonnet. On était à la fin mai, et le gamin avait un bonnet ! Moulant, avec un cordon sous le menton qui disparaissait dans un pli de son cou grassouillet. Le couffin était étroit. L'enfant dormait profondément, la bouche ouverte.

Il ne devait pas le réveiller.

Il n'arriverait jamais à retirer assez de vêtements au bébé.

– *Merde !*

La panique survint comme un paquet de mer, par en dessous depuis les pieds ; elle le traversa et le vida d'air. Il perdit la seringue. L'enfant ouvrit tout grand la bouche et émit un gargouillis. L'enfant était un grand trou qui respirait. La seringue. Il se pencha, la ramassa, la glissa dans la sacoche, en sortit le mot d'une main tremblante, lâcha la pochette plastique. Il se pencha de nouveau, ramassa celle-ci, la fourra dans sa sacoche. Le sac de couchage était plein de duvet. Il le repoussa sur le trou qui respirait et tint fermement le tissu bleu sombre entre ses doigts, entre ses doigts gantés, l'enfant se tortilla, essaya de se dégager, c'était étonnamment facile de l'en empêcher, il tint bon, appuya et ne lâcha pas, et il finit par ne plus rien y avoir qui résistait sous le duvet et le textile bleu. Mais il ne lâcha pas. Pas encore. Il maintint la pression. L'avion avait atterri, et tout était silencieux.

Heureusement, il se souvint du message.

– JE ME SUIS SOUVENU du message, se dit-il en s'asseyant dans la voiture. Je me suis souvenu du message.

Bien qu'il se soit endormi deux fois au volant – il se réveilla au son de dérapages sur un accotement meuble juste à temps pour regagner la route – il réussit à revenir jusqu'à Majavatn sans s'arrêter pour autre chose que pisser et faire le plein sur des routes secondaires grâce aux jerrycans qu'il transportait. Il avait besoin de dormir. Sur un chemin de traverse près d'un camping abandonné, il trouva un endroit où cacher la voiture.

Ça n'aurait pas dû se dérouler ainsi.

Il aurait dû avoir le contrôle. Ça aurait dû se dérouler comme prévu. Il était tout à coup impossible de dormir, bien que le manque de sommeil lui donnât la nausée. Il se mit à pleurer. Ce n'était pas comme cela que ça aurait dû se passer. C'était son heure. Enfin. Son plan, sa volonté. Les sanglots enflèrent et la honte avec, il jura et se gifla.

– Heureusement, je me suis souvenu du message, murmura-t-il en essuyant la morve avec ses doigts.

34

LA SONNETTE LA TIRA d'un rêve. Le coup de cloche fut bref, comme si on essayait de la réveiller sans déranger Kristiane. Le Roi de l'Amérique poussa un gémissement plaintif depuis la chambre de la petite, et elle boucla le chien à l'extérieur avant d'aller ouvrir. Heureusement, sa fille semblait continuer de dormir comme si de rien n'était, dans une odeur lourde de sommeil et de pisse de chien. L'animal lui sautait dessus sans relâche, ses griffes raclaient vilainement les jambes nues. Elle essaya de le repousser, mais trébucha et se fracassa le petit orteil contre la barre de seuil en sortant dans le couloir. Craignant que l'on ne sonne encore une fois, elle clopina en jurant jusqu'à la porte pour ouvrir.

Elle eut du mal à voir ses yeux. Sa silhouette entière paraissait plus petite, ses épaules plongeaient vers l'avant, et elle sentit une vague odeur de transpiration lorsqu'il leva une main dissuasive vers elle. Il portait une pilot-case sous le bras ; la poignée était fichue, et il la trimballait comme une caisse, sans plus d'égards, rabat ouvert.

– Impardonnable, bougonna-t-il. Mais j'arrive seulement maintenant.

– Quelle heure est-il ?

– Une heure. Du matin.

– J'avais compris, répondit-elle d'un ton sec. Entre. Le temps que je mette autre chose.

Il s'était assis dans la cuisine. Le Roi de l'Amérique lui mordillait la main en bavant et en couinant ; il devait avoir faim.

– Mazette ! Une nouvelle acquisition ?

Elle grommela une sorte de confirmation tout en se débattant avec la cafetière. Elle aurait dû deviner que c'était Yngvar. En se réveillant, elle n'avait pensé qu'à une chose : ces coups de sonnette devaient cesser. Si Kristiane se réveillait au milieu de la nuit, la journée commençait. Elle tira sur son pull de *college* fatigué. Il y en avait de mieux dans son armoire.

– Au cas où tu devrais débarquer une autre nuit, évite de sonner. Passe un coup de fil. La nuit, je déconnecte l'appareil du salon. Celui qui est...

Elle fit un léger signe de tête vers la chambre et mesura la quantité de café avant de le verser dans le filtre.

– Celui qui est chez moi est assourdi. Il me réveille et laisse dormir Kristiane. C'est important pour elle. Et pour moi.

Elle essaya de sourire. La grimace se transforma en bâillement. Toute étourdie, elle ferma très fort les yeux et secoua énergiquement la tête.

– Je m'en souviendrai, promit Yngvar. Désolé. Il en a pris un autre.

182

Elle leva lentement une main vers ses cheveux, mais la laissa retomber et agrippa une poignée de tiroir.

– Quoi ? demanda-t-elle d'une voix sans timbre. Qu'est-ce que tu veux dire : un autre ?

Yngvar posa son visage dans ses mains. Sa voix fut comme mise en sourdine.

– Un petit garçon de onze mois, de Tromsø. Glenn Hugo. Onze mois. Tu as déjà entendu ça ?

– Je... Je n'ai ni regardé la télé ni écouté la radio ce soir. Nous... Kristiane et moi, on a joué avec le chien, on est allées se promener et... onze mois. *Onze mois !*

Cette exclamation resta suspendue entre eux, longtemps, comme si ce crime insensé avait une explication cachée, un code ou un rébus caché dans l'âge de la petite victime. Inger Johanne sentit les larmes monter et cligna des yeux.

– Mais...

Elle lâcha le tiroir et s'assit à la table. Il avait joint les mains devant lui, et elle ressentit le besoin de poser les siennes dessus.

– Est-ce qu'il a déjà été restitué ?

– Il n'a pas été enlevé. Il a été étouffé dans son couffin pendant sa sieste.

Le chien s'était couché dans le coin près de la cuisinière, étendu sur le flanc. Inger Johanne tenta de fixer son regard sur l'étroite cage thoracique qui se soulevait et s'abaissait, se soulevait et s'abaissait. Les côtes étaient bien visibles sous le poil doux et court. Ses yeux étaient entrouverts, et une langue rose vif et humide brillait au milieu de tout ce brun écœurant.

– Alors ce n'est pas lui, déclara-t-elle simplement d'une voix de robot, le souffle court. Il n'étouffe pas. Il... il enlève et il tue d'une façon que nous... que nous ne comprenons pas. Il n'étouffe pas des bébés dans leur sommeil. Ce n'est pas lui. À Tromsø, tu as dit ? Tu as dit Tromsø ?

Elle donna un léger coup de poing sur la table, comme si la distance géographique constituait la preuve dont elle avait besoin : ils étaient face à un décès tragique néanmoins naturel. Une mort subite du nourrisson, horrible, certes, mais pas insurmontable. Pour elle, en tout état de cause. Pour tout le monde hormis la famille. La mère. Le père.

— Tromsø ! Ça ne colle pas !

Elle se pencha par-dessus la table et essaya de le regarder bien en face. Il se tourna vers la cafetière avant de se lever lentement, sans force. Il ouvrit un placard en hauteur et en sortit deux mugs. Il s'immobilisa un instant pour les regarder. L'un représentait une Ferrari de profil, que le lave-vaisselle avait décolorée pour lui donner une teinte rose pâle. L'autre avait la forme d'un dragon piteux, une aile cassée, et dont la queue constituait l'anse. Il remplit les deux et tendit la voiture à Inger Johanne. La vapeur du café se colla à son visage. Elle saisit la tasse à deux mains en souhaitant qu'Yngvar soit d'accord avec elle. Tromsø était trop loin. Le *modus operandi* ne correspondait pas. Leur homme n'avait pas trouvé sa quatrième victime. Il ne pouvait en être ainsi. Le chien gémit dans son sommeil.

— Le mot, souffla Yngvar d'une voix usée avant de boire une gorgée du liquide brûlant. Il a laissé un message. *Tu as eu ce que tu méritais.*

— Mais...

— Nous n'avons pas encore révélé ce détail. Il n'y a pas un mot à propos de ça dans les journaux. En fait, on a réussi à le garder pour nous jusqu'à présent. Ce doit être lui.

Inger Johanne regarda l'heure.

— Une heure vingt-cinq. Nous avons quatre heures et trente-cinq minutes avant que le réveille-matin, là-dedans, reprenne connaissance. Au boulot. Je suppose que cette pilot-case n'est pas vide. Va la chercher. On a quatre heures et demie devant nous.

– LE SEUL POINT commun, c'est donc le message ?

Découragée, elle se renversa sur sa chaise et croisa les mains sur sa nuque. Il y avait des papiers jaunes partout. Une grande affiche était fixée sur le réfrigérateur ; elle avait été roulée, et il avait fallu une certaine quantité de ruban adhésif pour la faire tenir. Le nom des enfants était inscrit en haut des colonnes, accompagné de toutes sortes d'informations les concernant, allant des préférences alimentaires à l'historique médical. La colonne « Glenn Hugo » était presque vide. Les seules informations qu'ils avaient sur le petit garçon dont la mort ne remontait pas encore à vingt-quatre heures étaient une cause de décès des plus provisoires – suffocation –, son âge et son poids. Un petit garçon normal de onze mois, en bonne santé.

Une feuille A4 au-dessus de la cuisinière informait par ailleurs que les parents s'appelaient May Berit et Frode Benonisen. Agés respectivement de vingt-cinq et vingt-huit ans, ils habitaient dans la maison de la grand-mère maternelle, assez aisée, de la susnommée. Ils étaient tous deux employés municipaux, lui en tant qu'éboueur, elle en tant que réceptionniste et secrétaire du maire. Frode avait abandonné les études à la fin du collège pour se consacrer à une carrière modérément réussie de footballeur au TIL[1]. May Berit avait passé deux diplômes de base à l'université d'Oslo, en histoire des religions et en espagnol. Cela faisait deux ans presque jour pour jour qu'ils étaient mariés.

1. Tromsø IdrettsLag.

– Le message. Et le fait que tous sont des enfants. Et qu'ils sont tous morts.

– Non. En ce qui concerne Émilie, on n'en sait rien.

– Pas faux.

Il se frictionna la base du crâne avec le poing.

– Le papier sur lequel sont écrits les messages provient de deux blocs distincts. Ou ramettes, pour être plus précis. Papier copie ordinaire, du type que possèdent tous ceux qui ont un PC chez eux. Pas d'empreintes digitales. Alors...

Il se frotta de nouveau la tête, un nuage à peine visible de pellicules se dessina dans la lueur de la puissante lampe qu'elle avait apportée du salon.

– Il est trop tôt pour dire quoi que ce soit en ce qui concerne le dernier message, évidemment. Il est toujours en cours d'expertise. Mais je crois que nous devrions éviter d'avoir de trop grands espoirs. Ce type fait attention. Très attention. L'écriture paraît différente d'une fois sur l'autre, au moins au premier coup d'œil. C'est peut-être voulu. Les messages doivent être comparés par un expert.

– Mais ce témoin... Ce...

Inger Johanne se leva et laissa son index courir sur une série de papiers jaunes sur la porte du placard près de la fenêtre.

– Ici. Ce type qui habite Soltunveien 1. Qu'est-ce qu'il a vu, exactement ?

– C'est un professeur à la retraite. Un témoin on ne peut plus crédible. Le pépin, c'est que...

Yngvar remplit la tasse numéro 6. Il essaya de contenir une régurgitation acide, le poing devant la bouche.

– Il ne voit pas bien. Il a des lunettes assez costauds. Quoi qu'il en soit... Il s'occupait de sa terrasse. De là, il a une bonne vue sur la route.

Il se servit d'une louche en bois pour illustrer ses explications sur un plan grossier scotché sur la fenêtre.

– Il dit avoir remarqué trois personnes durant la période qui nous intéresse. Une femme d'un certain âge portant un manteau rouge, qu'il pense connaître. Un gamin en vélo, qu'on peut certainement écarter. Tous deux arrivaient sur la route, donc se dirigeaient vers le lieu du crime. Mais il a aussi vu un autre homme, un type qui aurait selon lui entre vingt-cinq et trente-cinq ans. Il arrivait à pied dans l'autre sens...

La louche parcourut la feuille.

– ... vers Langnesbakken. Il était environ trois heures. Le témoin peut l'assurer, puisque sa femme est sortie juste après pour lui demander à quel moment il préférait dîner. Il a regardé sa montre et lui a répondu qu'il en aurait fini avec la nouvelle balustrade à cinq heures.

– Et donc, sa démarche avait un côté spécial...

Inger Johanne plissa les yeux vers la carte.

– Oui. Le professeur l'a décrite comme celle de...

Yngvar trifouilla dans sa pile de papiers.

– ... « quelqu'un qui se dépêche sans vouloir montrer que c'est ce qu'il fait ».

Inger Johanne jeta un coup d'œil sceptique vers les notes.

– Et comment on le remarque, ça ?

– Il a dit que l'homme se forçait à marcher lentement, comme s'il avait en fait eu envie de courir, mais sans oser le faire. Joli sens de l'observation, si tu veux mon avis. Je m'y suis essayé en venant, et ce n'est pas forcément idiot. Cela donne un côté staccato, retenu, contenu.

– Est-ce qu'il a pu donner une description plus précise ?

– Malheureusement pas.

La tasse-dragon avait perdu sa dernière aile dans le courant de la nuit. L'animal avait maintenant l'air plus pitoyable que jamais. Comme un coq apprivoisé et

187

privé d'ailes. Yngvar versa un nuage de lait dans son café.

– Rien d'autre que son âge, ou peu s'en faut. Et qu'il était habillé en bleu ou en gris. Ou les deux. Quelque chose de très neutre.

– Pas bête de sa part. S'il s'agit bien de *notre* homme.

– Et il avait des cheveux. Épais, coupe masculine. Le professeur n'a rien pu dire d'autre. Nous allons bien sûr demander à celui ou ceux qui étaient dans le coin de se signaler. Et on verra.

Inger Johanne se frictionna le dos et ferma les yeux. Elle avait l'impression d'être littéralement tombée en morceaux. L'aube pointait à peine dans le ciel. Elle commença soudain à rassembler tous les morceaux de papier, à arracher les affiches, à ôter les cartes et les colonnes. Elle rangea le tout avec soin en suivant une logique manifestement bien étudiée. Les notes dans des enveloppes. Les grandes feuilles méticuleusement empilées les unes sur les autres. Pour finir, elle replaça le tout dans la vieille mallette et alla chercher une boîte de Coca-Cola dans le réfrigérateur. Elle lança un regard interrogateur à Yngvar, qui secoua la tête.

– Je vais y aller, assura-t-il. Bien sûr.

– Non. C'est maintenant qu'on va commencer. Qui tue les enfants ?

– On a déjà fait cet exercice, répondit-il d'une voix hésitante. Nous étions d'accord : ce sont les automobilistes et les exhibitionnistes. En y réfléchissant, ça a l'air incroyablement irréfléchi de parler d'automobilistes dans ce contexte.

– Et pourtant, ce sont eux qui tuent des enfants dans ce pays, fit-elle remarquer d'un ton sec. Mais oublie. Il s'agit de haine. D'une forme de sens absurde de la justice.

– Comment le sais-tu ?

– Je ne sais pas. Je réfléchis, Yngvar !

Le blanc des yeux du policier n'était plus blanc. Yngvar Stubø paraissait sortir de trois jours de cuite, et l'odeur qu'il dégageait soulignait cette impression de délabrement.

– Il faut éprouver une haine assez intense pour pouvoir légitimer ce que fait ce type, reprit-elle. N'oublie pas qu'il doit vivre avec ça. Dormir la nuit, manger, se mouvoir dans une société où tous les journaux, tous les bulletins d'information lui hurlent leurs accusations, il les rencontre dans les magasins, sur son lieu de travail, peut-être...

– Mais il ne peut quand même pas... Il ne peut quand même pas haïr les *enfants* !

– Chhht.

Inger Johanne leva une main.

– On parle d'un homme qui se défend. Qui se défend.

– Contre quoi ?

– Aucune idée. Mais est-ce que Kim et Émilie, Sarah et Glenn Hugo ont été choisis complètement au hasard ?

– Évidemment que non.

– Là, tu tires des conclusions qui ne sont pas fondées du tout. Ils peuvent bien sûr avoir été choisis au hasard. Mais ils ne l'ont sans doute pas été. Que le type se figure comme ça, sans crier gare, que cette fois ce serait le tour de Tromsø... peu vraisemblable. Il doit y avoir un rapport ou un autre entre ces gamins.

– Ou leurs parents.

– Exactement. Encore un peu de café ?

– Je ne vais pas tarder à le recracher.

– Un thé ?

– Un lait chaud, à la rigueur.

– Ça ne servira qu'à te faire roupiller.

– Je ne vois pas où est le problème.

Il était cinq heures et demie. Le Roi de l'Amérique faisait des cauchemars, ses petites pattes battaient l'air comme s'il fuyait un ennemi rêvé. Une odeur lourde planait dans toute la cuisine. Inger Johanne ouvrit la fenêtre.

– Le problème, c'est que nous ne trouvons aucun rapport entre ces conn... entre les parents.

Yngvar fit un large geste résigné avec les bras.

– Évidemment, ça ne veut pas dire qu'il n'y en a pas, objecta Inger Johanne en s'asseyant sur le plan de travail, les pieds posés sur un tiroir à moitié sorti. En jouant un instant avec l'idée que nous ayons affaire à un psychopathe, tout simplement parce que ce qu'il fait est si affreux que cela paraît vraisemblable, qu'est-ce qu'on cherche, à ce moment-là ?

– Un psychopathe, murmura Yngvar.

Elle méprisa la réponse.

– Les psychopathes ne sont pas si rares que nous le pensons. Certains prétendent qu'ils représentent environ un pour cent de la population. On a presque tous utilisé l'expression à propos de quelqu'un dont la tête ne nous revenait pas, et ce n'est donc pas si extraordinaire qu'on voudrait bien le croire. Même si...

– Je croyais qu'on parlait de personnes atteintes de troubles de la personnalité, asociales, de nos jours.

– En réalité, il s'agit d'autre chose. Les critères de diagnostic se chevauchent, mais... laisse tomber. Suis, bon sang, Yngvar ! J'essaie de réfléchir, moi !

– Mais oui. Le problème, c'est que je ne suis plus du tout en état de penser.

– Alors laisse-moi faire. Écoute, au moins ! La violence... la violence peut grosso modo se diviser en deux types, instrumentale et réactive.

– Je sais, bougonna Yngvar.

– Nos affaires sont le résultat clair de violences instrumentales, donc des actes de violence planifiés, ciblés.

– Au contraire de la violence réactive, récita d'une voix lente Yngvar, qui est davantage le résultat d'une menace extérieure ou d'une frustration.

– La violence instrumentale est bien plus typique des psychopathes que des gens comme nous. D'une certaine façon, elle suppose une espèce de... méchanceté, pourrait-on dire. Ou pour employer un langage plus scientifique, un manque d'empathie.

– Oui, on ne peut pas dire que cela le travaille plus que ça, ce genre de choses...

– Les parents, suggéra Inger Johanne avec calme.

Elle sauta de la paillasse et ouvrit la pilot-case hors d'usage. Elle retrouva l'enveloppe marquée *PARENTS* et en répandit le contenu entre eux, à même le sol. Jack leva la tête, mais se rallongea bientôt.

– Il *faut* qu'il y ait quelque chose ici, bouillonnat-elle. Il y a une connexion quelconque entre ces personnes. Il est tout simplement impossible de concevoir une haine aussi intense envers des enfants de neuf, huit, cinq et à peine un an.

– Il ne s'agit pas du tout des enfants, affirma Yngvar en une demi-question en se penchant vers les notes.

– Peut-être pas. Oui et non. Les enfants et leurs parents. Les pères. Les mères. Je ne sais pas.

– La mère d'Émilie est morte.

– Et Émilie est la seule à ne pas avoir refait surface.

Un ange traversa la pièce à pas lents. Le silence amplifia le son de l'horloge murale qui cliquetait impitoyablement vers six heures.

– Tous les parents sont blancs, s'exclama soudain Inger Johanne. Tous sont norvégiens, d'origine aussi. Personne ne connaît personne. Pas d'amis communs. Personne ne travaille au même endroit. Le moins que l'on puisse dire...

– Étonnant. Est-ce qu'ils ont été choisis tout simplement sur la base de ce qu'ils n'ont *rien* de commun ?

– Commun, commun, commun...

Elle murmura le mot encore et encore, comme un mantra.

– L'âge. L'âge va de 25 ans, la mère de Glenn Hugo, à 39 ans, le père d'Émilie. L'âge des mères va de...

– 25 à 31 ans. Six ans d'intervalle. Pas beaucoup.

– D'un autre côté, toutes les femmes sont mères d'enfants en bas âge. La différence n'est jamais énorme, en tout cas.

– Tu crois qu'il y a un rapport entre le fait que la mère d'Émilie soit morte et celui que la gamine ne soit pas encore réapparue ?

Yngvar poussa un gros soupir et se leva. Il baissa les yeux sur ses papiers avant de commencer à débarrasser les tasses et la verseuse.

– Je n'en sais rien. Émilie n'a peut-être rien à voir dans cette histoire. Je le pense vraiment, Inger Johanne. Je n'arrive plus à aligner deux idées.

– Je crois qu'il en bave, en ce moment, murmura-t-elle dans le vague. Qu'il a fait une gaffe à Tromsø. Ce gamin devait disparaître comme les autres. De façon aussi inexplicable. Sans qu'on comprenne comment, il a développé une façon de tuer qui...

– ... ne laisse pas de traces, compléta-t-il d'un ton rogue. Qui fait simplement hausser les épaules à notre armée de médecins prétendument compétents. Désolés, disent-ils. Pas de cause de décès connue.

Inger Johanne était tout à fait immobile, à genoux, les yeux fermés.

– Il n'avait pas prévu d'étouffer Glenn Hugo. Ce n'était pas comme cela que ça devait se passer. Il prend plaisir à l'idée du contrôle qu'il a sur tout et tout le monde en ce moment précis. Il joue. D'une façon ou

192

d'une autre, il sent qu'il... restaure quelque chose. À Tromsø, il a eu peur. Il a perdu le contrôle. Il s'agite. Il va peut-être commettre une imprudence.

– Une bête, grinça Yngvar. Une maudite bête.

– Pas à ses yeux, répondit Inger Johanne, toujours à genoux, assise sur les talons. C'est un type relativement bien inséré, en tout cas en apparence. Sans doute pas de casier. Si une chose compte pour lui, c'est bien le contrôle. Il est toujours ordonné. Discipliné. Propre. Ce qu'il fait, il le fait parce que c'est juste. Il a perdu quelque chose. On lui a pris quelque chose de fondamental qu'il considérait comme lui appartenant. Nous cherchons quelqu'un qui se considère dans son plein droit d'agir comme il le fait. Le monde s'est ligué contre lui. Tout ce qui est allé de travers dans sa vie est la faute des autres. Il n'a pas eu les emplois qu'il aurait dû avoir. Quand il s'est planté aux examens, c'est parce que les sujets étaient mal formulés. S'il ne gagne pas assez, c'est parce que son supérieur est un imbécile qui ne sait pas évaluer son travail à sa juste valeur. Mais il le supporte. Il vit avec tout ça, avec les filles qui n'ont pas voulu de lui, avec cet avancement qui n'arrive pas. Jusqu'au jour...

– Inger Johanne...

– Jusqu'au jour où il arrive quelque chose qui...

– Inger Johanne, arrête !

– ... où il disjoncte. Où il n'est plus capable de vivre avec cette injustice. Où c'est son tour de se venger.

– Je suis sérieux ! Calme-toi. Ce ne sont que pures spéculations.

Ses jambes dormaient, et elle fit la grimace quand elle attrapa le bord de la table pour se relever.

– Bien possible. C'est toi qui es venu me trouver pour que je t'aide.

– Ça sent mauvais, ici.

Kristiane se bouchait le nez. Elle tenait Sulamit sous

193

le bras. Le Roi de l'Amérique lui léchait le visage avec ravissement.

– Salut, trésor. Bonjour, bonjour. On va aérer un peu mieux.

– Le monsieur sent mauvais.

– Je sais !

Yngvar se força à sourire.

– Je vais rentrer me doucher. Merci, Inger Johanne.

Kristiane retourna à pas feutrés dans sa chambre, le chien se tortillant derrière elle. Yngvar Stubø, gêné, essaya de dissimuler les traces de sueur qu'il avait sous les bras au moment de remettre sa veste. Arrivé à la porte, il se pencha en avant pour l'embrasser, mais lui tendit la main à la place. Celle-ci était étonnamment sèche et chaude. Elle eut la paume de la main brûlante après ce contact, longtemps après qu'il eut disparu au coin de la maison rouge tout en bas de la rue. Inger Johanne remarqua que les vitres devaient être lavées, elles étaient couvertes de traces de ruban adhésif. Il fallait en outre qu'elle mette un pansement sur son petit orteil. Bien qu'elle n'ait presque rien senti après avoir shooté dans la barre de seuil en allant ouvrir cinq heures plus tôt, elle vit qu'il avait enflé et que l'ongle s'était pratiquement détaché. En réalité, la douleur était assez importante.

– Jack a crotté ! cria Kristiane d'un ton triomphal depuis le salon.

35

MÊME SI AKSEL SEIER ne se sentait jamais véritablement heureux, il pouvait lors de brefs instants éprouver de la satisfaction vis-à-vis de l'existence. Par des journées comme celle-ci, il ressentait une espèce d'appartenance ; un ancrage dans l'histoire qui existait malgré tout entre lui et Harwichport, entre Aksel Seier et sa maison grise habillée de cèdre, au bord de la mer. La pluie assombrissait l'asphalte troué d'Ocean Avenue. La voiture tressautait lentement en descendant vers la maison, comme s'il n'était pas tout à fait certain de vouloir rentrer. L'océan se fondait en gris avec le ciel, et le vert intense du feuillage des chênes lourdement penchés les uns vers les autres, transformant certaines parties de la route en tunnel botanique, était affaibli. Aksel aimait bien ce genre de temps. Il faisait chaud, et l'air qui lui caressait le visage à travers la vitre ouverte paraissait neuf. Il laissa le pick-up remonter l'allée en cahotant et resta un moment immobile, renversé en arrière sur son siège. Puis il retira la clé de contact et sortit.

Le drapeau de la boîte aux lettres était relevé. Mrs. Davis n'aimait pas la boîte d'Aksel. La sienne avait été peinte par Bjorn, un prétendu Suédois qui vendait de faux chevaux de Dalécarlie à des touristes abrutis dans Main Street. Bjorn ne parlait pas suédois, et il était brun aux yeux marron. Mais quand il peignait, il s'en tenait au bleu et jaune. C'est ce qu'il lui fallait. La boîte aux lettres de Mrs. Davis était décorée de tussilage aux tiges bleues dansantes. Celle d'Aksel était noir uni. Le drapeau avait été rouge un jour, mais ça faisait longtemps.

– *You're back*[1] !

De temps à autre, Aksel se demandait si Mrs. Davis avait un radar dans sa cuisine. Elle avait beau être veuve sans emploi – elle vivait d'une assurance vie bien modeste, à la suite de la disparition en mer de son mari en 1975 – et pouvoir par conséquent consacrer tout son temps à tenir tout et tout le monde à l'œil dans la petite ville, son efficacité était impressionnante.

1. Vous êtes revenu !

Aksel ne se souvenait pas être jamais rentré sans avoir été chaleureusement accueilli par la femme en rose.

Il lui tendit une bouteille emballée dans un sac en papier brun.

– *Oh dear ! Liquor ? For me, honey ?*

– *Maple syrup*, répondit-il laconiquement. *From Maine. Thanks for taking care of the cat. How much do I owe you[1] ?*

Mrs Davis ne voulait pas d'argent, sous aucun prétexte. Il ne s'était pour ainsi dire pas absenté. Cela ne faisait-il pas que quatre jours qu'il était parti ? Cinq ? Il ne devait plus y penser. Tout le plaisir était pour elle, avec un chat aussi sympathique et bien élevé. Du sirop d'érable du Maine. Merci beaucoup ! Quel bel État, le Maine. Naturel, encore préservé. Elle devait y aller bientôt, cela devait faire vingt ans qu'elle n'était pas allée voir sa belle-sœur qui habitait Bangor ; elle était proviseur dans une école, une femme super compétente, même si on disait qu'elle pouvait être inconsidérée dans ses relations avec la hiérarchie. Mais baste, cela ne regardait pas Mrs. Davis, et n'était-ce pas dans le New Jersey qu'il allait ?

Aksel haussa les épaules, en un mouvement qui pouvait signifier tout et n'importe quoi. Il attrapa sa valise à l'arrière du pick-up et alla vers la porte.

– *But you've got mail, Aksel ! Don't forget to check your mailbox ! And the young lady who visited you last week, she came back. Her card is in the box, I think. What a sweet girl ! Cute as a button[2].*

---

1. Oh, mon Dieu ! De l'alcool ? Pour moi, mon grand ?
Du sirop d'érable. Du Maine. Merci de vous être occupée du chat. Combien je vous dois ?
2. Mais vous avez du courrier, Aksel ! N'oubliez pas de regarder dans votre boîte aux lettres ! Et la jeune femme qui est venue vous voir la semaine dernière, elle est revenue. Je crois que sa carte de visite est dans la boîte aux lettres. Quelle fille charmante ! Jolie comme un cœur.

Elle jeta ensuite un coup d'œil de biais vers le ciel et regagna à petits pas ses quartiers. La pluie s'était déposée comme des perles sur son pull angora et était en train d'aplatir ses cheveux.

Aksel posa sa valise sur le pas de la porte. Il n'aimait pas recevoir du courrier. C'étaient toujours des factures. Il n'y avait qu'une personne qui écrivait des lettres à Aksel Seier, et ces envois arrivaient tous les six mois, à Noël et en juillet, invariablement et régulièrement, comme il en avait toujours été. Il regarda en coin vers la maison de Mrs. Davis. Elle s'était arrêtée sous l'avant-toit et faisait de grands signes vers la boîte aux lettres. Il capitula. Il alla à grands pas vers la caisse noire et l'ouvrit. L'enveloppe était blanche. Ce n'était pas une facture. Il fourra l'enveloppe sous son pull, comme si son contenu était illégal. Une carte de visite tomba sur le sol. Il la ramassa, jeta un coup d'œil au recto et la glissa dans sa poche revolver.

La maison sentait le renfermé, une odeur douce mêlée de poussière qui le fit éternuer. Le réfrigérateur était étrangement silencieux. Il en ouvrit lentement la porte, sans que la lumière éclaire le pack de six bières qui occupait seul l'étagère supérieure. Sur l'étagère du dessous, il vit une assiette de ragoût, couverte d'une pellicule verte peu attirante. Il n'y avait pas plus de deux mois que Frank Malloy avait réparé le frigo contre un coussin de canapé brodé qu'il avait emporté pour sa femme. Il n'y aurait bientôt plus rien à réparer, avait dit Frank ; Aksel devrait se résoudre à investir dans un autre frigo. Il prit une boîte de bière. Elle était tiède.

La lettre était d'Eva. Il ne fallait pas qu'il arrive de lettre d'Eva maintenant. Pas avant juillet. Mi-juillet, et quelques jours avant Noël. Ce devait être comme ça. Il en avait toujours été ainsi. Aksel s'assit dans le fauteuil sous la lampe requin. À l'aide d'un coupe-papier en étain à motifs vikings, il décacheta l'enveloppe. Il en

197

sortit les feuilles couvertes de cette écriture qu'il connaissait bien ; imprécise, difficile à lire. Les lignes partaient vers le bas à mesure qu'elles se rapprochaient du bord droit. Il déplia la lettre, l'étala sur sa cuisse, puis la leva vers ses yeux.

Lorsque la boîte fut vide, il avait décrypté la totalité. Pour en avoir le cœur net, il lut la lettre encore une fois.

Il resta ensuite un moment immobile, le regard perdu dans le vague.

36

D'UN CÔTÉ, Inger Johanne Vik était un tantinet heureuse à l'idée que tout le monde parte du principe qu'elle s'était occupée du gâteau. Elle était la préposée aux gâteaux, aussi bien à ses propres yeux qu'à ceux des autres. C'était elle qui veillait à ce qu'il y ait du café dans la salle commune. Si Inger Johanne s'absentait pendant plus de trois jours, il n'y avait plus de limonade et d'eau gazeuse dans le frigo, le plateau de fruits ne contenait plus que quelques pommes desséchées et une banane marron. Il était impensable de laisser un autre employé de bureau s'en occuper. Il y avait toujours un fond d'ambiance des années 1970 dans les couloirs, et en fait, cela lui convenait. D'habitude.

Elle était pour l'heure passablement agacée.

Cela faisait une éternité qu'ils savaient que Fredrik allait fêter son cinquantième anniversaire. Qui plus est, il avait lui-même veillé à leur rappeler le grand jour, à intervalle régulier et de façon peu discrète. Il y avait plus de trois semaines qu'Inger Johanne avait rassemblé des fonds, deux cents couronnes chacun[1], et était

1. Un peu plus de 25 euros.

allée seule chez Ferner Jacobsen acheter un coûteux pull-over en cachemire au professeur le plus snob de l'institut. Mais elle avait oublié le gâteau. Personne ne lui avait demandé de s'en souvenir. Pourtant, tout le monde la regarda avec surprise lorsqu'elle revint de la bibliothèque universitaire. Le déjeuner était terminé et il n'y avait pas eu le moindre Lukket Valnøtt[1] sur la table. Pas de chansons, pas de discours. Fredrik était vert de rage. Les autres avaient l'air lésés, comme si elle avait trahi toute l'équipe à l'instant décisif.

– De temps en temps, les autres peuvent bien faire un effort, déclara-t-elle avant de claquer la porte de son bureau.

Cela ne lui ressemblait pas d'oublier ce genre de choses. Les autres avaient des raisons de compter sur elle. Elle s'en occupait toujours, et elle n'avait pas prévenu. Si elle s'était rappelée ce bon sang d'anniversaire, elle aurait toujours pu demander à Tine ou à Trond d'acheter un gâteau. Après tout, il s'agissait d'un cinquantième anniversaire. Elle ne pouvait pas non plus rejeter la faute sur Yngvar. Même s'il lui avait pris une nuit entière de sommeil, elle avait l'habitude de ce genre d'expérience. Elles avaient été nombreuses les premières années avec Kristiane.

Elle sortit la photocopie de son sac. La bibliothèque universitaire avait tous les journaux répertoriés par années sur microfilms. Il lui avait fallu moins d'une heure pour trouver l'avis de décès. Ce devait être celui-ci. Comme par une ironie du sort, ou plutôt comme une conséquence du tact d'un typographe bien connu dans le coin, l'avis était placé en bas de page, dans un coin : paisible, presque isolé.

---

1. Gâteau fourré à la crème de noix et à la confiture (framboises), enrobé de pâte d'amande, décoré ou non.

Mon cher fils
ANDERS MOHAUG
Né le 27 mars 1938
M'a quittée le 12 juin
Les obsèques ont eu lieu
dans la plus stricte intimité
Agnes Dorothea Mohaug

L'homme avait donc eu vingt-sept ans au moment de sa mort. En 1956, quand la petite Hedvig avait été enlevée, violée et assassinée, il en avait eu dix-huit.

– Dix-huit ans...

Il n'y avait pas de nécrologie. Inger Johanne avait cherché des articles *in memoriam*, mais avait dû abandonner en feuilletant des journaux datant de quatre semaines après les obsèques. Personne n'avait rien à dire sur Anders Mohaug. Sa mère n'avait même pas eu besoin de dispenser les gens d'envoyer fleurs ou couronnes.

Quel âge pouvait-elle avoir? Inger Johanne compta sur ses doigts. Si elle avait vingt-cinq ans à la naissance de son fils, elle devait en avoir presque quatre-vingt-dix. Quatre-vingt-huit. Si elle était toujours vivante. Elle pouvait être plus âgée. Le gamin pouvait être né tard.

– Elle est morte, murmura Inger Johanne en glissant la copie de l'avis de décès dans sa pochette plastique.

Elle décida malgré tout d'essayer. L'adresse avait été facile à trouver; dans un annuaire téléphonique de 1965. Les renseignements expliquèrent que c'était une tout autre femme qui habitait à présent à l'ancienne adresse d'Agnes Mohaug. Cette dernière n'était plus enregistrée comme ayant le téléphone, l'informa la voix métallique du 180.

Quelqu'un pouvait cependant se souvenir d'elle. Ou

de son fils. Au mieux, quelqu'un pouvait se souvenir d'Anders.

Cela valait la peine d'essayer, et l'ancienne adresse à Lillestrøm était à tout prendre un point de départ. Cela ferait plaisir à Alvhild. Pour une raison inconnue, c'était devenu important pour Inger Johanne. De faire plaisir à Alvhild.

37

ÉMILIE PARAISSAIT PLUS petite. Elle s'était comme ratatinée, et ça énervait le type. Ses mâchoires frottaient l'une contre l'autre, et il entendait ses molaires crisser. Il essaya de se détendre. Émilie n'avait pas à se plaindre de la nourriture. Elle recevait à manger.

– Pourquoi tu ne manges pas ? demanda-t-il durement.

La petite ne répondit pas, mais tenta au moins de sourire. C'était déjà ça.

– Il faut que tu manges.

Le plateau était lisse. Le bol de soupe glissa d'un côté, puis de l'autre, lorsqu'il se pencha pour le poser par terre.

– Tu peux me promettre de manger ça ?

Émilie hocha la tête. Elle tira l'édredon sur elle, jusqu'à son menton ; il ne pouvait plus voir combien elle était maigre. Bien. Elle sentait. Il sentait des relents d'urine jusqu'à la porte. Une odeur malsaine. Un instant, il songea à aller à l'évier voir si elle était à court de savon, mais il décida de laisser tomber. Il est vrai qu'elle portait les mêmes vêtements depuis plusieurs semaines, mais il ne s'agissait quand même pas d'un nourrisson. Elle pouvait laver sa culotte quand elle voulait. S'il restait du savon.

– Tu te laves ?

Elle acquiesça prudemment. Et sourit. Un sourire curieux pour cette gamine. Soumis, d'une certaine façon. Féminin. La petite fille n'avait que neuf ans, et avait déjà appris ce sourire propre à soumettre. Qui ne signifiait rien. Seulement la trahison. Un sourire de femme. Il sentit de nouveau la douleur à l'arrière de sa mâchoire, il fallait qu'il se ressaisisse. Qu'il se détende. Il devait retrouver le contrôle. Celui-ci l'avait trahi à Tromsø. Presque trahi. Les choses ne s'étaient pas déroulées comme prévu. Ce n'était pas sa faute. C'était le temps. Il pleuvait, ce n'était pas voulu. Qu'il fasse si froid non plus. Mai ! Mai, et le môme était empaqueté comme si on avait été en plein hiver. Ça ne pouvait pas aller. Peu importait, maintenant. Le gamin était mort. Et il était rentré chez lui. C'était le plus important. Il avait toujours le contrôle. Il respira à fond et fit un effort pour classer ses idées. Chaque chose à sa place. Pourquoi avait-il cette fillette ici ?

– Tu devrais faire attention, gronda-t-il.

Il détestait l'odeur de la gamine. Il se douchait pour sa part plusieurs fois par jour. Il n'était jamais mal rasé. Ses vêtements étaient toujours repassés. Sa mère sentait comme Émilie, de temps en temps, quand l'infirmière à domicile était en retard. Il ne le supportait pas. La pourriture humaine. Les odeurs corporelles avilissantes qui provenaient d'un manque de contrôle. Il déglutit violemment, sa bouche s'emplit de salive, et il sentit sa gorge se serrer jusqu'à lui faire mal.

– J'éteins la lumière ? demanda-t-il en faisant un tout petit pas en arrière.

– Non !

Il y avait de la vie en elle.

– Non ! Pas ça !

– Alors mange.

D'une certaine façon, c'était excitant d'être là. Il

avait fixé la porte métallique au mur grâce au crochet, mais elle pouvait quand même se refermer. S'il ne prenait pas garde. S'il tombait, par exemple, s'il perdait l'équilibre pendant une fraction de seconde et trébuchait vers la porte, le crochet sauterait du piton et la porte claquerait derrière lui. Ils seraient perdus. Tous les deux. Lui et la fillette. Il respirait rapidement. Il pouvait entrer dans la pièce et faire confiance au crochet. C'était un dispositif solide, il l'avait construit lui-même. Un piton vissé dans le mur, profondément, scellé pour bien tenir en place. Un crochet. Un gros. Il était costaud et ne sauterait jamais de lui-même. Il avança un peu davantage dans la pièce.

Contrôle.

Le temps l'avait trahi. Il avait dû étouffer l'enfant. Ce n'était pas comme cela que ça aurait dû se passer. C'est vrai, il n'avait pas particulièrement prévu de kidnapper l'enfant comme il l'avait fait avec les autres. C'était futé de faire les choses d'une manière différente d'une fois sur l'autre. Perturbant. Pas pour lui, bien entendu, mais pour les autres. Il savait pertinemment que le petit garçon dormait au moins quelques heures tous les jours. Au bout d'une heure, il était déjà trop tard. Pas pour lui, mais pour les autres.

Il aurait mieux valu qu'Émilie fût un garçon.

– J'ai un fils, déclara-t-il.

– Mmm.

– Il est plus jeune que toi.

La petite avait l'air terrorisée. Il fit un autre pas vers le lit. Émilie se plaqua au mur. Son visage n'était qu'yeux.

– Tu sens épouvantablement mauvais, articula-t-il avec lenteur. On ne t'a pas appris à te tenir propre ? Tu ne monteras pas regarder la télé si tu pues à ce point.

Elle ne faisait toujours que le regarder. Son visage était blanc, à présent ; pas chair, pas rose. Blanc.

– Tu es une petite nénette, toi.

La respiration d'Émilie atteignait une cadence démentielle. Il sourit et se détendit.

– Mange. Il vaut mieux que tu manges.

Il recula alors en direction de la porte. Le crochet était froid au bout de ses doigts. Il le souleva précautionneusement du piton avant de laisser la porte se refermer entre l'enfant et lui. Il posa la main sur l'interrupteur, et sentit une satisfaction mêlée de toute-puissance devant la clairvoyance qui lui avait fait le placer à l'extérieur de la pièce. Il le bascula en position éteinte ; il y avait un toucher particulier dans ce déclic, une agréable résistance qui le poussa à faire le geste plusieurs fois. Allumé, éteint. Allumé, éteint.

Il laissa finalement la lumière allumée, et remonta regarder la télé.

38

– NOUS AVONS LES LISTES de tous ceux qui ont pris l'avion en provenance et à destination de Tromsø avant et après le meurtre de Glenn Hugo. La police locale fait un boulot de brute consistant à rassembler les enregistrements vidéo de toutes les stations-service dans un rayon de trois cents kilomètres. Les compagnies de cars essaient d'établir une liste de tous leurs passagers, ce qui est beaucoup moins évident. L'express côtier travaille sur des listes similaires, tout comme les autres compagnies de ferries rapides.

Sigmund Berli se gratta la nuque et tira sur son col.

– Cela ne laisse pas tellement d'autres moyens d'entrer et de sortir du Paris du Nord. Pour le moment, on n'a pas demandé l'aide des hôtels. On peut douter que le type ait pris une chambre, tu vois... après avoir supprimé un bébé, je veux dire.

– Cela doit faire des centaines et des centaines de noms.

– Plusieurs milliers, j'en ai bien peur. Les collègues travaillent d'arrache-pied pour les classer dans la base de données. Ils seront comparés avec...

Berli jeta un coup d'œil vers le tableau d'Yngvar Stubø, où les photos d'Émilie, Kim, Sarah et Glenn Hugo étaient fixées au moyen de grosses punaises bleues. Seul Kim faisait un sourire timide, les autres regardant avec gravité l'objectif.

– ... les listes que les parents ont données de tous ceux qu'ils ont rencontrés, connus, ou avec qui ils ont été en contact au moins une fois dans leur vie. Bon Dieu... Ces listes deviennent purement et simplement absurdes, Yngvar.

Sa voix se brisa, et il se râcla la gorge.

– Je sais que c'est nécessaire. Mais, c'est tellement...

– Frustrant. Une telle masse de noms, et absolument aucun rapport.

Yngvar eut un longuement bâillement et desserra son nœud de cravate.

– Et l'homme qui a été vu à...

Il ferma très fort les yeux tandis qu'il se concentrait.

– Soltunveien, parvint-il à se rappeler. Le bonhomme en gris ou en bleu.

– Personne ne s'est manifesté, répondit Berli d'une voix un rien plus gaillarde. Ce qui rend les observations sans cesse plus intéressantes. Il apparaît que le témoin avait raison, la femme en rouge était une voisine, elle dit qu'elle a dû rentrer de Langnesbakken autour de trois heures moins dix. Le gamin en vélo a lui aussi été identifié, il est venu se présenter avec son père ce matin, et n'a à l'évidence rien à cacher. Ni l'un ni l'autre n'ont vu ou entendu quoi que ce soit de suspect.

Le type qui était pressé sans vouloir... le montrer ? Il n'a pas donné de nouvelles. Ça pourrait donc bien être...

— Notre homme.

Yngvar Stubø se leva.

— Il avait entre vingt-cinq et trente-cinq ans. Il avait des cheveux. Mais encore ?

Il s'était planté face aux photos des enfants. Ses yeux couraient sur la série de clichés, sans répit.

— Pas grand-chose, je le crains. Ce témoin, son nom m'échappe, met certainement un point d'honneur à ne pas en dire trop. Il décrit la démarche, la silhouette, mais refuse de se lancer dans la description de traits hypothétiques.

— Pas insensé, à la vérité. S'il pense qu'il ne les a pas enregistrés. Qu'est-ce qui lui fait croire que notre homme pourrait avoir autour de trente ans ?

— Sa silhouette. Ses cheveux. Sa façon de marcher. Souple sans être tout à fait juvénile. Ses vêtements. Tout le bazar. Mais entre vingt-cinq et trente-cinq, ce n'est pas d'une précision époustouflante...

Yngvar Stubø se balança sur les talons.

— Mais *si*...

Il se tourna soudain vers son collègue.

— *Si* une personne qui correspond à cette description et qui avait une bonne raison de se trouver là ce dimanche après-midi ne se présente pas dans des délais plus que raisonnables, alors on aura sans nul doute possible fait un pas en avant.

— Un pas, acquiesça Berli. Pas beaucoup plus. Parce que dès le début, on suppose qu'il s'agit d'un homme. À tout prendre, il peut avoir entre vingt et quarante-cinq ans. En Norvège, il y a un bon paquet de gars dans cette tranche d'âge. Même avec des cheveux. En plus, c'était peut-être une perruque, pour ce qu'on en sait.

Le téléphone sonna. Pendant une fraction de seconde,

Yngvar Stubø ne sembla pas vouloir répondre. Il regarda fixement l'appareil avant de décrocher d'un geste sec.

– Ici Stubø.

Sigmund Berli se renversa dans son fauteuil. Yngvar ne disait pas grand-chose, se contentant d'écouter. Son visage était presque inexpressif ; seul un infime haussement du sourcil gauche indiqua une légère surprise. Sigmund Berli laissa sa main courir sur un étui à cigare posé sur la table devant lui. Le contact du bois poli était agréable sous le bout des doigts. Il ressentit tout à coup une sensation désagréable de faim béante ; son estomac le brûlait sans qu'il eût réellement envie de quelque aliment que ce fût. Yngvar mit un terme à la conversation.

– Du nouveau ?

Yngvar ne répondit pas. Il laissa son fauteuil décrire une demi-rotation sur son axe, de manière à pouvoir de nouveau étudier les visages des enfants sur le mur.

– Les parents de Kim vivent ensemble. Mariés. Même chose pour ceux de Glenn Hugo. La mère de Sarah est seule, mais la gosse allait chez papa un week-end sur deux. La mère d'Émilie est morte. Elle habitait chez son père.

– Habite, corrigea Berli. Émilie peut très bien être encore en vie. En d'autres termes, ces enfants sont un bon échantillon représentatif des enfants norvégiens. La moitié a des parents qui vivent ensemble, les autres vivent chez l'un des deux.

– Si ce n'est que le papa d'Émilie n'est pas le papa d'Émilie.

– Quoi ?

Le dispositif d'air conditionné s'arrêta sans prévenir.

– C'était Hermansen, d'Asker og Bærum, répondit Yngvar en montrant le téléphone. Un médecin les a appelés. Il ne savait pas quelle signification... Ou *si* ce qu'il avait à raconter pouvait avoir un intérêt pour l'enquête. Après ce qui s'est passé ce week-end, il a pourtant décidé d'outrepasser le secret professionnel, en accord avec ses supérieurs, pour nous révéler que le papa d'Émilie n'est pas son père biologique.

– Est-ce que Tønnes Selbu nous a dit quoi que ce soit à ce sujet ?

– Il n'est pas au courant.

– Il ne sait pas que... *Il ne sait pas* qu'il n'est pas le père de sa môme ?

Ils fixèrent tous les deux la photo d'Émilie. Le cliché était plus grand que les autres, il avait été pris par un photographe professionnel. L'enfant avait un menton étroit, une fossette s'y dessinait très légèrement. De grands yeux empreints de gravité. Une petite bouche aux lèvres charnues, des cheveux blonds retenus par une couronne de tussilages entrelacés. Une fleur s'était détachée et pendait sur son front.

– Tønnes Selbu et Grete Harborg étaient mariés lorsque cette dernière est tombée enceinte. Il a automatiquement été enregistré comme père de l'enfant. Personne n'a jamais douté qu'il le soit pour de bon. Hormis sa mère, donc, elle a bien dû... Enfin bref. Il y a deux ans, Grete et Tønnes ont décidé de s'inscrire au fichier des donneurs de moelle osseuse. Il était question d'un cousin qui était tombé malade, et toute la famille... Donc, à la grande surprise du médecin, les tests ont montré qu'il y avait peu de chances que Tønnes soit le père de son enfant. Ça a été découvert tout à fait par hasard. Le médecin avait fait un prélèvement sur Émilie un peu plus tôt, dans un autre contexte, et...

– Mais ils ne l'ont pas dit au bonhomme ?

– À quoi cela aurait-il servi ?

Yngvar était à présent littéralement collé à la photo d'Émilie, qu'il étudiait minutieusement en laissant son doigt parcourir la couronne de fleurs printanières jaunes.

– Tønnes Selbu est aussi bon père que les autres. *Meilleur* que la plupart, à en croire les rapports. Je connais bien les médecins. Pourquoi refileraient-ils à un type une info qu'il n'a pas demandée ? Dont il n'a pas l'utilité ?

– Mais c'est bien ce que j'aurais fait ! Bonté divine de saperlotte, si Sture et Snorre ne sont pas de moi, alors...

– Alors quoi ? Tu ne veux plus d'eux ?

Berli la ferma, au sens propre et sonore. Le claquement creux provoqua un petit rire sec chez Yngvar.

– Oublie ça, va, Sigmund. Ce qui importe, c'est de déterminer si cette information nous avance à quelque chose. Pour l'enquête.

Et si oui, ce serait quoi ? demanda-t-il d'une voix lointaine.

Snorre était aussi brun que son père. Anguleux. Comme taillé dans son nez, disaient souvent les gens. Même sans être particulièrement doué pour ce genre de choses, lui aussi pouvait voir de nettes ressemblances entre des photos le représentant à cinq ans et son jeune fils.

– Je n'en sais évidemment rien. Réveille-toi !

Yngvar fit claquer ses doigts devant le visage de son collègue.

– Ce que l'on doit trouver en premier lieu, c'est si ça en concerne d'autres.

– Si les autres gamins sont ou non les enfants de leurs géniteurs ? On va aller vérifier avant l'enterrement, comme ça, sonner à la porte et dire : « Veuillez nous excuser, mon bon monsieur, mais nous avons des raisons de croire que vous n'êtes pas le père de l'enfant que vous venez de perdre, est-ce qu'on peut faire une prise de sang ? Hein ? *Hein ? C'est ça, que tu es en train de me dire ?*

– Qu'est-ce qui te chiffonne ?

La voix d'Yngvar était calme et posée. Sigmund Berli l'admirait justement pour cela, ce talent qu'avait son aîné pour se maîtriser, toujours garder la tête froide, employer les mots justes. Berli était furieux.

– Nom de Dieu, Yngvar ! Tu comptes vraiment enfoncer toi-même le dernier clou dans le cercueil de ces gens-là, ou quoi ?

– Non. Je compte bien que cela se fasse avec discrétion. Une grande discrétion. Je ne souhaite pas du tout que Tønnes Selbu apprenne quoi que ce soit de ce dont on vient de parler. En ce qui concerne les autres pères, ça va être ton boulot de dégoter la petite astuce qui rendra une prise de sang naturelle. Et vite.

Sigmund Berli inspira profondément. Il joignit ensuite le bout des doigts de ses deux mains et crocheta ses pouces.

– Tu as une proposition ?

– Non. Tu as carte blanche.

– Super.

– Je suis sûr..., commença Yngvar avec dans la voix une nuance conciliante, comme celle d'un père qui tend la main à son fils impossible, ou pour le dire autrement, il y a deux choses que l'on doit savoir aussi vite que possible. La première, c'est si les enfants sont bien ceux de leurs parents. La seconde, c'est...

Sigmund Berli se leva.

– Je n'ai pas terminé, fit remarquer Yngvar.

– Alors termine. J'ai du pain sur la planche.

– On doit trouver de quoi sont morts Kim et Sarah.

– Les médecins disent qu'ils ne savent pas.

– Alors il va falloir qu'ils cherchent un peu mieux. Qu'ils fassent de nouvelles recherches. Qu'est-ce que j'en sais. Nous devons savoir de quoi sont morts ces gamins, et s'ils ont un père inconnu dans la nature.

– Un père inconnu ?

Sigmund Berli se montra plus accommodant. Les poings s'ouvrirent, la respiration se libéra.

– Tu veux dire que ces petits pourraient être... demifrères et demi-sœurs ?

– Je ne veux rien dire. Débrouille-toi pour faire ces tests. Bonne chance.

Sigmund Berli grommela une réponse. Yngvar Stubø eut la sagesse de ne pas lui demander de répéter, Sigmund pouvant de temps à autre dire des choses qu'il ne pensait pas. En tout cas, pas très longtemps après les avoir dites. Yngvar savait de plus très bien à quoi pensait son collègue. Le fils aîné de Sigmund Berli était un frêle blondinet. Tout le portrait de sa mère, disait-il souvent, non sans une fierté mal dissimulée.

Lorsque la porte se referma derrière Sigmund, Yngvar Stubø composa le numéro professionnel d'Inger Johanne. Sans succès. Il laissa sonner longtemps, sans résultat. Il essaya ensuite son numéro personnel. Elle n'était pas chez elle non plus, et il se surprit à s'agacer de ne pas savoir où elle était.

39

IL NE FAISAIT AUCUN DOUTE que la maison avait été construite juste après la guerre. Peut-être dans les années 1950. Un clapier de quatre appartements, selon toute probabilité des trois pièces avec cuisine et salle de bains. Le terrain était relativement grand ; ce n'était pas le manque de place qui caractérisait les petits patelins norvégiens au lendemain de la Seconde Guerre mondiale. Le bâtiment avait été récemment rénové. Une épaisse peinture jaune couvrait les murs, les tuiles paraissaient neuves. Inger Johanne se gara dans la rue, juste devant le portail. La clôture aussi avait été repeinte, et la laque verte était si brillante que la jeune femme se demanda un instant si elle avait bien fini de sécher.

Ça sentait la petite ville.

Le son d'une voiture, puis d'une autre, le brouhaha d'un jardin d'enfants derrière une haute haie, le martèlement provenant d'un chantier plus loin sur le trottoir opposé, les éclats de voix peu châtiés des menuisiers, les éclats de rire soudains d'une femme, par une fenêtre. Les sons d'une petite ville. L'odeur trahissant que quelqu'un était à la maison, occupé à faire le pain. La sensation d'être observée tandis qu'elle approchait de la petite surélévation au-dessus de la porte d'entrée, sans qu'elle sût qui épiait, ce que cette personne pensait, à supposer qu'elle cogite sur une autre idée que l'arrivée d'un étranger, d'un élément extérieur.

Inger Johanne était née et avait grandi à Oslo. Elle savait très peu de choses sur les petites villes, et elle était la première à le reconnaître. Les endroits comme celui-ci avaient malgré tout des aspects qui l'attiraient. Une vue d'ensemble. Une transparence. Le sentiment de faire partie d'un tout qui n'était ni énorme ni imprévisible. Cette idée revenait à intervalles sans cesse plus courts : les technologies modernes pouvaient parfaitement la dispenser d'habiter Oslo. Elle pouvait faire ses valises, partir à la campagne, dans un bourg comptant en tout et pour tout cinq magasins et un garage, un troquet et un arrêt de car, des appartements pas chers et une école pour Kristiane, qui avait besoin de gens autour d'elle, tout près, tout le temps. Et pourtant, l'idée ne la quittait pas. Elle sentait les regards depuis le premier étage de la maison jaune, depuis la fenêtre en saillie dans la villa de l'autre côté de la rue, des yeux qui la suivaient, derrière les persiennes et les rideaux ; on la voyait, on la remarquait, et elle en ressentait une étrange sensation de sécurité.

212

Lillestrøm ! Seigneur. Je deviens sentimentale en me promenant à Lillestrøm !

Le budget d'entretien de la coopérative d'habitation avait dû connaître un brusque coup d'arrêt lorsqu'on en était arrivé aux sonnettes. Celles-ci pendaient du mur, tachées de peinture jaune. Inger Johanne tenta d'appuyer sur l'une d'entre elles. Elle dut la maintenir d'une main en pressant de l'autre, et entendit un vilain tintement dans le lointain. Devant l'absence de réaction, elle essaya la suivante. La dame du premier, qui l'avait vue depuis sa fenêtre de cuisine sans savoir qu'elle était bien visible depuis l'allée, passa la tête à l'extérieur.

– Oui ?

– Bonjour ! Je suis Inger Johanne Vik, et j'aimerais...

– Un instant, je vous prie !

La femme descendit tranquillement l'escalier. Elle fit un sourire amène à Inger Johanne tout en entrouvrant la porte.

– C'est à quel sujet ?

– Comme je vous disais, je m'appelle Inger Johanne Vik. Je suis chercheuse à l'université d'Oslo, et je recherche une personne susceptible de me dire ce qu'est devenue une dame qui a habité ici, il y a longtemps. Il y a un bon moment, pour être honnête.

– Ah ?

La femme devait avoir largement plus de soixante ans. Ses cheveux étaient recouverts d'une écharpe de mousseline de soie. Sous le tissu à demi transparent bleu-vert, Inger Johanne aperçut d'énormes bigoudis, bleus et verts eux aussi.

– Je suis arrivée ici en 1967, l'informa-t-elle sans trahir la moindre intention de laisser entrer la visiteuse. Alors je peux peut-être vous être utile ? À qui faites-vous allusion ?

– Agnes Mohaug.

– Elle est morte, répliqua la bonne femme avec un grand sourire, comme si la possibilité de partager ce genre de nouvelle la remplissait de joie. Elle est décédée l'année où j'ai emménagé. Juste après, en fait. Elle habitait là.

La femme leva mollement une main, et Inger Johanne supposa qu'elle désignait l'appartement de gauche au rez-de-chaussée.

– Vous la connaissiez ?

L'autre rit. Ses collets jetèrent un éclat gris contre la chair rose maladif de ses gencives.

– Pas sûr que l'on puisse dire que quelqu'un ait connu Agnes Mohaug. Elle habitait cette maison depuis sa construction. En 1951, je crois que c'était. Et malgré tout, il n'y avait personne qui puisse réellement... Elle avait un fils. Vous le saviez ?

– Oui, je cherche...

– Un... un *idiot*, si vous voyez ce que je veux dire. Non que je l'aie connu, il est mort, lui aussi...

Elle éclata de nouveau d'un rire rauque et sans retenue, comme si elle trouvait l'anéantissement de la petite famille Mohaug effroyablement amusant.

– Il n'était pas bon, à ce que l'on dit. Loin de là. Mais Agnes Mohaug elle-même... Il n'y avait sans doute personne qui eût quoi que ce soit à lui reprocher. Elle restait repliée sur elle-même. Toujours. Une bien triste histoire que celle de ce gamin qui...

La dame se tut.

– Le gamin qui quoi ? risqua Inger Johanne.

– Oh...

Elle hésita. Puis elle passa très vite la main sur ses bigoudis.

– Ça fait si longtemps... Et puis, comme je vous l'ai dit, je ne peux pas dire que je connaissais madame Mohaug. Elle est morte quelques mois après mon arrivée. À ce moment-là, cela faisait plusieurs années que son fils avait disparu. Longtemps, en tout cas.

– Justement...

– Mais...

Le visage de la femme s'éclaircit. Elle exhiba de nouveau un sourire qui sembla diviser son visage étroit en deux moitiés.

– Allez sonner chez Hansvold, au 44 ! Là !

Sa main s'agita en direction du bâtiment voisin, sis à une centaine de mètres, séparé du numéro 46 par une vaste pelouse et une clôture métallique arrivant à hauteur de hanche.

– Hansvold est le plus ancien habitant du coin. Il doit avoir plus de quatre-vingts ans, mais il a toute sa tête. Si vous avez une minute, je me ferai un plaisir de vous accompagner pour vous présenter...

Elle se pencha confidentiellement un peu plus, sans pour autant ouvrir davantage sa porte.

– ... puisque je vous connais, j'entends. Un instant, je vous prie.

– C'est tout à fait superflu, se hâta de préciser Inger Johanne. Je m'en sortirai. Mais merci ! Merci beaucoup.

Pour que la femme à l'écharpe de mousseline de soie n'ait pas le temps de se changer, Inger Johanne se mit à marcher d'un bon pas vers le portail. Un enfant poussa un cri depuis la cour toute proche. Le menuisier sur l'échafaudage de l'autre côté de la rue lança un affreux juron et menaça de porter plainte contre un type en costume qui agitait les bras d'un air désemparé en désignant un malaxeur renversé. Une voiture bondit sur un ralentisseur au moment où Inger Johanne descendait du trottoir ; elle sursauta et mit le pied dans une flaque de boue.

La petite ville avait déjà perdu une partie de son charme.

– MAIS JE NE COMPRENDS toujours pas pourquoi vous voulez savoir ça.

Harald Hansvold frappa la tête de sa pipe contre un
gros cendrier de cristal. Une fine poudre de tabac
consumé se répandit sur la surface brillante. Le vieil
homme bien mis avait des difficultés manifestes à voir
net. Un voile gris terne rendait les contours d'une de
ses pupilles indistincts, et il avait renoncé à porter des
lunettes. Inger Johanne le soupçonnait de ne voir que
des ombres autour de lui. Il l'avait laissée, elle, une
étrangère absolue, aller chercher le Mozell[1] et les
gâteaux secs dans la cuisine. Cela mis à part, il avait
l'air en bonne santé ; sa main était sûre au moment de
bourrer de nouveau sa pipe. Sa voix était calme, et il
n'eut aucun mal à se rappeler Agnes Mohaug, la voisine affligée d'un fils aux dons quelque peu limités,
selon la formulation pour laquelle il opta.

– Il était facile à diriger. Je crois que c'était ça le
problème, à la base. Évidemment, ce n'était pas facile
pour lui de se faire des amis. De vrais amis, je veux
dire. Vous ne devez pas oublier que c'était une époque
tout à fait différente, une époque où... la tolérance pour
les gens qui sont différents...

Il exhiba un sourire crispé.

– ... n'était pas du tout comparable.

Inger Johanne ne sut pas si l'homme essayait d'être
ironique. Elle ressentit un coup sous le sternum, et but
une gorgée de Mozell. La boisson était bien trop sucrée
et, dans son ahurissement, elle en laissa la majeure partie couler hors de sa bouche et retomber dans le verre.

– Anders n'était pas un mauvais gars, loin de là,
poursuivit Hansvold, imperturbable. Ma femme l'a
invité, de temps en temps. Ça m'inquiétait, parfois,

1. Boisson pétillante sucrée aux fruits.

j'étais pas mal absent, en déplacement. Oui, je suis conducteur de locomotive en retraite, vous savez.

Il n'était pas surprenant que Harald Hansvold s'obstine à la vouvoyer, si l'on prenait en compte l'âge du locuteur. Il y avait néanmoins quelque chose d'étonnamment raffiné chez ce vieil homme et dans son appartement, aux murs entièrement couverts de livres à l'exception de trois lithographies modernes. D'une certaine façon, cela ne cadrait pas avec une longue carrière au sein de la NSB[1]. De crainte que ses préjugés ne soient trop visibles, elle démontra son intérêt par des hochements de tête appuyés, comme si conduire des locomotives était une activité sur laquelle elle avait toujours désiré en apprendre davantage.

— Tout jeune, il n'était pas dangereux, bien sûr. Mais après avoir passé la puberté... il est devenu drôlement costaud. Grand, fort. Mais vous savez...

Il pointa en un geste éloquent son index contre sa tempe.

— Et puis, il y avait cet Asbjørn Revheim.

— Asbjørn Revheim ?

— Oui, vous devez bien le connaître ?

Inger Johanne acquiesça, déboussolée.

— Oui, bien sûr, bredouilla-t-elle.

— Il a grandi là, juste à côté. Vous ne saviez pas ? Cette biographie qui est sortie à l'automne dernier, vous auriez dû la lire. Un type remarquable. Un bouquin très intéressant. Vous savez, Asbjørn était un rebelle dès son plus jeune âge. Il s'habillait de la façon la plus surprenante. Sa conduite attirait toujours l'attention des gens. Dans le fond, il n'était pas comme les autres.

— Non, tenta Inger Johanne. Il ne l'a jamais été.

Harald Hansvold gloussa et secoua la tête.

1. Norges Statsbaner, les chemins de fer norvégiens.

– Un dimanche, ce devait être en 1957 ou en 58...
c'était en 57 ! Juste après la mort du roi Haakon,
quelques jours plus tard seulement, en plein deuil national...

Il caressa sa pipe, qui refusait de s'allumer correctement.

– Le gamin a organisé une exécution devant le jardin d'enfants. Oui, enfin, il n'y avait pas de jardin d'enfants, à cet endroit, à l'époque. C'était la Maison des
Scouts qui était là, avant. Dans le temps.

– Une... exécution ? Une mise à mort ?

– Oui. Il avait capturé un chat sauvage et l'avait
déguisé avec des habits royaux. Hermine et couronne.
Sa cape était une vieille peau de lapin avec des taches
de peinture. Il avait aussi dû faire la couronne lui-
même. Ce pauvre diable de chat hurlait et gémissait, et
fut exécuté sur une potence faite maison.

– Mais c'était... mais c'était... de la maltraitance à
animaux !

– Et comment !

Il n'arrivait pourtant pas à s'empêcher de sourire.

– Ça a fait du ramdam, vous pouvez me croire ! La
police a débarqué, et les bonnes femmes de la rue
braillaient tant qu'elles pouvaient. Asbjørn en faisait
tout un plat, et affirmait qu'il s'agissait d'une manifes-
tation politique contre la famille royale. Il voulait brûler
le cadavre du chat, et avait déjà préparé un bûcher
quand les forces de l'ordre sont intervenues pour mettre
un terme à la comédie. Vous pouvez sans peine comprendre qu'au lendemain de la disparition d'un
monarque bien aimé de son peuple comme l'était le roi
Haakon...

Le sourire disparut sans crier gare. L'œil gris se fit
plus terne, comme si le regard de l'homme se tournait
en dedans, vers le passé.

– Le pire, poursuivit-il d'une voix plus faible, tout à

fait différente, le pire, c'était probablement qu'il avait habillé Anders en bourreau. Torse nu, avec une cagoule noire sur la tête. Agnes Mohaug prit la chose en pleine poire. Mais c'était comme ça.

Le silence était des plus pesants dans l'appartement. Pas une horloge, pas une radio lointaine que personne n'écoutait. Le logis de Harald Hansvold n'était pas celui d'un vieil homme. Les meubles étaient neutres, les rideaux blancs, et pas un pot de fleurs n'occupait les appuis de fenêtres.

— Tu as lu Revheim ? demanda Hansvold d'un ton aimable, en passant au tutoiement.

— Oui. L'essentiel, je crois. Il doit faire partie de ceux pour qui on a facilement un coup de foudre quand on est au collège. En tout cas, cela a été mon cas. Il était tellement... direct. Subversif, tu l'as dit toi-même. Si fort... dans cette attitude qui le poussait à rester seul. Complètement seul avec ce en quoi l'on croit. C'est le genre de chose qui touche, à cet âge.

— Il y avait bien d'autres choses, reprit-il. Dans ce qu'il écrivait, je veux dire. Qui accaparent les jeunes de cet âge-là. Les collégiens.

— Oui. Anders Mohaug, est-ce qu'il était...

— Comme je te l'ai dit, soupira pesamment Hansvold, Anders Mohaug était facile à diriger. Alors que les autres gosses du coin le fuyaient comme la peste, Asbjørn Revheim était bien disposé à son égard. Ou...

Son regard se fit de nouveau lointain, comme s'il rembobinait sa mémoire sans trop savoir où s'arrêter.

— D'ailleurs, il n'était pas gentil. Il se servait d'Anders. Aucun doute là-dessus. Il était de plus relativement méchant, cela a été prouvé maintes et maintes fois. Dans ce qu'il écrivait aussi. Anders Mohaug, un type à la comprenette franchement laborieuse. Par bien des aspects. L'amitié n'est pas faite de cela.

— Ne dis pas ça.

219

– Oh si, je le dis.

Pour la première fois, sa voix avait une tonalité tranchante.

– Est-ce que tu as entendu parler d'une affaire policière en 1965 ? demanda rapidement Inger Johanne.

– Une quoi ? Une affaire policière ?

– Oui. Est-ce qu'Anders a eu des ennuis avec la police ?

– Ouais... On l'emmenait bien au poste chaque fois qu'Asbjørn trouvait une ânerie à faire et entraînait le pauvre bougre avec lui. Mais il n'a jamais été question de quoi que ce soit de sérieux.

– Et tu es sûr de ça ?

– Dites-moi...

Elle aurait maintenant pu jurer qu'il avait le regard d'un aigle. Le voile gris terne faisait paraître son œil gauche plus gros que le droit, il n'était plus possible de voir autre chose.

– Pourriez-vous être plus précise ?

– J'ai des raisons de croire qu'en 1965, la mère d'Anders a pris contact avec la police, après la mort de son fils. Elle pensait qu'il s'était rendu coupable d'un crime, de nombreuses années auparavant. Quelque chose de grave. Pour lequel un autre homme avait été condamné.

– Agnes Mohaug ? Agnes Mohaug aurait dénoncé son propre fils à la police ? Impensable.

Il secoua énergiquement la tête.

– Mais il était mort.

– Cela ne change rien. Cette femme vivait pour Anders. Il était tout ce qu'elle avait. Et cela lui a réellement fait honneur de s'occuper de lui et de prendre soin de lui jusqu'au bout. Le dénoncer, pour quoi que ce soit... même après...

Il renonça à sa pipe et la posa sur le bord du cendrier.

– Je n'arrive pas à l'imaginer.

– Et vous n'avez jamais entendu... de rumeurs ?

Hansvold pouffa de rire et joignit les mains sur son ventre.

– J'ai entendu bien plus de rumeurs que je ne l'aurais désiré. Nous sommes dans une petite ville. Mais si vous faites allusion à des rumeurs sur Anders... non. Pas dans le sens que vous évoquez.

– À savoir ?

– Que le gamin ait pu se rendre coupable d'un crime plus grave que celui de se laisser entraîner dans l'assassinat d'un chat.

– Alors je ne vais pas vous déranger davantage.

– Vous ne me dérangez absolument pas. C'était bien agréable d'avoir de la visite.

Lorsqu'il la raccompagna à la porte, elle remarqua la grande photographie d'une femme d'une cinquantaine d'années, suspendue au mur dans l'entrée. Les lunettes que le modèle portait laissaient penser que le cliché avait dû être pris dans les années 1970.

– Ma femme, expliqua Hansvold avec un petit mouvement de tête en direction du cadre. Randi. Une femme fabuleuse. Elle avait une emprise toute particulière sur Anders. Madame Mohaug pouvait se reposer sur Randi. Lorsque Anders était ici, ils pouvaient passer des heures à faire des puzzles ou à jouer à la canasta. Randi le laissait systématiquement gagner. Comme s'il était un petit garçon.

– Et c'est peut-être bien ce qu'il était. D'une certaine façon.

– Oui. En un sens, c'était un petit garçon.

Il se tourna vers elle et se passa un doigt sur l'arête du nez.

– Mais un homme, aussi. Un adulte de belle taille. Ne perdez pas ça de vue.

– C'est promis. Merci beaucoup de votre aide.

EN RETOURNANT à Oslo, elle contrôla sa boîte vocale. Deux messages d'Yngvar, qui la remerciait pour la soirée passée et se demandait où elle était. Inger Johanne ralentit et se rangea derrière un poids lourd, à bonne distance. Elle repassa les messages. Un semblant d'irritation, ou peut-être d'angoisse, était perceptible dans le deuxième message. Inger Johanne tenta de déterminer si elle l'appréciait ou si cela la mettait hors d'elle.

Sa mère avait appelé trois fois. Elle n'abandonnerait pas ; Inger Johanne composa donc immédiatement son numéro abrégé, et resta dans la file de droite.

– Salut, maman.

– Salut ! C'est gentil d'appeler. Ton père vient de s'enquérir de ton sort, il...

– Alors il n'a qu'à appeler, fais passer.

– Appeler ? Mais tu n'es jamais chez toi, chérie ! On s'est un peu inquiétés quand on n'a pas eu de nouvelles pendant plusieurs jours après que tu as été absente, en voyage ou je ne sais quoi. Tu as eu le temps d'aller voir Marion ? Comment va-t-elle, maintenant, avec le nouveau...

– Je ne suis allée voir personne, maman. J'étais au boulot.

– D'accord, mais dès que tu as été dans le coin, tu pouvais bien...

– Il se trouve que j'ai pas mal de pain sur la planche, en ce moment. Quand j'ai eu fini ce que j'avais à faire, je suis rentrée à la maison.

– Bien. Super, ma fille.

– Tu avais laissé des messages sur ma boîte vocale. Plusieurs. Tu voulais quelque chose en particulier ?

– Simplement savoir comment ça allait. Et vous inviter, toi et Kristiane, à dîner vendredi. Ce sera bien pour toi de pouvoir penser à autre chose qu'à...

– Vendredi... il faut que j'y réfléchisse.

Le semi-remorque peinait sur les côtes douces en direction de Karihaugen. Inger Johanne se déporta sur la gauche et dépassa tout en accélérant. Elle perdit son oreillette.

— Attends ! cria-t-elle dans rien. Ne raccroche pas, maman !

Au moment de rattraper le fil, elle lâcha le volant. La voiture fit un écart dans la file voisine, et une Volvo pila pour éviter la collision. Inger Johanne saisit le volant des deux mains, tout en regardant droit devant elle.

— Ne raccroche pas, répéta-t-elle durement.

Elle parvint à repêcher son oreillette sans quitter la route des yeux.

— Qu'est-ce qui s'est passé ? cria sa mère à l'autre bout du fil. Tu conduis de nouveau en téléphonant ?

— Non, je téléphone en conduisant. Et il ne s'est rien passé.

— Un de ces jours, tu vas te tuer, comme ça. Il n'est quand même pas nécessaire de tout faire en même temps !

— On vient vendredi, maman. Et au fait...

Son cœur battait toujours douloureusement la chamade dans sa poitrine. Elle se rendit soudain compte qu'elle n'avait rien mangé depuis le petit déjeuner.

— Tu crois que Kristiane pourrait rester chez vous jusqu'à samedi dans la journée ?

— Bien sûr ! Vous ne pouvez pas passer la nuit toutes les deux ?

— J'ai des choses prévues, maman, mais ça aurait été...

— Des choses ? Vendredi soir ?

— Kristiane peut rester, oui ou non ?

— Bien sûr, ma bonne amie. Elle est toujours la bienvenue chez nous. Et toi aussi. Tu le sais bien.

— Oui. Alors on dit six heures.

Elle raccrocha avant que sa mère n'ait eu le temps d'ajouter quoi que ce fût. Inger Johanne n'avait pas de projets pour la nuit de vendredi à samedi. Elle ne comprenait pas pourquoi elle avait posé la question. Isak et elle étaient d'accord : s'ils avaient besoin de faire garder Kristiane, ils s'adresseraient toujours l'un à l'autre. En premier lieu.

Elle composa à nouveau le numéro de sa boîte vocale. Les messages d'Yngvar Stubø avaient été effacés. Elle avait dû presser une touche par inadvertance. Line avait téléphoné pendant qu'Inger Johanne était en communication avec sa mère.

« Salut, c'est Line. Je voulais juste te rappeler la réunion de lecture de mercredi. C'est ton tour, je te rappelle. Et gare à toi si tu ne peux pas. Contente-toi de quelque chose de simple ; on apportera le vin. On vient à huit heures. Salut, toute belle ! »

– Bordel !

Inger Johanne était relativement polychrone. Son quotidien tournait rond parce qu'elle était capable de faire beaucoup de choses en même temps. Elle pouvait préparer l'anniversaire de Kristiane tout en faisant la lessive, tandis qu'elle discutait au téléphone. Elle écoutait une émission à la radio en lisant le journal, et retenait les informations de l'une et de l'autre. Sur le chemin de l'école maternelle, elle réfléchissait à la fois au dîner et à ce que Kristiane devrait porter le lendemain. Elle cuisinait une bouillie d'avoine en se brossant les dents et en lisant une histoire à Kristiane ; simultanément. Lorsque, à de rares occasions, elle avait prévu de se divertir en compagnie, elle conduisait Kristiane chez ses parents ou chez Isak tout en se maquillant dans le rétroviseur intérieur de la voiture. Ainsi étaient les femmes. Elle en particulier.

Mais pas au boulot.

Inger Johanne avait embrassé la carrière de chercheur parce qu'elle aimait approfondir les choses. Ça ne s'arrêtait pourtant pas là. Elle n'aurait jamais pu devenir avocate ou bureaucrate. Chercher, c'était avoir le droit d'être minutieux. De faire une seule chose à la fois. D'avoir une vision large, approfondie, de passer du temps à voir des connexions. La recherche lui laissait la possibilité de douter. Si le quotidien était fait de décisions minute et de solutions qui valaient ce qu'elles valaient, de compromis et de raccourcis finauds, son travail lui laissait la chance de recommencer une tâche si elle n'en était pas satisfaite.

À présent, tout merdait.

Lorsqu'elle avait accepté avec quelque réticence d'étudier l'erreur judiciaire dont Aksel Seier avait été la victime, c'était en raison de l'intérêt que cette affaire présentait pour son projet. À un moment donné – elle ne pouvait pas exactement déterminer quand – cette histoire avait commencé à avoir une vie propre. Elle n'avait plus rien à voir avec l'institut, avec la recherche. Aksel Seier était un mystère qu'elle partageait avec une vieille dame, et son attirance pour ce mystère alternait avec la volonté de tirer un gros trait noir dessus.

Elle s'était ensuite laissé entraîner dans les travaux d'Yngvar Stubø.

Je peux courir tellement de petits lièvres à la fois, songea-t-elle en sortant à Tåsenlokket. *Mais pas les gros. Pas au boulot. Pas deux gros projets aussi prenants en même temps*.

Et pas cinq filles mercredi à dîner. Elle n'en avait tout bonnement pas la force.

40

IL N'ÉTAIT QUE vingt-trois heures, lundi 29 mai, mais Inger Johanne était déjà couchée depuis une heure. Elle devait être vannée. Une certaine agitation la tenait néanmoins éveillée, sans qu'elle en connût l'origine. Elle ferma les yeux et pensa que c'était le Memorial Day. Cape Cod avait eu son premier week-end estival. Les volets avaient été démontés. Les pièces aérées. The Star Spangled Banner flottait sur des mâts repeints de frais, une fierté nationale en bleu, blanc et rouge qui claquait au vent tandis que les voiliers croisaient entre Martha's Vineyard et le continent.

Warren était probablement allé à Orleans, installer femme et enfants pour l'été dans la maison donnant sur Nauset Beach. Les gosses devaient être adultes, à présent. Adolescents, en tout cas. Sans le vouloir, elle se mit à calculer. Elle focalisa ensuite son attention sur Aksel Seier. Elle avait devant elle la liste des employés du ministère de la Justice sur la période 1964-1966. La liste était longue et ne lui apprenait rien. Des noms. Des gens. Des gens qu'elle ne connaissait pas, dont les noms ne lui donnaient aucune information.

Elle avait passé son temps à jeter des coups d'œil par-dessus son épaule, à Cape Cod. Ils ne se rencontreraient évidemment pas. Pour commencer, il y avait un gros quart d'heure de route entre Harwichport et Orleans. Il y avait ensuite fort peu de raisons pour que quelqu'un aille d'Orleans à Harwichport ; la circulation se faisait dans l'autre sens. Orleans était une grosse ville. Plus grosse, en tout cas. Davantage de magasins. De restaurants. L'imposante Nauset Beach, tournée sur l'Atlantique, reléguait Nantucket Sound au rang de pataugeoire. Elle savait qu'elle ne le rencontrerait pas. Et pourtant, elle regardait par-dessus son épaule.

Une fois encore, elle laissa son doigt courir sur les pages. Qui ne lui disaient toujours rien. Le directeur général, le supérieur d'Alvhild en 1965, était mort depuis presque trente ans. *Exit.*

Inger Johanne lâcha son feutre, qui tomba dans un pli de la housse de couette. Une tache noire grossit à toute vitesse au milieu de tout ce blanc. Le téléphone sonna.

Numéro inconnu, affichait l'écran.

Inger Johanne ne connaissait personne ayant un numéro secret.

Ce devait être Yngvar.

Yngvar et Warren devaient avoir à peu près le même âge, pensa-t-elle.

La sonnerie retentissait toujours lorsqu'elle s'allongea et tira la couette par-dessus sa tête.

Le lendemain matin, il lui sembla se rappeler que le téléphone avait tinté encore deux ou trois fois. Pas facile à dire ; elle avait dormi comme une bûche, d'un sommeil sans rêve, d'une traite.

41

BIEN QUE LE PERSONNEL eût été renforcé de deux jeunes filles de l'école d'application en raison des circonstances exceptionnelles, la directrice était nerveuse. Car en fin de compte, c'était elle la responsable. L'excursion au musée norvégien des Sciences et Techniques était selon elle aussi risquée que superflue. Les autres l'avaient persuadée. Ce n'était pas si loin que les enfants ne puissent y aller à pied, et ils étaient quand même quatre adultes pour dix enfants. Ceux-ci l'attendaient depuis longtemps, et il devait y avoir des limites à ce que ce kidnappeur fou était capable d'accomplir. On était en plein jour, l'horloge n'avait pas encore dépassé midi.

Les marmots avaient entre trois et cinq ans. Ils se tenaient par la main, deux par deux. La directrice allait devant, les bras en croix, comme si elle protégeait les enfants de la sorte. Une des jeunes filles marchait en queue de peloton, tandis que l'unique employé masculin surveillait l'aile en faisant marcher les enfants en rythme sur des chants militaires. Du côté des immeubles, il y avait Bertha, qui ordinairement travaillait aux cuisines.

– Droite, gauche, une, deux, trois, tous en rythme, pas de jambe de bois ! gueula le bonhomme. Un pied, deux pieds, posez ! Serrez les fesses, suivez !

– Chht ! intima la directrice.

– Les fesses, piaillèrent les petits. Il a dit les fesses !

Bertha trébucha dans un trou de l'asphalte et se détacha du groupe. L'une des jeunes filles abandonna sa copine pour lui porter secours.

– Les fesses, répétèrent deux garçons. Les fesses, les fesses !

Ils passèrent l'entrée du parking de REMA 1000[1]. Une camionnette essaya de s'insérer dans Kjelsåsveien. La directrice brandit le poing à l'attention du chauffeur, qui répondit en pointant un majeur vers le plafond de son habitacle. Le véhicule continua à avancer lentement. Bertha poussa un cri, la petite Eline était pétrifiée devant le pare-chocs. Un chien errant vint vers eux en se tortillant. Il se mit à sauter en remuant la queue autour de trois des gamins, qui essayaient tant bien que mal d'attraper son collier vert. Son propriétaire brailla depuis le sentier vers l'Akerselva. Le chien dressa les oreilles et bondit. Les freins d'une Volvo hurlèrent.

1. Chaîne de supermarchés.

L'aile droite heurta l'animal qui poussa un cri et poursuivit sa course sur trois pattes. Eline pleurait. Le chauffeur de la camionnette baissa sa vitre et poussa un vilain juron. Les filles de l'école d'application tenaient chacune un môme par le col de blouson, et tentaient d'empêcher les autres de se tailler dans la rue en se plantant sur le bord du trottoir, jambes écartées. Bertha releva Eline par le bras. La camionnette grimpa sur le trottoir et accéléra vers Frysjaveien. Le chien couina dans le lointain. Son maître s'était accroupi à côté de lui et essayait de le réconforter. La conductrice de la Volvo verte s'était arrêtée en plein milieu de la rue, avait ouvert sa portière et ne savait manifestement pas si elle devait sortir. Il y avait déjà quatre voitures derrière elle ; deux donnèrent des coups d'avertisseur teigneux.

– Jacob, s'enquit la directrice. Où est Jacob ?

PAR LA SUITE, LORSQUE l'unique employé masculin de l'école maternelle de Frysjakroken, Marius Larsen, dut faire à la police le récit de ce qui s'était réellement produit devant le REMA 1000 de Kjelsåsveien un peu avant midi ce mercredi 31 mai, il ne parvint pas à établir une chronologie précise. Il se souvenait de tous les éléments de l'histoire. Il y avait un chien et une Volvo. Le conducteur de la camionnette était étranger. Le propriétaire du chien avait un pullover rouge. Eline pleurait à fendre l'âme, et Bertha s'était pris les pieds dans Dieu sait quoi. À cause de son surpoids non négligeable, il avait fallu un peu de temps pour qu'elle se remette sur ses quilles. La Volvo était verte. Ils chantaient des rengaines militaires. Ils allaient au musée norvégien des Sciences et Techniques. Le chien était un braque ; gris et brun.

Marius Larsen avait tous les morceaux, mais ils n'allaient pas ensemble. Il finit par demander de pouvoir les écrire. Un officier patient lui donna des Post-it jaunes ; un pour chaque événement. Il les plaça les uns à la suite des autres, les changea de place, gambergea, se tritura les méninges, écrivit de nouveaux papiers de ses doigts raides et bandés, réessaya.

La seule chose qu'il connaissait de façon sûre et certaine, c'était la fin de l'histoire.

– JACOB, S'ENQUIT LA DIRECTRICE. Où est Jacob ?

Marius Larsen lâcha deux des gamins. Il fit volte-face et constata que le petit se trouvait déjà à cent cinquante mètres de là, sous le bras d'un homme qui ouvrait la portière d'une voiture garée devant un garage un peu plus loin dans la rue, vers l'est.

Marius se mit à courir.

Il perdit l'une de ses chaussures.

Au moment où il approchait de la voiture, il ne devait pas lui rester plus de dix ou douze mètres, le moteur démarra. Le véhicule s'arracha sèchement au trottoir et partit sur la chaussée. Marius ne s'arrêta pas. Jacob était invisible. Il devait être étendu sur la banquette arrière. Marius se jeta sur la poignée de porte. Une canette de bière brisée s'enfonça dans son pied nu. La portière s'ouvrit d'un seul coup, et Marius perdit l'équilibre. Le conducteur pila, et les gonds craquèrent. Jacob pleurait. Marius ne lâcha pas prise, il tenait bon, par la fenêtre ; il enserrait complètement l'encadrement et ne lâcherait pas. La voiture se remit en mouvement, par à-coups, avant d'accélérer brusquement. Marius ne put plus tenir, il ne sentait plus ses mains et son pied blessé saignait en abondance. Il se retrouva par terre, au milieu de Kjelsåsveien.

Jacob hurlait à côté de lui.

Le petit garçon s'était cassé la jambe dans sa chute,

comme on le constaterait plus tard. Il était par ailleurs sain et sauf. Compte tenu des circonstances.

CINQ HEURES PLUS TARD, pratiquement à la minute près, à cinq heures moins dix mercredi après-midi, Yngvar Stubø, Sigmund Berli et quatre enquêteurs du commissariat d'Asker og Bærum attendaient devant une porte dans un immeuble de Rykkinn. Une odeur humide de béton mêlée d'effluves de dîner bon marché flottait dans la cage d'escalier. Aucun voisin curieux ne passa la tête à la porte pour regarder. Aucun mioche n'était venu vers eux lorsqu'ils avaient garé trois voitures sombres juste devant le bâtiment ; trois voitures identiques aux gyrophares mal dissimulés sur la calandre. Tout était calme. Il fallut trois minutes pour crocheter la serrure.

— Je suppose que les formalités sont en ordre, risqua Yngvar Stubø en entrant.

— À la vérité, je m'en contrefous.

L'agent d'Asker og Bærum lui emboîta le pas. Yngvar se retourna et lui barra la route.

— C'est justement maintenant que nous devons être vigilants quant à ce genre de choses.

— Mais oui, mais oui. Tout est en ordre. Bouge.

Yngvar ne savait pas à quoi il s'était attendu. À rien, imagina-t-il. C'était mieux ainsi. Rien ne le surprendrait, jamais. Il avait son propre rituel pour des occasions comme celle-ci. Un court instant contemplatif, les yeux fermés, avant d'entrer, pour se vider la cervelle, se débarrasser d'attitudes préconçues et de suppositions plus ou moins fondées.

Pour l'heure, il regrettait de ne pas être mieux préparé.

LA NORVÈGE ÉTAIT ENTRÉE dans un état de siège informel.

La chose se sut quelques minutes seulement après les faits eux-mêmes : un autre enfant avait fait l'objet d'une tentative d'enlèvement. Cette fois-ci, la police disposait et d'un numéro d'immatriculation et d'un bon signalement. NRK-TV et TV2 nettoyèrent leurs grilles de programmes. Les bulletins à l'origine courts et spéciaux se transformèrent en peu de temps en une longue émission, sur les deux chaînes. En des délais remarquablement courts, les rédactions dégotèrent des expertises dans la plupart des domaines qui pouvaient présenter la moindre miette d'intérêt pour l'affaire. Seules quelques-unes d'entre elles remplirent correctement leur rôle de soldats de Tordenskjold[1] ; une pédopsychiatre de renom et un cadre de Kripos à la retraite effectuèrent la navette entre Karl Johans gate 14[2] et Marienlyst[3]. Les rédactions firent par ailleurs preuve d'une grande ingéniosité. Un peu trop, par moments : TV2 présenta un entretien d'un quart d'heure avec un employé des pompes funèbres. Maigre, vêtu de vêtements sombres, il décrivit avec empathie le chagrin éprouvé par les parents qui perdaient leurs enfants dans de telles circonstances, en illustrant ses propos de quelques vagues exemples anonymes. Les réactions chez les téléspectateurs furent si violentes que le rédacteur en chef dut présenter des excuses personnelles avant la fin de la soirée.

Un témoin dans Kjelsåsveien avait noté que le ravisseur avait un bras dans le plâtre.

1. Groupe relativement restreint d'individus qui occupent successivement plusieurs postes pour donner une impression de masse ; allusion à la façon dont l'amiral norvégien Peder Wessel Tordenskjold (1691-1720) conquit en 1719 la forteresse suédoise de Carlsten, sur l'île de Marstrand, en persuadant les Suédois qu'il disposait d'effectifs importants, ce qui poussa ceux-ci à capituler.
2. Où TV2 a ses locaux.
3. Où la NRK a les siens.

Légèrement agacé par le peu d'intérêt que manifestaient les forces de l'ordre – elles avaient noté nom et adresse avant de dire qu'elles le contacteraient d'ici un jour ou deux –, il appela le numéro que TV2 avait mis à la disposition de ceux qui disposaient d'informations. Le signalement qu'il donna était si précis et particulier que l'un des journalistes d'investigation criminelle repensa à une arrestation qui s'était produite peu de temps auparavant, à Asker og Bærum. Un arriéré, affirmait-il en feuilletant ses notes. Un groupe de surveillance avait cassé le bras de l'individu, mais l'affaire était vite tombée aux oubliettes puisque le type ne voulait pas parler aux journalistes. La police était par ailleurs totalement convaincue qu'il n'avait rien à voir avec les enlèvements.

Le tueur d'enfants qui terrorisait la Norvège comme un cauchemar et qui, jusqu'à présent, avait coûté la vie à trois, voire quatre petits, avait déjà été arrêté ! Et relâché, sans plus de cérémonie, après seulement quelques heures en préventive. Et cela n'arrangeait rien que le type s'en soit sorti cette fois-là aussi. La police avait eu immédiatement vent de l'incident, de la part d'un automobiliste vigilant disposant d'un téléphone mobile. Et pourtant, le coupable s'était volatilisé. Un scandale ; et un beau.

Le chef de la police d'Oslo refusa de se prononcer sur quoi que ce fût. Le ministre de la Justice renvoya au chef de la police dans un communiqué de presse laconique. L'intéressé était toujours dans son bureau et n'avait aucune déclaration à faire.

TV2 obtint un avantage que la NRK n'avait aucun espoir de rattraper : l'indicateur passa à la télévision. S'il n'eut pas son quart d'heure de célébrité, l'interview dura au moins deux minutes. Il pouvait en outre espérer dix mille couronnes[1] sur son compte en banque. Et ce

1. Environ 1 250 euros.

dans les plus brefs délais, l'assura le journaliste d'investigation ; aussitôt que la caméra aurait cessé de tourner.

LE PIRE, CE N'ÉTAIT à vrai dire pas les magazines pornographiques grossiers qui s'empilaient où qu'on se tournait.

Yngvar Stubø avait à peu près tout vu. Les magazines étaient imprimés sur du papier bon marché, mais en quadrichromie. Yngvar savait qu'ils étaient en majorité imprimés hors de Norvège, là où les gamins s'achetaient pour trois fois rien et où la police fermait les yeux pour une poignée de dollars. Le pire, c'était plutôt qu'aucun des gosses qui lui adressaient un regard vide depuis ces images hideuses ne devait avoir plus de deux ans. Yngvar Stubø avait de ses propres yeux vu une victime de viol âgée de six mois, et n'avait plus aucune illusion. Que le propriétaire de l'appartement ait un PC, c'était plus surprenant.

– Je me suis trompé sur ce type, murmura-t-il en enfilant une paire de gants en caoutchouc.

Cependant, rien ne surpassait les murs.

Tout ce qui avait été écrit sur les enlèvements avait été soigneusement découpé et affiché. De la première manchette au ton mesuré sur la disparition d'Émilie jusqu'à l'essai de deux pages de Jan Kjærstad publié dans *Aftenposten* le matin même.

– Tout, souffla Hermansen. Il a tout gardé, bordel de merde.

– Si ce n'est plus, compléta le plus jeune d'entre eux avec un signe de tête vers les photos d'enfants.

Elles étaient identiques à celles qu'Yngvar avait dans son bureau. Il alla au mur et plissa les yeux vers les tirages. Ils avaient été glissés sous pochettes plastiques. Il pouvait néanmoins voir qu'elles n'avaient pas été découpées dans des journaux.

– Copies Internet, intervint le cadet spontanément.

– Peut donc pas être complètement taré, conclut Hermansen en évitant de regarder Yngvar.

– Ça, je l'ai déjà concédé, fit remarquer ce dernier d'un ton dur.

Le salon faisait office de bureau. Un poste de commandement pour une armée unipersonnelle. Yngvar fit lentement le tour de la pièce. Il y avait une espèce de logique dans cette folie. Même les revues porno étaient ordonnées en une chronologie perverse. Il constata que les exemplaires qui se trouvaient le plus près de la fenêtre contenaient des scènes dont les modèles pouvaient avoir treize ou quatorze ans. Plus on s'éloignait de la fenêtre, plus les victimes étaient jeunes. Il saisit une revue au hasard sur une desserte près de la porte de la cuisine. Il jeta un coup d'œil à la photo et sentit sa gorge se nouer avant de se forcer à reposer le magazine sans le réduire en confettis. L'un des policiers d'Asker og Bærum parlait à voix basse dans son mobile. Lorsqu'il eut terminé, il secoua la tête.

– Ils n'ont même pas retrouvé la voiture. Encore moins le type. Avec ce qu'on voit ici...

Il fit un large geste d'un bras.

– ... je n'ai pas une envie folle d'aller voir dans la piaule, c'est le moins qu'on puisse dire.

Six policiers regardaient autour d'eux, immobiles. Aucun d'entre eux ne parlait. Il se passait quelque chose à l'extérieur. Ils entendirent des voitures s'arrêter. Des cris. Des claquements de talons sur l'asphalte. Ils ne disaient toujours rien. Le policier qui ne voulait pas aller voir la chambre posa le pouce et l'index de part et d'autre de la base de son nez et serra. La grimace qu'il fit poussa le collègue qui se tenait le plus près de lui à lui poser maladroitement une main sur l'épaule. Une odeur de vieux sexe pas nettoyé flottait dans la pièce. De branlette et de vêtements sales. Ça puait le péché, la honte et les secrets. Yngvar regarda Émilie, au mur. Elle était toujours aussi grave ; le tussilage lui chatouillait le front, et elle donnait l'impression de tout savoir.

– Ce n'est pas lui, déclara Yngvar.

– Hein ?

Les autres se tournèrent vers lui. Le plus jeune ouvrit bêtement la bouche, ses yeux étaient humides.

– Je me suis trompé en ce qui concerne les facultés mentales de ce mec, avoua Yngvar en essayant de s'éclaircir la voix. Il est manifeste qu'il sait se servir d'un PC. Il arrive à se mettre en relation avec les diffuseurs de cette merde...

Il s'interrompit et essaya de trouver un terme plus générique : une expression plus péjorative, plus caractéristique pour les publications qui s'entassaient tous azimuts.

– ... la merde qui est ici, répéta-t-il, découragé. Il suit. Et nous sommes presque sûrs à cent pour cent que c'est lui qui a tenté sa chance dans Kjelsåsveien aujourd'hui. Sa voiture. Le bras cassé. Le signalement correspond en tout point. Mais ce n'est pas... Ce n'est *pas* ce type qui a chopé et tué les autres enfants.

– Et ça, tu y es arrivé tout seul, comme ça.

Ce qu'exprimait le visage de Sigmund Berli pouvait laisser croire qu'il ne considérait plus Yngvar Stubø comme un partenaire. Il était en train de passer dans l'autre camp. La police de Bærum, qui savait qu'elle avait résolu l'affaire. À condition de retrouver le gars qui habitait cet appartement, au milieu des coupures de journaux, de la pornographie et des vêtements sales. Ils savaient qui il était, et il devait être arrêté.

– Ce type s'est laissé arrêter *une* fois. Par deux amateurs ! Aujourd'hui, il s'en est fallu de peu pour qu'on le chope à nouveau. Notre homme, celui qu'on recherche, celui qui a tué Kim, Glenn Hugo et Sarah...

Yngvar ne quittait pas la photo d'Émilie des yeux.

– ... et qui retient peut-être Émilie prisonnière quelque part... Il ne se laissera pas mettre le grappin dessus. Pas comme ça. Il n'essaie pas de kidnapper un mioche en promenade avec tout un tas de surveillants adultes, en plein jour, avec sa voiture personnelle. Le bras dans un énorme plâtre. Impensable. Et vous êtes les premiers à le savoir. Nous sommes simplement si obnubilés par la volonté de coffrer ce porc que...

– Alors tu peux peut-être m'expliquer ce que c'est que ça ? l'interrompit Hermansen.

L'officier de police ne triomphait pas. Sa voix était neutre, presque résignée. Il avait sorti un dossier d'un tiroir. La pochette contenait un gros paquet de feuilles A4. Yngvar Stubø ne voulait pas voir. Il se doutait que le contenu de ce dossier donnerait une tout autre orientation à cette affaire. Plus de cent enquêteurs qui, jusqu'à présent, avaient travaillé en suivant la théorie selon laquelle rien n'était acquis et toutes les possibilités restaient ouvertes – des policiers compétents qui en tout état de cause avaient essayé de regarder dans toutes les directions et qui savaient qu'un bon travail d'investigation était le fruit d'un systématisme patient – regarderaient dorénavant dans un seul sens.

Émilie, pensa-t-il. *Il s'agit d'Émilie. Elle est quelque part. Vivante.*

– Oh, bon Dieu ! lâcha le cadet dans son dialecte du Gudbrandsdal.

Sigmund Berli émit un long sifflement.

Ils entendirent plusieurs voitures au-dehors. Des cris, des voix. Yngvar alla à la fenêtre et écarta doucement le store. Les journalistes étaient arrivés. Évidemment. Ils s'amassèrent autour de l'entrée. Deux d'entre eux levèrent les yeux, et Yngvar lâcha le store gris avant de se retourner vers les autres. Ils s'étaient regroupés autour de Hermansen, qui n'avait pas lâché une chemise en plastique rouge. Dans l'autre main, il tenait un petit paquet de feuilles. Lorsqu'il en brandit une vers Yngvar, le texte était facile à lire, même depuis la fenêtre.

TU AS EU CE QUE TU MÉRITAIS.

– C'est dactylographié, fit remarquer Yngvar.

– Arrête, répliqua Sigmund. Maintenant, arrête, Yngvar. Comment ce mec pourrait-il *savoir*...

– Les mots retrouvés sur les enfants avaient été écrits à la main. Ils avaient été écrits à la main, les gars !

– C'est toi ou moi qui vais causer aux autres, là, dehors ? soupira Hermansen en rangeant prudemment les feuilles dans leur dossier. D'accord, on ne peut pas leur raconter grand-chose, mais en fait, c'est peut-être le plus naturel que j'aille moi... puisqu'on est à Bærum, etc.

Yngvar Stubø haussa les épaules. Il ne desserra pas les mâchoires tandis qu'il se frayait un chemin à travers la foule qui s'était créée devant l'immeuble bas de Rykkinn. Il parvint enfin à destination et s'installa au volant. Au moment où il allait renoncer à attendre Sigmund Berli, son collègue s'assit sur le siège passager, à bout de souffle. Ils n'échangèrent pour ainsi dire pas un mot sur le chemin du retour en direction d'Oslo.

42

– JE NE COMPRENDS PAS que tu arrives à faire tout ça, déclara Bente, admirative. C'était *bon*, tout simplement bon !

Kristiane dormait. Elle était d'ordinaire agitée lorsque Inger Johanne attendait de la visite. Dès le début de l'après-midi, elle entrait dans une longue phase d'incommunicabilité. Elle errait de pièce en pièce et refusait de manger. De dormir. Ce soir-là, en revanche, elle s'était écroulée dans son lit, Sulamit dans le creux d'un bras, et Jack bavant avec bonheur dans l'autre. Le Roi de l'Amérique avait eu un effet non négligeable sur Kristiane, Inger Johanne devait le reconnaître. Ce matin-là, sa fille avait dormi jusqu'à sept heures et demie.

— La recette, déglutit Kristin. Il me faut cette recette.

— Elle n'existe pas. J'ai fait quelque chose, point.

Le vin lui plaisait. Il était neuf heures et demie, mercredi soir. Elle se sentait la tête légère. Elle n'avait pas mal aux épaules. Les filles autour de la table parlaient toutes en même temps. Seule Tone avait dû se décommander : elle n'avait pas le cœur d'abandonner ses enfants en l'état actuel des choses. Surtout après la journée écoulée.

— Ça a toujours été une angoissée de la vie, s'énerva Bente en renversant du vin sur la nappe. Ils ont un père, ces mômes, quand même. Oups ! Du sel ! De l'eau gazeuse ! Tone est vraiment... elle a une peur excessive de tout et n'importe quoi. Je veux dire, on ne peut pas se barricader même si ce monstre est en liberté !

— Ils vont lui mettre la main dessus, assura Line. Ils doivent bien savoir qui il est. Il doit y avoir des limites au temps pendant lequel il peut réussir à se planquer. Il n'ira pas loin. Vous avez vu que la police a lancé une grande campagne de recherche, avec photos et tout le bazar ? Hé, ne verse pas toute la Farris[1] !

Yngvar n'avait pas appelé. Pas après qu'Inger Johanne avait renoncé à décrocher la veille au soir. Elle ne savait pas si elle le regrettait. Elle n'avait aucune idée de la raison pour laquelle elle ne voulait pas lui

---

1. Gamme d'eaux minérales gazeuses, aromatisées (citron, lime) ou non.

parler. À ce moment-là. Pas maintenant. Maintenant, il pouvait appeler. Il pouvait venir, dans quelques heures, quand les filles auraient gloussé tout leur soûl, quand elles seraient sorties en titubant de l'appartement. À ce moment-là, Yngvar pourrait venir. Ils pourraient s'asseoir à la paillasse de la cuisine, terminer les restes en buvant du lait. Il pourrait prendre une douche et lui emprunter un vieux maillot de football des États-Unis. Inger Johanne pourrait regarder ses bras lorsqu'il s'appuierait dessus en se penchant sur la table ; sa chemise avait des manches courtes, il avait des poils blonds sur les avant-bras, comme si c'était déjà l'été.

– ... tu ne crois pas ?

Inger Johanne sourit brusquement.

– Quoi ?

– Ils vont l'attraper, non ?

– Mais je n'en sais rien, moi !

– Mais ce type, là, insista Line, celui que j'ai rencontré samedi. Il ne travaille pas dans la police ? C'est ce que tu as dit, non ? Mais si... Kripos !

– Ce n'est pas d'un livre que l'on devait parler ? demanda Inger Johanne en retournant à la cuisine chercher du vin ; comme à leur habitude, les filles avaient plus que leur compte.

– Que tu n'as pas lu, bien sûr, rétorqua Line.

– Moi non plus, intervint Bente. Je n'ai tout bonnement pas eu le temps. Désolée.

– Moi non plus, reconnut Kristin. Si tu veux que le sel fasse effet, il faut que tu le fasses pénétrer dans le tissu. Comme ça !

Elle se pencha par-dessus la table et plongea l'index dans la pâte de sel et d'eau minérale.

– Pourquoi est-ce qu'on appelle ça un cercle de lecture...

Line tenait le livre devant son visage en un geste accusateur.

– ... quand il n'y a que moi qui lis les bouquins ? Dites-moi, il se passe quelque chose de particulier quand on a des enfants ? On perd ses talents de lectrice ?

– On perd ses disponibilités, bafouilla Bente. Le temps, Line. C'est ça qui dischparaît.

– Eh bien tu vois, ça, ça me provoque, tu n'as pas idée, commença Line. Vous parlez toujours comme si la seule solution... comme si on n'avait des enfants que pour avoir le droit de...

– Tu ne pourrais pas plutôt nous parler un peu du livre, interrompit rapidement Inger Johanne. Moi, ça m'intéresse. Réellement. J'ai tout lu d'Asbjørn Revheim quand j'étais plus jeune. J'avais pensé acheter un exemplaire de... comment ça s'appelle, déjà ?

Elle tendit la main vers le bouquin. Line le lui subtilisa.

– *Revheim. Chronique d'un suicide annoncé*, lut Halldis. En plus, tu ne m'as pas posé la question. Je l'ai lu.

– Crotesgue, grogna Bente. Tu n'as pas de gosses, Halldis.

– Un titre adéquat, apprécia Line sans se départir de son ton boudeur. Dans tout ce qu'il a écrit et fait, on peut sentir un... désir de la mort. Oui. Une attirance pour elle.

– On dirait le titre d'un roman policier, fit remarquer Kristin. On vire la nappe, carrément ?

Bente avait réitéré ses exploits. Au lieu de verser davantage de sel, elle posa d'un air penaud sa serviette sur la tache rouge. Le verre gisait toujours renversé. Le rouge gagnait du terrain sous le papier.

– On s'en tape, décréta Inger Johanne en redressant le verre. Pas grave. Quand est-ce qu'il est mort ?

– En 1983. Ça, je peux m'en souvenir.

– Mmh. Moi aussi. On peut aussi affirmer que c'était un moyen original de se supprimer.

– C'est le moins que l'on puisse dire.

– Raconte, invita Bente d'une voix sans timbre.

– Tu devrais peut-être reprendre un peu de Farris.

Kristin alla chercher un supplément d'eau minérale à la cuisine. Bente grattait la tache qu'elle avait faite. Line servait le vin. Halldis feuilletait la biographie d'Asbjørn Revheim.

Inger Johanne se sentait bien.

Son courage s'était limité à un rapide coup d'aspirateur dans l'appartement, à fourrer les affaires de Kristiane dans une grande caisse dans sa chambre, et à récurer la salle de bains. La préparation du repas lui avait pris une demi-heure. C'était l'envie qui lui avait manqué. Malgré tout, elle avait honoré le rendez-vous convenu. Les filles passaient un bon moment. Même Bente affichait un sourire heureux sous des paupières lourdes. Inger Johanne pourrait arriver en retard au travail le lendemain matin. Elle pourrait traîner en pantoufles avec Kristiane pendant deux ou trois heures, et prendre les choses calmement. Inger Johanne était contente de voir les filles, et elle ne protesta pas quand Kristin voulut remplir son verre une fois de plus.

– J'ai entendu dire que tous ceux qui se suicident sont en réalité victimes d'une psychose suraiguë, informa Line.

– Bêtises ! réagit Halldis.

– Non, c'est vrai !

– Que tu l'aies entendu dire, oui. Mais ce n'est pas vrai.

– Qu'est-ce que tu en sais ?

– Ça pouvait parfaitement être vrai en ce qui concerne Asbjørn Revheim, intervint Inger Johanne. D'un autre côté, il avait déjà essayé plusieurs fois. Vous croyez qu'il était psychotique chaque fois ?

242

– Il était maboul, bougonna Bente. Complètement siphonné, barschjo.

– Ce n'est pas la même chose que psychotique, objecta Kristin. Je connais quelques personnes que je caractériserais de maboules. Mais je n'ai jamais rencontré de psychotiques.

– Mon chef est psychopathe, s'écria Bente. Il est méchant, bon sang de bonsoir ! *Méchant !*

– Et voilà encore un peu de Farris, proposa Line en lui tendant une bouteille d'un demi-litre.

– Psychopathe et psychotique, ce n'est pas exactement la même chose, Bente. Y a-t-il quelqu'un qui ait lu *Ville engloutie, la mer monte* ?

Et toutes d'acquiescer. À l'exception de Bente.

– Il est sorti quelques années seulement après le jugement, expliqua Inger Johanne. Ce n'est pas ça ? Et ce doit aussi être...

– Ce n'est pas là qu'il décrit le suicide ? l'interrompit Kristin. Même s'il a été écrit bien des années avant qu'il ne se tue réellement... C'est vraiment répugnant, comme idée...

Un frisson exagéré la parcourut.

– Mais réponds, enfin, reprit Bente. Vous ne pouvez pas me dire simplement ce qui s'est passé ?

Pas de réponse. Inger Johanne commença à débarrasser. Toutes avaient eu leur part.

– Il me semble que nous pourrons parler de choses plus gaies, tenta prudemment Halldis. Quels projets avez-vous pour l'été ?

LORSQUE LES AMIES passèrent enfin la porte d'un pas mal assuré, il était plus d'une heure du matin. Bente avait dormi deux heures, et l'idée de devoir rentrer chez elle semblait la perturber. Halldis promit de prier son taxi de faire un détour par Blindern, elle voulait voir Bente en sécurité dans son lit. Inger Johanne aéra avec soin. Au cours de la dernière heure, l'interdiction de fumer avait été suspendue sans qu'elle se souvînt bien par qui la décision avait été prise. Elle disposa quatre assiettes plates remplies de vinaigre blanc avant de sortir sur la terrasse.

La deuxième heure de la première journée de juin avait commencé. Une lumière pré-estivale d'un bleu profond était visible à l'ouest, la nuit ne tomberait pas véritablement pendant quelques mois. L'air était vif, mais il était malgré tout possible de rester immobile sans vêtement d'extérieur. Inger Johanne se pencha vers la grande jardinière à balcon. La rangée de pensées faisait triste mine.

En l'espace de trois jours, elle avait parlé deux fois d'Asbjørn Revheim.

Celui-ci était, il est vrai, un personnage central de la littérature norvégienne et de l'histoire norvégienne relativement récente. En 1971 ou 1972, elle ne s'en souvenait pas avec précision, il avait été condamné pour avoir écrit un roman blasphématoire et obscène ; plusieurs années après le procès parodique contre Jens Bjørneboe[1] qui aurait dû marquer la fin des rapports entre les pouvoirs publics et la littérature. Revheim ne se laissa pas briser et revint deux ans plus tard avec *Ville engloutie, la mer monte*. L'ouvrage était plus grossier et blasphématoire que tout ce qui avait jamais été

---

1. Procès qui s'était tenu en 1967 après la sortie en 1966 du livre *Uten en tråd* (*Sans un fil*), jugé pornographique et confisqué par la police quelques jours seulement après sa publication. Au cours de ce procès, à l'issue duquel il avait été condamné pour pornographie, il avait déclaré que c'étaient les tribunaux qui décidaient de la valeur littéraire des ouvrages en Norvège. Mais il avait remercié l'appareil judiciaire pour la publicité qu'elle lui avait faite. Même pour l'époque, l'ouvrage était assez innocent ; il ne contenait pas de termes tabous, et décrivait la libération sexuelle d'une jeune fille à travers une série d'expériences érotiques en prenant le parti de la femme dans la lutte des sexes.

imprimé en Norvège. D'aucuns parlèrent de prix Nobel. La plupart étaient d'avis que le bonhomme méritait une nouvelle virée devant les juges. Néanmoins, les pouvoirs publics avaient retenu la leçon : l'avocat général avoua de nombreuses années après les faits ne jamais avoir lu le livre.

Revheim était un auteur d'une grande portée. Mais il était mort, et ce depuis longtemps. Inger Johanne ne se rappelait pas la dernière fois qu'elle avait pensé à ce type, et encore moins parlé de lui. Lorsque sa biographie était sortie à l'automne précédent, en provoquant une certaine agitation, elle ne l'avait même pas achetée. Revheim avait écrit des livres qui avaient eu un sens quand elle était beaucoup plus jeune. Il n'avait rien à lui dire aujourd'hui. Dans sa vie telle qu'elle était pour l'heure.

Deux fois en trois jours.

La mère d'Anders Mohaug pensait que son fils avait été impliqué dans le meurtre de la petite Hedvig en 1956. Anders Mohaug était attardé. Il se laissait facilement mener par le bout du nez, et traînait avec Asbjørn Revheim.

Ce serait trop simple, pensa Inger Johanne. *C'est beaucoup trop simple*.

Elle avait froid, mais ne voulait pas rentrer. Le vent la tirait par ses manches de chemise. Elle devait renouveler un peu sa garde-robe. Les autres filles avaient l'air plus jeunes qu'elle. Même Bente, qui ne tarderait pas à devoir se faire désintoxiquer pour un alcoolisme qui n'incitait plus à un rire indulgent et qui fumait une trentaine de cigarettes par jour, présentait mieux qu'Inger Johanne. Elle avait l'air plus moderne, en tout cas. Line avait depuis longtemps renoncé à la traîner avec elle dans les magasins.

Ce serait trop simple.

Par ailleurs : qui aurait intérêt à éviter à Asbjørn Revheim des poursuites et une condamnation ?

En 1956, il n'avait que seize ans, songea-t-elle en emplissant ses poumons de l'air nocturne. Elle voulait s'éclaircir la tête avant d'aller se coucher.

Mais en 1965 ? Quand Anders Mohaug était mort et quand sa mère était allée voir la police ? Quand Aksel Seier avait été relâché sans autre explication, et ne pouvait que s'estimer heureux ?

À ce moment-là, Asbjørn Revheim avait vingt-cinq ans et était déjà un auteur reconnu. Deux livres, si sa mémoire était bonne. Déjà reconnu, en seulement deux livres. Tous deux avaient provoqué un débat animé. Asbjørn Revheim était une menace, en ce temps-là. Cela ne valait pas la peine de le protéger.

Inger Johanne avait toujours la biographie à la main. Elle y jeta un coup d'œil et caressa la couverture. Line avait insisté pour qu'elle la garde. La photo était bonne. Le visage de Revheim était mince, mais masculin. Il exhibait un sourire badin. Presque arrogant. Ses yeux étaient petits, mais des cils étonnamment longs.

Elle rentra en laissant la porte de la terrasse entrebâillée. Une faible odeur de vinaigre lui agressa les narines. Elle se surprit à éprouver de la déception qu'Yngvar n'ait pas appelé. En se couchant, elle décida de commencer le livre. Elle dormait profondément avant même d'avoir posé la tête sur l'oreiller.

43

AKSEL SEIER NE PRENAIT jamais de décisions rapides. En règle générale, la nuit portait conseil. Et plutôt sur une semaine ou deux. Même des choix insignifiants, comme trancher entre un frigo neuf ou un modèle usagé maintenant que l'ancien avait rendu l'âme, réclamaient qu'on réfléchît longtemps. Il y avait des avantages et des inconvénients à tout. Il devait sentir les choses. Etre sûr. La décision de quitter la Norvège avait dû être prise un an avant le départ. Il aurait dû comprendre que l'avenir ne se trouvait pas dans un pays qui l'avait envoyé derrière les barreaux et l'y avait laissé neuf années sans raison, un pays si petit qu'il ne donnerait jamais à personne la possibilité d'oublier, lui inclus. Ce n'était tout simplement pas son genre de se hâter. Peut-être une conséquence des années passées en prison, où le temps s'écoulait si lentement qu'il était difficile à tuer.

Il s'était assis sur le mur de pierre en contrebas de la maison, entre le jardinet et la plage. Le granit rouge avait gardé la chaleur de la journée, il le sentait à travers l'étoffe de son pantalon. C'était marée basse. Des limules moribondes gisaient çà et là au bord de l'eau, certaines la carapace en l'air, comme des Panzers avec une queue. D'autres avaient été jetées sur le dos par les rouleaux et mouraient lentement sous le soleil, pinces vers le ciel. Les crabes faisaient penser à des monstres préhistoriques miniatures, un chaînon oublié dans l'évolution qui aurait dû leur tordre le cou il y avait belle lurette.

Il se sentait comme cela.

Toute sa vie, il avait attendu d'être blanchi.

Patrick, la seule personne aux États-Unis qui connaissait son passé, lui avait demandé de prendre contact avec un avocat. Ou un détective, à la rigueur, avait-il ajouté en astiquant un licou rehaussé d'or. Le manège de Patrick était le plus chouette de toute la Nouvelle-Angleterre. Le pays regorgeait de détectives. Bon nombre d'entre eux étaient assez compétents, selon Patrick. Si cette greluche avait fait tout le trajet depuis l'Europe pour lui raconter qu'elle le croyait innocent, tant d'années après, toute cette trotte depuis la Norvège... oui, cela devait valoir la peine d'en savoir un peu plus long. Les avocats étaient chers, d'après ce que croyait savoir Patrick, mais il était simple de trouver ceux qui ne demandaient à être payés que s'ils gagnaient leur cause.

Le *hic*, c'est qu'Aksel Seier n'avait aucune cause.

Pas ici, aux États-Unis, en tout cas.

Il n'avait pas de cause, mais en réalité, il n'avait jamais cessé d'attendre. Tranquillement, avec résignation, il n'avait jamais abandonné l'espoir que quelqu'un découvrirait l'injustice dont il avait été la victime. Ses forces ne tendaient vers rien d'autre qu'une prière muette, à l'heure du coucher, que le matin apporterait une bonne nouvelle. Que quelqu'un le croirait. Quelqu'un d'autre qu'Eva et Patrick.

La visite d'Inger Johanne Vik était porteuse de sens.

Pour la première fois depuis toutes ces années, il envisagea la possibilité de rentrer chez lui.

Il pensait toujours à la Norvège comme à « chez lui ». Sa vie était à Harwichport. Sa maison, les voisins, les rares personnes qu'il pouvait appeler des amis. Tout ce qu'il possédait se trouvait dans ce petit patelin de Cape Cod. Pourtant, la Norvège avait toujours été « chez lui ».

Si Eva lui avait demandé de rester au moment où il était parti, il ne serait peut-être jamais monté à bord du *MS Sandefjord*. Plus tard, pendant les premières années passées aux États-Unis, si elle lui avait demandé de revenir, il aurait embarqué sur le premier bateau. Il aurait cherché des petits boulots en Norvège et vécu chichement. Déménagé dans une autre ville, où il aurait été possible de conserver son poste un an ou deux, jusqu'à ce que l'histoire le rattrape et l'oblige à poursuivre son chemin. Si Eva avait voulu l'accompagner, il aurait pu aller n'importe où. Mais il n'avait que lui-même à proposer, et Eva n'était pas assez forte. La honte d'Aksel était trop grande. Pas pour lui, pour elle. Elle savait qu'il était innocent. Elle n'en avait, semble-t-il, jamais douté. Mais elle ne supportait pas le poids du regard des autres. Les amis, les voisins chuchotaient, jetaient des coups d'œil furtifs, et sa mère rendait les choses encore plus intenables. Eva courba l'échine et se laissa briser. Aksel aurait réussi à tenir seul avec Eva, mais Eva était trop faible pour ce que représentait une existence avec lui.

Par la suite, lorsqu'elle fut libre, il était trop tard pour l'un comme pour l'autre.

À présent, l'heure était peut-être venue. Le destin avait fait un bond dans une direction inattendue, et on avait besoin de lui au pays. C'est vrai, Eva ne lui demandait pas de revenir dans la lettre qu'elle lui avait envoyée, en dehors de toutes les routines et habitudes. Mais elle paraissait profondément troublée.

Aksel avait la carte de visite d'Inger Johanne Vik. S'il partait, il pourrait la contacter. Patrick avait raison : cette femme avait fait le déplacement depuis la Norvège pour lui parler, elle devait réellement croire en cette affaire. Le rêve d'être un jour blanchi pouvait se concrétiser. Cette idée l'effraya, il se leva en mouvements raides et se massa le bas du dos.

L'agent immobilier avait dit un million. Il y avait un moment de cela. Cape Cod était maintenant à son plus beau. Puisqu'il y avait peu de chances qu'un éventuel acheteur soit particulièrement intéressé par la maison en elle-même, le ménage et l'entretien n'avaient pas tellement d'importance.

Aksel Seier retourna une limule du bout de sa botte. L'animal resta immobile, comme un casque allemand de la Première Guerre mondiale que la mer aurait rejeté à terre. Il souleva l'arthropode par la queue et le lança dans l'eau. Bien qu'il n'ait jamais rien décidé sans y réfléchir soigneusement au préalable, il comprit qu'il s'acheminait vers un choix important. Il se demanda s'il lui serait possible d'emmener le chat.

44

– EN TOUT CAS, TU T'ES TROMPÉ sur cette histoire de demi-frère et demi-sœur, nota Sigmund Berli.

– Bien, répondit Yngvar Stubø. Tu as pu effectuer les prises de sang sans trop de difficultés ?

– Ne m'en parle pas. J'ai raconté plus de bobards ces derniers jours que dans toute ma vie. Ne m'en parle pas. Pour le moment, on n'a que les résultats de vieux tests de paternité. Les tests ADN prennent plus de temps. Mais tout porte à croire que les autres pères dans cette affaire sont bien les géniteurs de leurs enfants.

– Bien, répéta Yngvar. Ça fait bien plaisir.

– Dis donc, tiqua Sigmund Berli en posant les documents devant son supérieur, tu n'as pas l'air spécialement surpris. Pourquoi était-ce si important pour toi de faire vérifier cela si, en fait, tu n'y croyais pas ?

– Il y a longtemps que je ne me laisse plus surprendre par quoi que ce soit. Et tu sais aussi bien que moi que nous devons explorer toutes les pistes. Que l'on y croie ou non. À l'heure qu'il est, on jurerait que tout le monde ici a été pris dans un immense court-circuit, où il n'est question que de...

– Yngvar ! Arrête !

La traque d'Olaf « Laffen » Sørnes, de Rykkinn, était passée au rang d'affaire nationale. On ne parlait plus que de cela ; dans les médias, autour des tables, sur les lieux de travail. Yngvar comprenait que le commun des mortels ait décrété que Laffen était un tueur d'enfants. Que les collègues d'Yngvar semblent, eux aussi, être captifs de la même conclusion hâtive, alors même que l'enquête était en cours, cela lui filait la chair de poule. De toute évidence, Laffen était un malheureux *copycat*. Son casier judiciaire rendait compte d'une sexualité excentrique qui venait seulement de conduire à une tentative réaliste de kidnapper un enfant. La littérature comme un nombre incalculable d'histoires à sangloter tirées de la réalité relataient des cas similaires. Lorsqu'un crime attirait une attention suffisante, d'autres individus en voulaient davantage.

– Regarde les choses en face, soupira Yngvar en secouant la tête. Rien ne colle ! Prends la livraison de Sarah par coursier, par exemple. Laffen aurait réussi un coup pareil ? Est-ce qu'un homme qui a un QI de *quatre-vingt-onze* parviendrait à concocter un truc comme ça ? Sans parler de le réussir !

Il donna un coup de poing sur le dossier de Laffen Sørnes que leur avait transmis le bureau d'aide sociale de l'hôpital de Bærum, où il avait été admis pour des examens sur une possible épilepsie.

– J'ai rencontré ce gus, Sigmund. C'est un mec pitoyable qui n'a rien d'autre dans le ciboulot que la veuve poignet depuis qu'il a passé la puberté. Les bagnoles et le cul. Telle est la vie de Laffen Sørnes. Triste, mais vrai.

Sigmund Berli se passa la langue sur les dents.

– On ne s'est pas non plus complètement enfermés. Maintenant, il va falloir que tu arrêtes ton char. On continue à enquêter tous azimuts. Mais, en premier lieu, tu dois bien admettre qu'il est important de coffrer ce type, il a quand même essayé de...

– Évidemment, l'interrompit Yngvar en levant les

deux mains et en hochant la tête avec vigueur. Évidemment qu'il faut arrêter cet homme.

– Ensuite, ajouta Sigmund, comment expliques-tu qu'il ait eu connaissance de la lettre ? Du message *Tu as eu ce que tu méritais ?* On a analysé le papier, et tu as raison. Ce n'est pas le même genre de papier qu'aucun des autres auparavant. Mais ça, formellement parlant, ça ne veut rien dire. Les autres mots aussi venaient de ramettes différentes, je ne t'apprends rien. Et oui, commença-t-il en haussant le ton pour éviter qu'Yngvar ne lui coupe la parole, les messages de Laffen avaient été édités sur PC. Les autres étaient manuscrits. Mais comment le savait-il ? Comment diable peut-il avoir eu vent de ce détail affreux s'il n'a rien à voir dans cette histoire ?

L'après-midi du jeudi 1er juin avait commencé. Le gardien d'immeuble avait manifestement coupé le chauffage central pour la saison. Il pleuvait à seaux audehors. La pièce était fraîche, presque froide. Yngvar prit tout son temps pour extraire un cigare d'un étui d'acier. Il tira lentement une petite guillotine de sa poche de poitrine.

– Je n'en ai pas la moindre idée. Mais au fur et à mesure, ça fait un bon paquet de gens qui ont connaissance de ça. Beaucoup de policiers. Quelques médecins. Les parents. Même si on leur a demandé de la fermer, ce ne serait pas exceptionnel qu'ils aient parlé du message, à leurs proches en tout cas. L'un dans l'autre, une centaine de personnes doivent être au courant pour ces papiers.

Dont Inger Johanne, songea-t-il. Il alluma son cigare.

– Je n'en ai pas la moindre idée, répéta-t-il avant d'envoyer un nuage de fumée vers le plafond.

– Est-ce qu'il peut...

Sigmund se passa une nouvelle fois la langue sur les dents. Yngvar lui présenta une boîte de cure-dents.

– Est-ce qu'on peut parler de *deux* assassins? demanda Sigmund Berli. Est-ce que Laffen pourrait être une espèce de... d'homme de main pour un autre type, plus malin que lui? Non, merci, déclina-t-il en levant une main en signe de refus vers la boîte de cure-dents.

– Pas impensable, évidemment, concéda Yngvar. Mais je ne crois pas. J'ai l'impression que le véritable coupable, le vrai tueur d'enfants que nous recherchons, est un homme qui ne se mêle pas aux autres. Seul contre le monde, pour ainsi dire. Mais une association ne serait pas une nouveauté. Un mec intelligent avec un assistant idiot, je veux dire. Un concept bien connu.

– En fait, il est incompréhensible que Laffen soit toujours en liberté. On a trouvé sa bagnole sur un parking à Skar, tout au bout du Maridal. Il n'y a eu aucun rapport de vol de véhicule dans ce coin, alors à moins qu'il n'ait eu une voiture à disposition pour s'enfuir...

– Il s'est tiré dans les bois.

– Mais dans les Nordmarka, en cette saison... ça grouille de monde !

– Il peut se tenir tranquille dans la journée et se déplacer la nuit. En tout cas, ses chances sont plus grandes de se cacher sur ce terrain que dans un milieu urbain dense. Et il est habillé de façon adéquate, si tu vois ce que je veux dire. S'il ne s'est pas changé depuis la dernière fois que je l'ai vu...

Il tapota doucement son cigare pour en faire tomber la cendre dans sa main.

– ... il peut se livrer à une petite guérilla, là-bas. Combien de tuyaux on a recueillis ?

Sigmund émit un petit ricanement.

– Plus de trois cents. De Trondheim, Bergen, Sykkylven et Voss. Plus de cinquante observations rien qu'ici, à Oslo. À l'hôtel de police de Grønland, ce matin, ils avaient quatre bonshommes en état d'arrestation, tous avec le bras cassé. Plus un avec la patte gauche dans le sucre. Tous avaient été amenés par des concitoyens bien consciencieux.

Yngvar jeta un rapide coup d'œil à sa montre.

– Je vois le tableau. J'ai un rendez-vous. Il y avait autre chose ?

Sigmund Berli tira une feuille A4 de sa poche revolver. Elle avait pris la forme de sa fesse, et il fit un sourire d'excuse avant de la déplier.

– C'est seulement une copie, hein. Avec mes gribouillis dessus. J'ai demandé qu'on t'en transmette une bien propre. On a enfin trouvé une connexion entre les familles. On a entré tout ce qu'on avait, absolument tout. Et voici le résultat.

Yngvar regarda la feuille.

NOM, SITUATION	LIÉ À	COMMENT	QUAND ET OÙ	DERNIER CONTACT
Fridtjof Salvesen, médecin, Bærum	Lena Baardsen	Gynécologue	Oslo, 1993-94	1994
	Turid S. Oksøy	Gynécologue	Bærum 1995-	22 mars dernier
Helge Melvær, photographe, Rena	Tønnes Selbu	Photos de famille	Sandefjord 1997	1997
	Lena Baardsen	Connaissance	Sandefj., 1995-	Eté 1999
Karsten Åsli, éducateur de rue, adresse inconnue	May Berit Benonisen	Ami	Oslo 1994-95	Printemps 1995
	Lena Baardsen	Amant	Oslo 1991	23 juillet 1991
Cato Sylling, plombier, Lillestrøm	Lasse Oksøy	Ancien collègue	Oslo 1993-95	Incertain
	Tønnes Selbu	Contact professionnel en relation avec la traduction d'un roman	Correspondance écrite	Prob. novembre 1999
Sonja Værøy Johnsen, infirmière, Elverum	Grete Harborg (d'après le conjoint survivant Tønnes Selbu)	Bonne amie	Plusieurs endroits, de 1975 à 1999	1999 (trois jours avant le décès de Grete Harborg)
	Turid S. Oksøy	Assistante sociale après la naissance de jumeaux	1998	Incertain
	Frode Benonisen	Ancienne maîtresse d'un bon ami	Tromsø 1992	Incertain

– Il était temps, reconnut Yngvar. Il *fallait* bien qu'il y ait un rapport entre ces personnes. Mais...

Il passa plusieurs minutes à observer de nouveau le tableau.

– Cette Sonja Værøy Johnsen, on peut certainement l'écarter, déclara-t-il enfin. Le plombier ne me paraît pas non plus d'un grand intérêt. Pourquoi est-ce que Karsten Åsli a droit à la mention « adresse inconnue » ? Vous ne le trouvez pas à l'état civil ?

– Non, mais ce doit être en raison du manquement le plus banal dont nous autres Norvégiens nous rendons coupables. Omettre de mentionner nos déménagements, j'entends. En principe, ce doit être fait dans les huit jours. Ce n'est pas un gros problème. On n'en est juste pas arrivé à une recherche un peu plus approfondie.

Yngvar replia la feuille et la fourra dans la poche de son blouson.

– Allez-y. Je garde cet aperçu jusqu'à ce que j'en aie un pour moi, OK ?

Sigmund haussa les épaules.

– Je veux l'adresse d'Åsli, reprit Yngvar. Et je veux en apprendre davantage sur ce photographe. Et sur le gynécologue. En plus, je veux...

Il caressa son cigare et se leva de sa chaise. En refermant et en verrouillant la porte derrière lui, il posa une main légère sur l'épaule de son collègue.

– Je veux en savoir le maximum sur ces trois-là. L'éducateur de rue, le photographe et le gynécologue. Age, vécu familial, casier... tout. Et dis voir...

Sigmund Berli s'arrêta, la main sur la poignée de la porte de son bureau.

– Merci, glissa Yngvar. Merci. Bon boulot.

45

– TU ES DOUÉ, AVEC ELLE, reconnut Inger Johanne à voix basse. Elle t'aime bien. D'habitude, elle se moque éperdument des autres personnes. De celles qu'elle ne connaît pas déjà, je veux dire.

– C'est vraiment une enfant étonnante, constata Yngvar en étendant l'édredon sur Kristiane, Sulamit et le Roi de l'Amérique.

Inger Johanne se figea.

– Une gosse étonnante et formidable, ajouta-t-il. Elle est incroyablement futée !

– En règle générale, ce n'est pas la première chose que les gens disent d'elle. Mais tu as raison. Dans des domaines qui lui sont propres, elle est à la fois futée et rapide. Simplement, ce n'est pas facile à voir, pas toujours.

Yngvar avait passé le T-shirt d'Inger Johanne. New England Patriots, bleu, avec un grand 82 devant et derrière ainsi que VIK en lettres blanches tout en haut du dos. Il était venu directement après le travail. En lui demandant la permission de prendre une douche, il ne l'avait pas regardée. Au lieu de lui répondre, elle lui avait tendu une serviette. Et son maillot de football, qui était bien trop grand pour elle. Il le tint devant lui et se mit à rire.

– Warren pense que j'aurais pu faire un bon joueur.

– Warren pense tant de choses, répondit Inger Johanne en disposant les assiettes sur la table. On passe à table dans un quart d'heure. Pas trop le temps de traînasser, en d'autres termes...

LE DOCUMENT N'ÉTAIT PAS D'UNE PROPRETÉ IMPECCABLE, et il était couvert de gribouillis qu'elle ne comprenait pas. La compréhension du contenu des rubriques ne posait pourtant aucun problème. Il s'était assis à côté d'elle dans le canapé et penché sur la feuille posée sur le genou de la jeune femme, le genou qui était le plus près d'Yngvar et frôlait par moments légèrement sa cuisse. Chacun avait sa tasse fumante à la main.

– Tu y trouves des éléments intéressants ? s'enquit-il.

– Pas tant que ça. Si ce n'est que l'infirmière ne semble pas avoir sa place ici.

– Parce que c'est une femme ?

– Peut-être. Oui. Le plombier de même. Hormis...

Une sueur froide lui fit porter une main à sa nuque. Le plombier habitait Lillestrøm.

Ressaisis-toi, s'intima-t-elle. *Pure coïncidence, bien sûr. Il vit des tas et des tas de gens à Lillestrøm. C'est à deux pas d'Oslo. Ce plombier n'a rien à voir avec le cas Aksel Seier. Ne te laisse pas aller !*

– Qu'y a-t-il ?

– Rien, murmura-t-elle. J'enquête juste sur une autre affaire, une vieille enquête de... Oublie. Ça n'a vraiment aucun rapport. Il y a de grandes chances pour qu'on puisse faire abstraction de ce plombier.

– C'est aussi mon avis. On est d'accord. Et pourquoi, d'ailleurs ?

– Sais pas trop.

Elle laissa son doigt courir sur la feuille une fois de plus. Elle l'arrêta sous les « Comment ».

– Peut-être parce que ce sont les pères qu'il a approchés. Il est la seule personne qui a eu exclusivement contact avec les pères. Tønnes Selbu, le père d'Émilie. Lasse Oksøy, le père de Kim. Pour une raison que j'ignore, j'ai tendance à croire que c'est des mères qu'il s'agit en réalité. Ou bien... je ne sais pas... Regarde. Il a aidé Tønnes Selbu pour la traduction d'un de ses romans, et ils ne se sont même pas rencontrés. Ce n'est pas très étroit, comme relation.

– Bizarre de discuter d'un roman avec un plombier, confia Yngvar au fond de son mug.

– Il s'agissait peut-être d'un technicien VVS[1], répliqua-t-elle d'un ton sec. Qui sait. Mais regarde ça ! 23 juillet 1991 !

– Hein ? Où ?

– Lena Baardsen a confessé avoir eu une relation avec Karsten Åsli en 1991. Ça a dû être une relation qui a marqué. Elle se rappelle la date de leur dernière rencontre, bien que cela fasse bientôt dix ans ! Le 23 juillet 1991 ! Est-ce que tu te souviens de trucs de ce style, toi ?

Il était assis trop près d'elle. Elle sentait son souffle sur son visage, de café et de lait chaud. Elle redressa son dos.

– Il se trouve que je n'ai jamais eu d'autre relation qu'avec ma femme, expliqua-t-il. Nous étions ensemble au collège, déjà. Alors...

Il fit un sourire, et elle ne supporta plus de rester assise là.

– ... je ne suis pas très calé pour parler de ce genre de choses, compléta-t-il en la suivant des yeux vers la cuisine. Mais en tout cas, ce doit être plus caractéristique des femmes de se focaliser sur des détails de cet acabit. Il me semble.

Lorsqu'elle revint sans être, à proprement parler, allée chercher quoi que ce fût, elle s'assit sur une chaise de l'autre côté de la table en verre. L'expression de son interlocuteur était impénétrable.

Elle n'arrivait pas à le cerner. D'un côté, il pimentait le quotidien d'un intérêt quasi oppressant. Qui dépassait l'aspect purement professionnel. Il n'y avait qu'à voir la façon dont il avait ramé : en la faisant presque

---

1. Varme-, Ventilasjons-og Sanitærteknikk, soit Chauffage, aération, sanitaire.

amener de force dans son bureau, pour ensuite la trouver aux États-Unis, en la cueillant chez ICA, qui plus est. Il était intéressé. Mais parce qu'il ne poursuivait jamais, parce qu'il ne faisait jamais rien d'autre que venir, lui rendre visite, parler, il la faisait se sentir...

... *idiote*, pensa-t-elle. *Je ne te comprends pas. Je t'invite à dîner. Tu te promènes dans mon appartement, avec mon T-shirt sur lequel il y a mon nom, tu bordes mon enfant. Tu as le droit de passer du temps avec mon enfant, Yngvar. Pourquoi est-ce qu'il ne se passe rien ?*

— Je trouve ça marrant, reprit-elle d'un ton léger. De se rappeler une telle date.

Ils avaient la feuille entre eux.

— J'ai toujours eu une grande réserve envers les photographes, sourit Yngvar. Ils tordent la réalité et la qualifient d'authentique.

— Et moi envers les gynécologues, embraya-t-elle sans le regarder. Il leur manque le plus souvent la forme la plus élémentaire de compréhension humaine. Les représentants masculins sont les pires.

— Ça a l'air de contenir un lot raisonnable de préjugés, venant de ta part. Que penses-tu des éducateurs de rue ?

Ils rirent un peu, l'un comme l'autre. Pas de problème si elle était assise dans son coin. Il n'en faisait pas grand cas. Il était assis un peu plus à son aise, voilà tout, comme si c'était en fait appréciable d'avoir le canapé pour lui.

— Vous avez progressé en ce qui concerne la cause de décès de Kim et Sarah ?

— Non.

Il finit sa tasse.

— Si nous partons du principe qu'il y a réellement une cause de décès, commença Inger Johanne, eh bien...

– Bien sûr qu'il y en a une ! C'est de deux mômes en bonne santé et pas chétifs que l'on parle !

Lorsqu'il plissait le front, il paraissait plus âgé. Bien plus âgé. Qu'elle.

– Est-ce qu'on a pu... les faire mourir de trouille, ou quelque chose comme ça ?

– Non. Pas à ma connaissance. Tu crois réellement que c'est possible ? De faire mourir de peur des gens qui n'ont pas de problèmes cardiaques ?

– Aucune idée. Mais si notre homme a découvert un moyen de tuer les gens qui ne laisse absolument aucune trace...

La sueur froide lui balaya de nouveau la nuque. Elle souleva ses cheveux et passa ses doigts dans sa frange.

– ... alors ça voudrait dire qu'il a le contrôle absolu. De ce point de vue, ça cadre avec son profil.

– Quel profil ?

– Attends.

Elle avait les yeux rivés sur la feuille, qui était tournée vers Yngvar. Les caractères étaient si petits qu'elle ne pouvait pas les lire à l'envers. Elle brandit un doigt, comme si elle avait besoin du silence absolu pour pouvoir mener une idée à son terme.

– Cet homme est un... il se venge, compléta-t-elle d'une voix crispée. Il présente de graves troubles de la personnalité, il est antisocial ou psychopathe. S'il agit comme cela, c'est parce qu'il pense que c'est juste. Ou légitime. Il estime qu'il a droit à quelque chose. Dieu sait quoi. Qu'il n'a jamais eu. Ou qu'on lui a pris. Qui est à lui. Il reprend... ce qui est à lui !

Son doigt faisait comme un point d'exclamation entre eux. Le visage d'Yngvar était impassible.

– Est-ce qu'il peut être... Est-ce que le meurtrier est *le père* de ces enfants ?

Sa voix tremblait. Elle l'entendit et se racla la gorge. Yngvar avait pâli.

– Non, répondit-il enfin. Il ne l'est pas.

Le doigt d'Inger Johanne redescendit lentement.

– Vous avez vérifié, énonça-t-elle d'une voix sans timbre. Et les enfants sont bien de leurs parents.

– Oui.

– Ça aurait pu être chouette de le découvrir. Si tu penses que je peux t'aider.

– Je n'en serais pas arrivé là. Nous savons qu'Émilie Selbu a un autre père biologique que Tønnes Selbu. Nous pensons qu'il ne le sait pas lui-même. Quant aux autres enfants...

Il se renversa lentement dans le canapé, et fit un geste vague des deux bras.

– Tout porte à croire qu'il n'y a pas de problème en ce qui concerne leur paternité.

Inger Johanne ne lâchait plus la feuille des yeux. Le Roi de l'Amérique gémit de l'autre côté de la porte close qui les séparait de Kristiane. Inger Johanne ne se leva pas. Les plaintes du chien gagnèrent en puissance.

– Je vais...

– J'ai eu une espèce de réunion entre copines, hier au soir, l'interrompit-elle. Nous étions un peu pompettes, les unes comme les autres.

Jack avait commencé à ululer.

– Je vais le laisser sortir. Il doit sûrement avoir besoin de pisser.

– Il ne fonctionne pas encore comme ça, répondit-elle d'une voix monocorde. Il est juste en mal de compagnie. Et maintenant, Kristiane se réveille. Voilà, c'est fait.

Malgré tout, elle ne se leva pas. Yngvar laissa le chien sortir de la chambre d'enfant. L'animal fit sur le sol. L'homme alla chercher un seau et une serpillière. Le salon tout entier embaumait l'Ajax lorsqu'il retourna dans la salle de bains et revint avec le chien dans le creux du bras.

– Une sauterie, pouffa-t-il avec une gaieté affectée. Un mercredi.

– C'est une sorte de cercle de lecture, en fait. Si ce n'est que nous avons rarement le temps de lire. Les mêmes livres, en tout cas. Mais on continue depuis le collège. Une fois par mois. Et donc, on était un peu...

Elle rougit. Ce n'était pas parce qu'elle avait trop bu la veille au soir. Ce qu'elle faisait ne regardait pas Yngvar. Il prenait ses marques dans son salon, s'installait avec le chien sur les genoux, dans son canapé. Les mains de l'homme étaient encore humides de l'eau et du détergent d'Inger Johanne.

– Tard dans la soirée, l'une d'entre nous a absolument voulu savoir avec combien d'hommes les autres...

Yngvar n'avait jamais eu de liaison avec personne d'autre que sa femme. Inger Johanne ne pensait pas avoir rencontré d'homme qui puisse en dire autant.

Dis-tu la vérité, songea-t-elle, *ou bien est-ce encore un moyen d'impressionner ? De te différencier ?*

– ... avaient couché, compléta-t-elle.

– Là, j'ai peur de...

– ... ne pas suivre ?

Elle regretta immédiatement ces mots.

– Ce n'est pas sans intérêt, se hâta-t-elle d'ajouter. Il y a eu beaucoup d'idioties et de ricanements, bien entendu. C'est le genre de jeu qu'ont les bonnes copines quand elles se revoient. À peu près comme les garçons quand ils doivent faire la liste des cinq meilleurs albums de rock de tous les temps. Des dix meilleurs attaquants. Des trucs comme ça.

Il y avait de la place sur les genoux d'Yngvar. Ses cuisses étaient larges, et le Roi de l'Amérique y tenait en entier. Le chien s'y était couché et y passait un bon moment, la gueule ouverte, les yeux mi-clos.

– On a sûrement menti un peu, toutes autant qu'on était. L'essentiel, c'est...

– Oui, je brûle, je ne te le cache pas !

Le sarcasme était dans les mots. La voix était amicale. Elle ne sut pas à quoi elle devait se fier.

– On retranche. On a tous quelqu'un à qui on ne veut pas trop être associé.

Il leva les yeux et la regarda bien en face.

– Oui, pas tout le monde, d'accord, concéda-t-elle en pointant un index vers la table comme pour indiquer qui elle pensait inclure. Mais nous. Nous qui étions ici hier. On a retranché. Au fil des années, on a viré un paquet de personnes à propos desquelles on a rapidement constaté qu'on ne les aimait pas, ou bien à propos desquelles il est franchement déplaisant de penser qu'on a pu... être avec. Et puis le temps passe, et on oublie. Consciemment ou pas. Même si, la plupart du temps, il y a des noms qui restent en filigrane dans un coin du cortex, on ne les prononce pas. Même pas devant les bonnes copines.

Il déposa avec précaution le chiot sur le sol. L'animal couina et voulut aussitôt remonter. Yngvar le repoussa d'un geste résolu et rapprocha la feuille qui se trouvait toujours sur la table. Le chiot se traîna jusqu'à un coin de la pièce et se laissa tomber avec un bruit sourd.

– Il n'y a qu'un « petit copain » ici, constata-t-il. Karsten Åsli. On nous le donne comme ami, ou ancien ami, en vérité, d'une autre fille. Tu veux dire que cet Åsli a, en fait, été avec plusieurs des mères ?

– Pas nécessairement. Il peut s'agir d'une tout autre personne. Qui n'est mentionnée par personne. Ou bien parce qu'elles ont toutes occulté le bonhomme, ou bien parce qu'elles ne veulent pas être associées à...

– Mais ces mères doivent bien comprendre la gravité de la situation, s'exclama-t-il. Elles savent à quel point il est important qu'elles disent la vérité, que les listes que nous leur demandons soient précises.

– Oui, acquiesça-t-elle. Elles ne mentent pas. Elles occultent. Un verre, ça te dirait ? Whisky ? GT ?

Il regarda sa montre d'un geste machinal, comme s'il ne pouvait concevoir une proposition de boisson alcoolisée sans vérifier au préalable quelle heure du jour ou de la nuit il était. Inger Johanne avait peut-être raison ; il se pouvait qu'Yngvar ne bût absolument pas.

– Je conduis, répondit-il avec hésitation. Alors non, merci. Même si c'est tentant.

– Tu peux laisser la voiture où elle est, répondit-elle avec légèreté. Loin de moi l'idée de supplier, se hâta-t-elle d'ajouter. C'est vrai, je ne *sais pas* si ces filles peuvent avoir eu un amant en commun. Je soulève juste l'idée. Il y a quelque chose dans la fureur des crimes de cet homme. L'amertume. La méchanceté ! C'est plus facile de penser que c'est peut-être le résultat du rejet par une femme, *plusieurs* femmes, peut-être *toutes* les femmes, que de penser qu'il puisse être en rage contre... le fisc, par exemple.

– Ne m'en parle pas. Aux États-Unis...

– Aux États-Unis, tu trouves des exemples de gens qui tuent parce qu'on leur a servi un Big Mac tiède. Je crois que nous gagnerons à nous borner aux relations familiales.

– Qu'est-ce qui s'est passé, en réalité, avec Warren ?

Inger Johanne fut surprise de ne pas réagir avec plus d'énergie. Depuis l'instant où Yngvar avait révélé qu'il connaissait Warren, elle s'était attendue à cette question. Puisque les choses traînaient en longueur, elle s'était tranquillisée en pensant qu'il n'était pas intéressé. Ce qui la décevait et la satisfaisait en même temps. Elle ne voulait pas parler de Warren. Le fait qu'Yngvar n'ait pas posé de question plus tôt pouvait néanmoins passer pour une indifférence qu'elle n'appréciait pas particulièrement.

– Je ne veux pas parler de Warren, répondit-elle, d'une voix neutre.

– Bien. Si je t'ai offensée d'une quelconque manière, j'en suis désolé. Ce n'était absolument pas dans mes intentions.

– Ce n'est pas le cas, répondit-elle en affichant à grand-peine un sourire.

– Je crois que, malgré tout, je vais accepter ce verre.

– Comment rentreras-tu chez toi ?

– Taxi. GT, si tu as.

– C'est ce que j'ai dit.

Les glaçons tintèrent violemment lorsqu'elle rapporta deux verres de gin tonic de la cuisine.

– Désolée, je n'ai pas de citron. Warren m'a trahie de façon grossière. Sur les plans professionnel et sentimental. Comme j'étais jeune, j'ai mis l'accent sur le deuxième point. Aujourd'hui, c'est le premier qui me met le plus hors de moi.

Il y avait trop de gin dans le cocktail. Elle fit la grimace.

– Mais je n'y pense plus du tout aujourd'hui, ajouta-t-elle. Ça fait une éternité. Et comme je te l'ai dit : je ne veux pas en parler.

– Skål[1] ! Une autre fois, peut-être.

Il leva son verre devant lui, et but.

– Non. Je ne veux pas en parler. Pas maintenant, et pas une autre fois. J'en ai terminé avec Warren.

Pour une raison inconnue, le silence qui se fit ne fut pas gênant. Dans le jardin, des enfants déjà grands faisaient pas mal de bruit en venant chercher un ballon de football qui avait atterri là où il n'aurait pas dû. C'était un bruit de début d'été qui les fit sourire, à moins qu'ils ne se soient souri l'un à l'autre. Il était neuf heures et demie. Inger Johanne sentit le gin lui monter tout droit

1. Santé !

à la tête. Une douce et agréable sensation d'hébétude dès la première gorgée. Elle reposa son verre et se détendit.

– Si nous envisageons l'idée que nous traquons un ancien amant, commença-t-elle, ou quelqu'un qui *aurait aimé* être l'amant de l'une de ces mères, le message cadre assez bien. *Tu as eu ce que tu méritais.* Impossible de frapper plus durement une femme qu'en lui prenant un enfant.

– Tu ne peux pas frapper plus durement un homme non plus.

Inger Johanne le regarda d'un air absent. Puis comprit.

– Oh... désolée. Excuse-moi, Yngvar, je ne voulais pas...

– Il n'y a pas de mal. Les gens semblent avoir tendance à oublier. Sans doute parce que l'accident était passablement... affreux. J'ai un collègue qui a perdu un fils dans un accident de la route, il y a environ un an. Tout le monde en discute avec lui. Un accident de voiture, c'est quelque chose que l'on peut appréhender, en quelque sorte. Tomber d'une échelle en tuant sa mère, et soi-même, dans sa chute, c'est plus...

Il afficha un sourire crispé et but une gorgée.

– À la John Irving. Alors personne ne dit rien. Et en fait, c'est aussi bien. Tu étais en plein raisonnement.

Elle ne voulait pas poursuivre. Une lueur dans le regard de son interlocuteur la fit malgré tout reprendre :

– Disons qu'on parle d'un être normal en apparence. Beau, peut-être. Chic. Il peut volontiers être charmeur, et n'a pas de difficulté à entrer en relation avec les femmes. Puisqu'il est puissamment manipulateur, peut les garder un certain temps. Mais pas longtemps. Il y a une méchanceté en lui, une immaturité et un fort égocentrisme qui, en plus de sa paranoïa, vont remonter à la surface et faire fuir ces dames. Défaite sur défaite.

Il pense que ce n'est pas sa faute. Il ne fait rien de mal. Ce sont ces femmes qui trahissent. Elles sont retorses et calculatrices. On ne peut pas compter sur elles. Puis il se passe quelque chose.

– Comme quoi ?

Il était en train de vider son verre. Inger Johanne ne savait pas si elle devait lui en proposer un autre. Elle poursuivit.

– Je ne sais pas. Un autre rejet ? Peut-être. À mon avis un événement plus grave. Qui lui fait complètement péter les fusibles. Cet homme qu'on a vu à Tromsø, vous avez du nouveau sur lui ?

– Non. Personne ne s'est manifesté. Ce qui peut vouloir dire que c'était notre homme, ou que c'en était un tout autre. Qui n'a rien à voir avec cette histoire, mais qui n'est pas ravi que la police s'intéresse de près à ce qu'il avait à faire là-bas, ce jour-là. Ce peut être une babiole aussi innocente qu'une visite à une maîtresse. Alors en définitive, nous voilà bien avancés.

– Émilie met une jolie pagaille. Tu veux autre chose ?

Il saisit son verre et l'étudia, un long moment. Les glaçons s'étaient changés en eau. Il la but sans crier gare.

– Non merci. Oui. Émilie est une énigme. Où est-elle ? Puisque sa mère est morte depuis bientôt un an, il est difficile de dire que le kidnapping d'Émilie est un complot contre elle. Ta théorie s'écroule.

– Oui...

Elle hésitait.

– Elle n'a pas été restituée, à l'instar des autres enfants. Pas à son père, en tout cas. Mais est-ce que vous...

Leurs regards se croisèrent et ne se lâchèrent plus.

– Le cimetière, souffla-t-il à voix basse, presque un chuchotis. On a pu la rendre à sa mère.

– Oui. Non !

Inger Johanne rabattit ses manches sur ses poignets. Elle avait froid.

– Cela fait presque quatre semaines qu'elle a disparu ! On s'en serait aperçu ! Il doit passer pas mal de gens dans un cimetière d'Asker à cette période de l'année.

– Je ne sais même pas si c'est là que Grete Harborg est enterrée, répliqua-t-il le souffle court. Et merde, comment n'y a-t-on pas pensé ?

Il se leva d'un coup. Il fit un signe de tête interrogateur vers le bureau d'Inger Johanne.

– Appelle. Mais il n'est pas un peu tard pour voir ça maintenant ?

– Bien trop tard, convint-il en refermant la porte derrière lui.

ILS ÉTAIENT SORTIS sur la terrasse. C'était lui qui en avait exprimé le souhait. Il était minuit passé. Les voisins avaient enfin fait rentrer les gamins. Une faible odeur de barbecue pratiquement éteint leur parvenait de l'est. Le vent était favorable, le bruit des voitures de Store Ringvei[1] était lointain, diffus. Inger Johanne lui avait proposé un sac de couchage au moment où elle était allée se chercher une couette, vers onze heures. Il avait décliné, mais fini par accepter de mettre un plaid en patchwork sur ses épaules. Elle voyait bien qu'il avait froid. Ses cuisses battaient en rythme l'une vers l'autre, et il soufflait de temps à autre sur ses mains pour les réchauffer.

– Une histoire fascinante, apprécia-t-il en vérifiant pour la quatrième fois que son téléphone mobile était bien allumé. Je leur ai demandé d'appeler là-dessus. Alors ne...

1. Ring 3.

Il fit un mouvement de tête vers l'arrière. Kristiane dormait à poings fermés.

Inger Johanne lui avait parlé d'Aksel Seier. En fait, elle était étonnée de ne pas l'avoir fait plus tôt. En une semaine, Yngvar et elle avaient passé une journée entière, une longue soirée et une nuit de veille ensemble. À plusieurs reprises, elle avait pensé partager cette histoire avec lui. Elle s'était abstenue jusqu'à présent, peut-être à cause de cette éternelle volonté de ne pas mélanger les cartes dans le cadre du boulot. Elle n'était plus trop sûre de l'étiquette qu'elle devait coller sur Yngvar. Il portait toujours le T-shirt d'Inger Johanne. Il avait écouté avec intérêt. Ses questions courtes et rares étaient pertinentes. Judicieuses. Elle aurait dû le faire plus tôt. Pour une raison quelconque, elle avait omis de mentionner Asbjørn Revheim et Anders Mohaug. Elle n'avait pas du tout parlé de son excursion à Lillestrøm. C'était comme si elle désirait terminer ses réflexions d'abord.

— Est-ce que tu penses, demanda-t-elle pensivement, que les pouvoirs publics norvégiens peuvent être, dans certains cas...

Elle osait à peine prononcer le mot.

— Corrompus ? l'aida-t-il. Non. Si par corrompus tu entends que des personnes au sein des pouvoirs publics norvégiens puissent recevoir de l'argent pour influencer le résultat d'un procès, je considère que c'est à peu près exclu.

— Eh bien, c'est rassurant, conclut-elle d'un ton sec.

Une Thermos de thé au miel occupait une petite table en tek entre eux. Le bouchon émettait un sifflement exaspérant, et elle tenta de le revisser correctement.

— Mais il y a de nombreuses variantes à l'insuffisance humaine, ajouta-t-il en enserrant son mug pour en absorber toute la chaleur. La corruption est pour ainsi dire impensable dans ce pays. Pour de nombreuses raisons. En premier lieu, ce n'est pas la tradition. Ça peut paraître bizarre, mais la corruption suppose en fait une sorte de tradition nationale. Dans beaucoup de pays d'Afrique, par exemple...

– Fais gaffe !

Ils rirent, tous les deux.

– On a quand même vu des exemples de corruption à un très haut niveau en Europe, ces dernières années, fit remarquer Inger Johanne. En Belgique, en France ! Ce n'est pas si éloigné que ça. Pas besoin d'aller jusqu'en Afrique.

– Ce n'est pas faux, reconnut Yngvar. Mais nous sommes un très petit pays. Très transparent. Ce n'est pas la corruption, le problème.

– Et quel est-il, alors ?

– Le vice et le prestige.

– Fichtre !

Elle abandonna la lutte face à la Thermos, qui gémissait toujours ; un son faible et plaintif. Yngvar dévissa complètement le bouchon et remplit sa propre tasse avec le restant de thé. Il posa ensuite le bouchon à côté du récipient avant de demander :

– Où veux-tu en venir ?

– Je... Est-ce impensable qu'à l'époque, Aksel Seier ait été condamné en dépit du fait qu'il y avait quelqu'un dans le système qui savait pertinemment qu'il était innocent ?

– Il a été condamné par un jury. Un jury est constitué de dix membres. Je vois très mal dix personnes se mettre d'accord pour commettre un tel forfait sans que rien ne filtre jamais. Sur toutes ces années, j'entends.

– Bien. Mais les preuves ont été produites par les pouvoirs publics.

– Correct. Tu veux dire qu'une...

– Je ne veux rien dire, ou presque. Je te demande si

270

tu penses qu'il est possible qu'en 1956, la police et l'avocat général aient pu faire condamner Aksel Seier tout en le sachant innocent.

– Tu sais qui représentait le ministère public, dans ce procès ?

– Astor Kongsbakken.

Yngvar éloigna la tasse de sa bouche et se mit à rire.

– À en croire les comptes rendus des journaux, il était profondément engagé dans l'affaire, c'est le moins que l'on puisse dire, poursuivit Inger Johanne.

– Tu m'étonnes ! Je suis trop jeune...

Il souriait à présent de toutes ses dents et la regardait bien en face. Elle étudiait une tache de thé sur l'édredon, et elle le serra plus étroitement sur elle.

– ... pour avoir bien perçu sa dimension juridique, mais il était légendaire. Le pendant du ministère public d'Alf Nordhus[1], si l'on peut dire. Engagé, affreusement doué. À l'inverse de nombre de grands avocats de la défense, Kongsbakken eut l'intelligence de s'arrêter à temps. Je ne me souviens pas trop de ce qu'il est devenu.

– Il doit être mort depuis longtemps, répondit-elle à mi-voix.

– Oui, ou bien d'un âge à trois chiffres. Et je crois pouvoir t'affirmer une chose : le procureur Kongsbakken n'aurait *jamais* contribué à faire condamner un innocent.

– Mais en 1965... quand Aksel a été relâché, comme ça...

Le téléphone mobile entonna une version digitale de la *Lettre à Elise*. Yngvar le colla à son oreille. La conversation dura environ une minute, et il ne dit à peu près rien d'autre que oui, non et merci.

---

1. Avocat à la Cour suprême hypermédiatisé, aujourd'hui décédé.

– Rien, annonça-t-il en raccrochant. Grete Harborg est enterrée à Østre Gravlund, ici à Oslo, à côté de ses grands-parents. Trois patrouilles de la police d'Oslo ont passé au peigne fin la zone autour de la sépulture. Rien. Aucun paquet suspect, aucun message. Ils continueront leurs recherches demain, quand il fera jour, mais ils sont à peu près convaincus qu'il n'y a rien là-bas.

– Dieu merci, souffla Inger Johanne, qui ressentait un véritable soulagement. Dieu soit loué. Mais...

Il la regarda. Dans la quasi-obscurité, ses yeux étaient sombres, presque noirs. Il aurait dû se raser. Le plaid avait glissé de son épaule. Lorsqu'il se retourna pour le reprendre, elle aperçut son propre nom sur le large dos d'Yngvar. Elle déglutit et fit un effort pour ne pas regarder l'heure.

– ... ça veut aussi dire que nous ne pouvons pas être sûrs à cent pour cent qu'Émilie ait été enlevée par la même personne que les autres enfants. Ça peut être quelqu'un d'autre.

– Oui. Mais je ne le crois pas. Toi non plus. Au nom de Dieu, je *ne l'espère pas*.

L'intensité de cette dernière exclamation la surprit.

– Pourquoi... qu'est-ce que ça...

– Émilie est en vie. Elle peut l'être. Si c'est notre homme qui l'a, il a une raison de la maintenir en vie. Voilà pourquoi j'espère que c'est lui. Il faut juste...

– ... qu'on le trouve.

– Je dois y aller, déclara Yngvar.

– Oui, j'imagine. Je vais t'appeler un taxi.

Yngvar était massif, et il y avait trois heures qu'il avait bu un gin tonic. Il pouvait probablement conduire, et ils le savaient tous les deux.

– Je viendrai chercher la voiture demain. Alors je rapporterai ton T-shirt, par la même occasion. Si ça ne pose pas de problème que je ne le lave pas d'abord.

Arrivé à la porte, il gratifia Jack d'une caresse supplémentaire.

Il leva ensuite la main à son front, fit un sourire et rejoignit le taxi qui attendait.

46

UN HOMME SE RECROQUEVILLA près d'un mur de chalet. Il était chaudement habillé pour la saison. Et pourtant, il avait froid. Il claquait des dents, et il tenta de serrer davantage son blouson autour de lui. Il n'avait aucune idée de l'endroit où il se trouvait. Les arbres entouraient densément un espace ouvert devant le petit bâtiment croulant. Il pouvait sans difficulté s'introduire dedans. Il n'était même pas sûr que le chalet fût verrouillé. Une mince bande de lumière rose avait grimpé sur le ciel, à l'est. Il devait trouver un endroit où se cacher. Les chalets ne représentaient pas un choix fort judicieux. Des gens pouvaient y venir. Celui-ci semblait inoccupé ; il sentait le vieux goudron et les latrines.

L'homme tenta de se redresser. C'était comme si ses jambes ne le portaient plus. Il chancela et comprit qu'il devrait rapidement se procurer quelque chose à manger.

— Manger, murmura-t-il. Manger.

La porte fut une plaisanterie. Juste quelques planches mal assemblées qui pendouillaient à un gond. Il entra d'un pas trébuchant.

Il faisait sombre, plus sombre encore qu'à l'extérieur. On avait condamné les fenêtres. Sa main buta sur un placard. Par chance, il avait un briquet. Il était à court de clopes depuis belle lurette. Il en ressentait le manque comme une douleur aiguë sous le sternum. Des clopes et à manger. Il avait besoin de clopes et de nourriture, et n'avait pas la moindre idée de la façon dont il les obtiendrait. La lueur du briquet lui permit d'ouvrir le placard. Vide. Le suivant l'était aussi. Rien que des toiles d'araignées et une radio de voyage hors d'usage.

Le chalet se composait d'une grande pièce. Sur une table, il vit une sorte de grand pot. Un gros cendrier. Dans lequel gisaient quatre mégots. Ses doigts tremblaient lorsqu'il en ramassa un. Le tabac était si desséché qu'il tomba du papier. Il rentra avec soin les fibres, ce qui prit un certain temps. Il devait tenir l'ouverture vers le haut. Lorsqu'il alluma le clope, il avait la tête penchée en arrière. Après quatre mégots, il n'avait plus faim. En revanche, il ressentait une vague nausée. C'était mieux. Il se glissa sous la table grossière et s'endormit.

47

ON AURAIT PU CROIRE que la môme avait prévu de mourir. Il ne comprenait pas pourquoi. Elle recevait assez à manger. Assez à boire. Assez d'air. Il lui procurait ce dont elle avait besoin pour se maintenir en vie. Et pourtant, elle gisait là, point. Elle avait cessé de répondre quand il lui parlait. Ce qui l'agaçait. C'était insolent. Puisqu'il ne supportait pas l'odeur qu'elle dégageait, il avait recyclé certains de ses anciens slips en cousant l'ouverture. Il ne pouvait pas se permettre de sortir acheter des culottes de petite fille sans attirer l'attention. On le connaissait, dans le canton. Bien sûr, il aurait pu aller en ville, mais mieux valait ne pas se mouiller. Il avait joué la sécurité depuis le début. Ils ne le trouveraient jamais, et il ne voulait pas tout gâcher pour la seule raison que quelqu'un trouverait étrange qu'un célibataire achète des culottes de fillette. Les gens avaient cédé à la plus complète hystérie. Ils ne parlaient de rien d'autre. À la coopérative, chez Bobben à la station-service. Au boulot, il pouvait mettre son casque antibruit et exclure les autres, mais pendant les pauses déjeuner, il était contraint de subir leurs rabâchages. À deux ou trois reprises, il avait englouti son sandwich près de la scie. Le chef s'était alors pointé pour lui demander ce qui n'allait pas. Le déjeuner était sacré pour tous. Il devait être pris dans la baraque. C'était comme ça, il avait souri et l'avait accompagné.

Quelques jours plus tôt, lorsqu'il avait ordonné à Émilie de se lever pour aller se laver, elle avait paru raide comme un robot. Mais elle l'avait fait. Elle était allée péniblement jusqu'au lavabo, avait retiré ses vêtement jusqu'à ce qu'elle fût nue et s'était lavée avec les linges qu'il avait apportés. Elle avait enfilé la culotte propre, vert délavé avec un éléphant indécent sur le devant. Il avait ri. Le slip ne voulait pas tenir, et elle était totalement ridicule lorsqu'elle se retourna vers lui : maigre, pâle, la main droite enserrant la trompe et une poignée de culottes.

Puis il avait lavé ses vêtements. Dans la machine, avec de l'adoucisseur dans l'eau de rinçage. D'accord, il n'avait pas eu le courage de tout repasser, mais elle aurait mieux fait de se montrer plus reconnaissante. Elle était toujours en slip. Les vêtements étaient pliés à côté du lit.

— Hé, aboya-t-il depuis la porte. Il reste encore un peu de vie dans cette carcasse ?

Silence.

La petite pisseuse ne voulait pas lui répondre.

Elle lui faisait penser à une petite fille qu'il connaissait à l'école primaire. Ils devaient monter une pièce de théâtre. Sa mère devait venir. Elle avait fait un costume.

Il devait être une oie cendrée, et n'avait que deux répliques à dire. Le costume n'était pas particulièrement beau. Les ailes étaient en carton, et l'une était sérieusement cornée. Les autres riaient. La jolie petite fille était un cygne. Les plumes faisaient une brume autour d'elle, des plumes blanc neige faites de papier de soie. Elle trébucha sur on ne sait quoi et disparut du bord de la scène.

Sa mère ne vint pas. Il ne sut jamais pourquoi. Lorsqu'il rentra à la maison, elle lisait dans la cuisine. Elle ne leva même pas les yeux lorsqu'il lui souhaita bonne nuit. Sa grand-mère lui donna une tranche de pain et un verre d'eau. Le lendemain, elle le força à rendre visite au cygne, à l'hôpital, et à lui présenter ses excuses.

– Hé, répéta-t-il. Tu vas répondre ?!

Il y eut un semblant de mouvement sous la couette, mais pas un son.

– Fais attention, grinça-t-il entre ses dents avant de claquer la porte métallique.

48

LE VENDREDI MATIN, Kristiane se réveilla avec de la fièvre. C'est-à-dire, elle ne se réveilla pas. Lorsque Inger Johanne se leva à huit heures dix, tirée de son sommeil par Jack, la petite fille dormait toujours. La bouche ouverte, l'haleine lourde ; ses joues étaient rouges et son front chaud.

– Mal, murmura-t-elle quand Inger Johanne la réveilla. Soif dans le ventre.

Cela arrangeait bien Inger Johanne de rester à la maison. Elle passa un vieux survêtement et laissa un message à l'institut. Puis elle composa le numéro de sa mère.

– Kristiane est malade, maman. On ne viendra pas ce soir.

– Quel dommage ! Comme c'est dommage. J'ai trouvé le saumon mariné le plus extra de tous les temps, ton père connaît... Il faut que je vienne m'occuper d'elle ?

– Non, pas la peine. Si, d'ailleurs...

Inger Johanne avait besoin d'une journée chez elle. Elle pourrait nettoyer l'appartement pour le week-end. Réparer l'une des chaises de la cuisine, qui s'était déglinguée sous le poids d'Yngvar. Kristiane était une enfant comme peu d'autres : elle se soignait en dormant, littéralement. Lors de sa dernière grippe, elle avait dormi presque sans interruption quatre jours d'affilée avant de se lever à deux heures du matin pour annoncer :

– Guérie. Finiguérie.

Inger Johanne pourrait enfin profiter du soin capillaire que Line lui avait donné. Elle pourrait occuper la baignoire en toute quiétude. Mais il y avait deux ou trois choses qu'elle devait faire d'abord, avant le week-end.

– Tu peux venir plus tard ? Disons à... vers deux heures ?

– Bien sûr, je peux, ma chérie. Kristiane n'est pas difficile, quand elle est malade. Je prends mon ouvrage et une vidéo, que m'a prêtée ta sœur l'autre jour, un vieux film qui selon elle me plairait beaucoup. *Steel Magnolias*, avec Shirley McLaine et...

– Maman, il y a je ne sais combien de vidéos, ici.

– Oui, mais tu as des goûts on ne peut plus... déviants.

Inger Johanne ferma les yeux.

– Mes goûts ne sont pas bizarres du tout ! Il y a ici des films de...

– Oui, oui. Tu as véritablement des goûts un peu

étranges, admets-le. Tu t'es encore fait couper les cheveux ? Ta sœur est si jolie, elle est allée chez ce nouveau coiffeur *hot* en bas de Prinsens gate, qui s'appelle...

Sa mère pouffa de rire.

— Oui, il est un peu... Ils le sont souvent, ces coiffeurs. Mais Seigneur, ce que Marie est jolie.

— Pas de doute. Tu viens à deux heures, alors ?

— Tapantes. Je prends à dîner pour nous trois ?

— Non merci. J'ai de la soupe de légumes au congélateur. C'est tout ce que je peux faire avaler à Kristiane quand elle est patraque. Ça nous suffira aussi.

— Bien. À tout à l'heure.

— Salut.

L'EAU DU BAIN ÉTAIT trop chaude d'exactement deux degrés. Inger Johanne appuya sa tête sur le coussin de plastique et inspira profondément la vapeur. Citron et camomille, d'un coûteux flacon en verre qu'Isak avait rapporté de France. Il lui rapportait toujours des cadeaux quand il allait à l'étranger. Inger Johanne ne comprenait pas bien pourquoi, mais c'était agréable. Il avait bon goût. Et beaucoup d'argent.

— Moi aussi, j'ai bon goût, bougonna-t-elle.

Trois serviettes fatiguées en tissu éponge pendaient aux patères. L'une représentait un énorme Tigrou, les deux autres étaient délavées en une espèce de rose pastel.

— Nouvelles serviettes, déclara-t-elle à l'attention d'elle-même. Aujourd'hui.

Ses amies lui enviaient sa mère. Line l'adorait. Elle est vraiment gentille, disaient-elles. Elle t'aide absolument pour tout. Elle ne rate jamais rien ! Elle lit, elle va au cinéma et au théâtre, et il faut voir comment elle s'habille !

Sa mère *était* gentille. Bien trop gentille. Sa mère était un général d'armée au service du bien, visiteuse de prison et membre d'honneur de l'Association féminine norvégienne d'aide sociale bénévole, adroite de ses mains et inapte à la communication directe. Ce qui venait peut-être de ce qu'elle n'avait jamais exercé d'emploi hors de son domicile. Sa vie avait été faite de mari, d'enfants et de bénévolat ; une succession sans fin de fonctions non rémunérées et de missions exigeant des dispositions absolument amicales envers tout et tous. Sa mère était la diplomatie faite femme. Elle était pour ainsi dire incapable de composer une phrase dont le contenu recouvrait ce qu'elle avait effectivement à dire. *Ton père s'en fait pour toi* signifiait *je suis morte d'inquiétude. Marie a remarquablement bonne mine en ce moment* était sa façon de l'informer qu'elle avait une tronche de décavée. Quand elle apportait une pile de magazines féminins, Inger Johanne savait à l'avance qu'il serait question de mode et de vingt méthodes pour se trouver un nouvel homme.

— Ton travail t'accapare tellement, compatit sa mère en posant une main légère sur son bras.

Inger Johanne comprit alors que sa génitrice ne considérait pas le jean, le sweat-shirt de High School et les lunettes vieilles de quatre ans comme des éléments particulièrement flatteurs.

Les soins capillaires de Line étaient en réalité assez agréables. Le produit picotait le cuir chevelu, et Inger Johanne sentait les pointes de ses cheveux aspirer la substance nutritive sous le bonnet plastique. L'eau avait teinté sa peau en rouge. Jack dormait, et elle n'entendait aucun bruit dans la chambre de Kristiane. Elle avait laissé les portes ouvertes, pour plus de sécurité.

Le livre sur Asbjørn Revheim faillit tomber dans l'eau. Elle le sauva *in extremis* et déplaça sa tasse de café du bord de la baignoire pour la poser par terre.

Le premier chapitre traitait de la mort de Revheim. Inger Johanne trouvait que c'était une façon étrange d'ouvrir une biographie. Elle n'était pas sûre de vouloir lire la sortie de Revheim et tourna rapidement les pages. Le chapitre deux s'intéressait à son enfance. À Lillestrøm.

Le livre tomba dans l'eau. Elle le récupéra à la vitesse de l'éclair. Quelques pages se collèrent les unes aux autres, et il lui fallut un moment pour retrouver l'endroit où elle en était quand elle avait lâché prise.

Là.

Asbjørn Revheim avait réussi à changer de nom dès l'âge de treize ans. Le biographe passait une page et demie à discuter l'aspect curieux du cas de ce couple qui, en 1953, avait laissé un jeunot rejeter son nom de famille. Mais il est vrai que les parents n'étaient pas n'importe qui.

Asbjørn Revheim était né Kongsbakken. Ses parents étaient Unni et Astor Kongsbakken, elle une tapissière reconnue, lui un procureur notoire, pour ne pas dire réputé.

L'eau avait tiédi. Elle faillit oublier de rincer son masque capillaire. Lorsque sa mère arriva à deux heures, Inger Johanne eut tout juste le temps de lui expliquer que Kristiane devait prendre une demi-aspirine dissoute dans du Coca tiède vers trois heures, et qu'elle avait le droit de boire ce qu'elle voulait.

– Je rentre vers cinq heures. Tu peux mettre Jack en laisse dans le jardin. Et encore merci, maman !

Elle oublia complètement d'expliquer pourquoi un livre était mis à sécher sur un fil entre deux chaises du salon.

L'ÉTAT D'ALVHILD S'ÉTAIT dégradé. L'odeur d'oignon était revenue. La vieille femme était au lit, et l'infirmière donna à Inger Johanne la consigne expresse de ne pas rester longtemps.

– Je reviens dans un quart d'heure, menaça-t-elle.

– Coucou. C'est moi. Inger Johanne.

Alvhild fit un effort pour ouvrir les yeux. Inger Johanne approcha une chaise et posa une main prudente sur celle de la femme. La main qu'elle sentit était froide et sèche.

– Inger Johanne, répéta Alvhild. Je t'attendais. Raconte.

Elle fut prise d'une quinte de toux sèche et essaya de se détourner. L'oreiller était trop profond, sa tête y paraissait coincée, et son regard était braqué sur le plafond. Inger Johanne attrapa une serviette en papier dans une boîte posée sur la table de chevet et lui essuya la bouche avec.

– Veux-tu un peu d'eau ?

– Non. Je veux savoir ce que tu as découvert à Lillestrøm.

– Tu es sûre que... Je peux sans problème revenir demain... tu es trop fatiguée, maintenant, Alvhild.

– Ça, c'est à moi d'en décider !

Elle recommença à tousser vilainement.

– Raconte, supplia-t-elle.

Inger Johanne raconta. Un moment, elle ne sut pas si Alvhild était éveillée. Un sourire se fraya alors un chemin jusqu'aux lèvres de la vieille dame ; Inger Johanne n'avait plus qu'à poursuivre.

– Puis, aujourd'hui, termina-t-elle. Aujourd'hui, j'ai découvert qu'Astor Kongsbakken est le père d'Asbjørn Revheim.

– Ça, je le savais, murmura Alvhild.

– Tu le savais ?

– Oui. Kongsbakken était une personnalité. Il faisait grand cas de lui-même dans le milieu judiciaire des années 1950 et au début des années 1960. On a chuchoté pas mal de choses sur les désagréments que cela devait représenter pour lui d'avoir un fils qui écrivait des livres pareils. Il... Mais je ne me doutais quand même pas que Revheim puisse avoir un lien avec l'affaire Seier.

– Ce n'est toujours pas certain.

Alvhild se débattit avec son oreiller. Elle voulait s'asseoir. Sa main manipula maladroitement un petit boîtier censé gérer le sommier.

– Tu es sûre que c'est bon pour toi ? demanda Inger Johanne en pressant avec hésitation un bouton vert.

Alvhild hocha faiblement la tête, et fit un nouveau signe lorsqu'elle fut satisfaite. La sueur perlait dans les rides de son front.

– Quand *Sueurs froides* est sorti en...

– 1961, compléta Inger Johanne, qui avait eu le temps de lire la majeure partie de la biographie.

– Ça pourrait bien être ça. Ça a fait un ramdam terrible. Pas seulement à cause de ce que ça avait de grossièrement pornographique, mais surtout en raison des violentes attaques contre l'Église. Ce doit être cette année-là qu'Astor Kongsbakken a quitté le ministère public et a été nommé directeur général de ministère. Il...

Elle chercha à reprendre son souffle.

– ... de l'eau dans les poumons, expliqua-t-elle avec un pâle sourire. Attends un peu.

L'infirmière était de retour.

– Je suis sérieuse, gronda-t-elle. (Son énorme poitrine tressautait en cadence avec les mots.) Cela ne fait aucun bien à Alvhild.

– Astor Kongsbakken, haleta Alvhild d'une voix crispée, était un ami de mon propre directeur général. Celui qui m'a demandé de...

– Allez-vous-en, intima l'infirmière en désignant la

282

porte ; elle était déjà en train de préparer une injection, en mouvements maintes fois répétés.

– J'y vais, capitula Inger Johanne, j'y vais.

– Ils avaient étudié ensemble, chuchota Alvhild. Reviens, Inger Johanne.

– Oui. Je reviendrai quand tu iras un peu mieux.

Au regard de l'infirmière, il lui sembla qu'elle pouvait aussi bien attendre que les poules aient des dents.

LORSQUE INGER JOHANNE RENTRA, la maison sentait le propre. Kristiane dormait toujours. Le salon avait été aéré et les rideaux décrochés. Même la bibliothèque avait été rangée ; les livres qui avaient été couchés à la hâte sur les autres étaient à présent soigneusement remis à leur place. L'imposante pile de vieux journaux qui attendait près de la porte d'entrée avait disparu. Tout comme Jack.

– Ton père avait besoin de faire un tour. Il n'y a pas longtemps qu'ils sont partis. Les rideaux avaient besoin d'être lavés, tu sais. Et ici...

Elle lui tendit le livre sur Asbjørn Revheim. Il paraissait avoir été lu et relu, mais il était sec et entier.

– Je me suis servie du séchoir à cheveux, sourit la mère. En fait, c'était assez amusant de voir si on pouvait le sauver. Et en plus...

Elle pencha quasi imperceptiblement la tête de côté et haussa un sourcil.

– Il y a un type qui est venu. Un certain Yngvar Stubø. Il a déposé un T-shirt. Qui est manifestement à toi, puisqu'il y a écrit Vik dans le dos. Il te l'avait emprunté ? Qui est-ce ? Il aurait au moins pu le laver, si tu veux mon avis.

49

LE LÉGISTE ÉTAIT SEUL au boulot. Le dimanche 4 juin avait démarré, et le médecin était désespérément en retard dans son travail. Il approchait des soixante-cinq ans, et il sentait bien qu'il était à la traîne sur beaucoup de choses. Alors que pendant toutes ces années, il avait supporté de mauvaises conditions et une surcharge de travail, ainsi qu'une rémunération qui, d'après lui, ne correspondait pas aux charges que l'emploi réclamait, il avait commencé à s'en agacer. Le bénéfice professionnel avait toujours été important. À l'approche de l'âge de la retraite[1], il souhaitait pouvoir quitter la profession sur une récompense plus concrète. Il gagnait un peu moins de six cent mille couronnes par an[2], cours et heures supplémentaires compris. Il avait d'ailleurs renoncé à les compter. Sa femme estimait qu'il devait s'agir d'un millier d'heures à l'année. Peu lui importait que certains trouvent son salaire plus qu'impressionnant. Son frère jumeau, médecin également, s'était fait chirurgien. Il possédait sa propre clinique, une maison en Provence et une fortune imposable de plus de sept millions à en croire le dernier rôle d'imposition[3].

Le dimanche, c'était le jour des lectures. Son poste devait en principe lui laisser du temps pour se tenir au courant sur le plan technique durant ses heures de travail. Il avait à peine lu un seul article entre neuf et seize heures ces dix dernières années. Il en résultait qu'il se levait aux aurores le dimanche matin, jetait son sac contenant un sandwich et une Thermos sur son dos et

1. Soixante-sept ans en Norvège.
2. Environ 75 200 euros.
3. Que n'importe qui peut très facilement consulter en Norvège.

parcourait au trot la bonne demi-heure qui le séparait de son lieu de travail.

Le découragement l'assaillit lorsqu'il eut trié les revues, les périodiques et les thèses en deux piles : une *à lire* et une *peut attendre*. La seconde était minable. La première lui arrivait presque au genou. Il saisit avec résignation la brochure qui par hasard se trouvait au sommet de la pile et se versa une tasse de café extra-fort.

Excitation-contraction coupling in normal and failing cardiomyocytes[1].

La thèse datait de janvier 1999, et avait passé un bon moment où elle était. Il ne connaissait pas le rédacteur. Il était en fait difficile de déterminer si le travail présentait un intérêt quelconque sans l'étudier de plus près. Il fut tenté de parcourir plus avant la pile. Puis il se ressaisit et commença sa lecture.

LES MAINS DU LÉGISTE tremblaient. Il reposa la brochure. L'ensemble était si terrifiant, et en même temps si évident, qu'il eut peur, au sens propre. La réponse ne se trouvait pas dans la thèse. Elle l'avait simplement fait réfléchir. Il sentit monter son niveau d'adrénaline ; son pouls s'accéléra et sa respiration se fit plus profonde. Il devait parler à un pharmacien. L'annuaire téléphonique tomba par terre lorsqu'il essaya de trouver le numéro de la meilleure amie de sa femme, qui possédait une pharmacie à Tåsen. Elle était chez elle. Leur conversation dura dix minutes. Le légiste oublia de la remercier pour son aide.

Yngvar Stubø avait laissé sa carte. Le médecin cherstituchera entre les feuilles volantes et les Post-it, les pots à crayons et les rapporteurs ; la carte s'était volatilisée. Il

1. Couplage excitation-contraction des cardiomyocytes normaux et défectueux.

se souvint finalement qu'il l'avait punaisée sur son tableau en liège. Il dut composer deux fois le numéro. Il avait une désagréable sensation dans les doigts.

– Stubø, fit-on laconiquement à l'autre bout du fil.

Le légiste passa une minute à expliquer pourquoi il appelait. Le silence se fit.

– Allô ?

– Je suis toujours là, le rassura Stubø. De quel genre de produit s'agit-il ?

– De potassium.

– Et c'est ?

– Un élément simple que nous avons dans nos cellules.

– Là, je suis largué. Comment...

Le médecin sentait qu'il tremblait toujours. Il étreignait nerveusement le combiné téléphonique, et il changea de main pour essayer de se détendre.

– Pour le dire de façon si élémentaire que ça en devient presque inexact, commença-t-il avec un toussotement... Dans les cellules humaines, il y a un certain niveau de potassium. Il est vital. Quand nous mourons, on peut dire que les cellules commencent à... fuir. En l'espace d'une heure ou deux, le niveau de potassium dans le liquide qui entoure les cellules augmente sérieusement. C'est en fait un signe certain qui indique que tu es... mort, tout bêtement.

Le légiste transpirait ; sa chemise lui collait au corps, et il essaya de respirer plus lentement.

– L'augmentation du niveau de potassium en dehors de chaque cellule après le décès n'est par conséquent pas surprenante du tout. C'est normal.

– Et donc ?

– Le problème, c'est que ce niveau augmente aussi dans le cas où quelqu'un apporte du potassium au corps. Quand on vit, je veux dire. Alors... on meurt. Un niveau de potassium que l'on augmente conduit à un arrêt cardiaque.

– Mais ça ne doit pas être compliqué, de tracer une substance de ce genre !

Le médecin haussa le ton.

– Tu n'entends pas ce que je suis en train de te dire ? ! Si on reçoit une injection de potassium qui cause le décès, la cause ne pourra pas être déterminée à moins que l'autopsie ne soit réalisée sur-le-champ ! Un délai d'une heure suffit. Le niveau de potassium aura suffisamment augmenté pour être attribué à la *mort* elle-même ! L'autopsie ne prouvera rien du tout, si ce n'est que l'intéressé ne vit plus, et qu'il n'y a aucune cause de décès apparente.

– Seigneur...

Stubø déglutit si bruyamment que le légiste l'entendit.

– Mais où peut-on se procurer ce poison ?

– Ce n'est pas un poison, nom d'un chien !

Le médecin criait presque. Lorsqu'il ouvrit de nouveau la bouche, ce fut pour reprendre d'une voix basse, tremblante :

– Pour commencer, toi et moi, avalons du potassium chaque jour. À travers notre alimentation habituelle. Pas en grande quantité, je te l'accorde, mais quand même... On peut acheter du potassium dans les pharmacies, en boîtes d'un kilo ! C'est-à-dire : c'est du chlorure de potassium que l'on peut acheter. Si on l'injecte dans le réseau sanguin, il va se décomposer en ions de potassium et de chlore, pour continuer à dire les choses simplement. Le chlorure de potassium doit être préparé en solution pas trop forte ; autrement, il peut détruire les tissus ou les vaisseaux sanguins.

– On le trouve dans les pharmacies... Mais qui...

– Sans ordonnance.

– *Sans ordonnance ?*

– Oui. Mais à ce que j'en sais, fort rares sont les pharmacies qui en ont en stock. On peut le commander. Il existe en outre une infusion de chlorure de potassium à part, qui, elle, est délivrée sur ordonnance. Elle est destinée aux personnes qui ont des carences en potassium. Je suis prêt à parier que la plupart des unités de soins intensifs ont des produits similaires.

– Donc, si je te comprends bien, récapitula Stubø d'une voix lente, si quelqu'un me fait une piqûre contenant une dose suffisante de potassium en solution, c'en est fini de moi. Si tu m'allonges sur ta paillasse plus d'une heure après, tu pourras constater que je ne suis plus de ce monde, mais pas comment j'ai trépassé. Voilà ce que tu es en train de me dire ?

– Oui. Mais je verrai quand même une trace de piqûre.

– Une tr... Et il n'y en avait pas ni sur Kim, ni sur Sarah ?

– Non, pas à ce que j'ai vu.

– À ce que tu as vu ? Tu as *vérifié* s'ils avaient des traces d'injections ?

– Naturellement.

Le légiste se sentait sur les rotules. Son pouls battait toujours rapidement, et sa respiration était lourde.

– Mais je dois reconnaître que je ne les ai pas rasés.

– Rasés ? On parle de deux petits enfants, voyons !

– Le crâne. On essaie d'intervenir le moins possible sur eux quand on les autopsie. Il est hors de question de choquer ou d'offenser les proches par ce que nous sommes dans l'obligation de faire. Une piqûre dans la tempe, ce n'est pas impossible. Pas facile, mais possible. Je dois avouer...

Il entendait Stubø respirer à l'autre bout du fil.

– ... je n'ai pas cherché de marques d'injection aux

tempes. Je n'ai pas réfléchi si loin, c'est aussi simple que cela.

Tous deux pensaient à la même chose. Aucun n'avait le courage de prononcer un mot. Le corps de Sarah était à la disposition du légiste. Kim avait déjà été enterré.

– On peut se féliciter d'avoir freiné des quatre fers pour éviter la crémation, souffla enfin Yngvar.

– Je suis désolé. Je suis vraiment désolé. Sincèrement.

– Et moi donc. Si je comprends bien, tu viens de me décrire le meurtre parfait.

50

– MON GENDRE EST à Copenhague, déclara Yngvar en reposant un petit garçon par terre.

Ce dernier pouvait avoir entre deux et trois ans. Il avait les yeux marron et les cheveux noirs, et il fit un sourire timide à Inger Johanne en attrapant solidement la jambe de son grand-père.

– Il revient demain matin. D'habitude, j'ai Amund tous les mardis et un week-end sur deux, mais les choses étant ce qu'elles sont depuis un certain temps... Je n'ai pas trop pu suivre. Mais là, c'était la crise, impossible de refuser.

Il s'accroupit. Le gamin ne voulait pas se défaire de son blouson. Yngvar ouvrit la fermeture Éclair et lui laissa le vêtement. Il posa ensuite une main légère sur le bambin :

– Inger Johanne a sûrement des jouets fascinants. J'en suis convaincu.

Pourquoi ne m'as-tu pas demandé de venir chez toi ? songea-t-elle. *Je ne suis jamais allée chez toi, et il est plus de huit heures. Tu savais que Kristiane est chez Isak, et cet enfant devrait être couché. J'aurais pu venir chez toi.*

– Viens, dit-elle en prenant la main du petit garçon. Voyons ce qu'on va trouver.

Amund rayonnait lorsqu'elle le mena à la caisse de petites voitures. Il saisit un tracteur et le tint devant lui.

– Tracteur rouge, assena-t-il. Camion rouge. Car rouge.

– Il est assez absorbé par les couleurs, en ce moment, expliqua Yngvar.

– Alors il va s'ennuyer, ici, s'excusa Inger Johanne en aidant Amund avec un bulldozer qui avait perdu ses roues avant. Il y a un mois jour pour jour qu'Émilie a disparu. Tu y as pensé ?

– Non. Mais tu as raison. Le 4 mai. Où est Jack ?

– Je crois..., commença Inger Johanne.

Le gamin lâcha le bulldozer et observa une ambulance qu'Isak avait peinte à la laque rouge vif.

– Ambulance rouge, constata Amund avec scepticisme.

Inger Johanne s'assit à la table du salon.

– Je crois que le but, c'est que ce clebs suive Kristiane. Et pour être parfaitement honnête : c'est très bien comme ça. Il m'a fallu une heure pour évacuer l'odeur de chiot et de pisse de chien. Et le succès n'est pas total, je le crains.

Elle huma l'air et plissa un peu le nez avant d'ajouter :

– On dirait que quelque chose te tracasse.

Yngvar Stubø paraissait plus gros. Cela ne pouvait pas n'être qu'une illusion, il avait grossi au cours de ces dernières semaines. Ses joues étaient plus rondes, et sa chemise le serrait au col. Il y portait sans cesse un doigt. Sa cravate pendait à midi et demi. Inger Johanne avait remarqué qu'il mangeait toujours trop, trop vite.

– Puis-je me permettre de te demander si tu as

quelque chose à manger ? souffla-t-il d'un ton las. Je meurs de faim.

AMUND ÉTAIT ALLONGÉ sur le lit d'Inger Johanne. Il avait fallu une heure pour le faire dormir. Yngvar ressortit enfin de la chambre à coucher. Il avait fourré sa cravate dans sa poche, et les deux boutons du haut étaient dégrafés. Il remonta ses manches et s'écroula sur le canapé qui grinça sous son poids. Il saisit une viennoiserie sur un plateau en verre et l'engloutit en trois bouchées rapides.

— Cette théorie du potassium est effrayante, en vérité, reconnut-il en essuyant des miettes au coin de sa bouche. Je veux dire, elle est déjà pas mal glauque pour nos affaires, mais si les gens en ont vent...

— Le problème, ce sont les traces de piqûre, objecta d'un ton pensif Inger Johanne. Mais si les victimes ont été... à l'avance... Si la personne en question est malade, toxicomane ou si elle peut pour une raison quelconque avoir ce genre de traces sans que cela risque d'éveiller l'attention, c'est tout à fait...

— Désagréable.

— Mais tu m'as dit que cette solution injectable se composait de potassium et de je ne sais quoi d'autre ?

— De chlorure de potassium. Qui se décompose dans le sang en ions de potassium et de chlore.

Inger Johanne plissa le nez.

— Il n'y aurait pas des traces de chlorure, alors ?

Yngvar parut sur le point de s'emparer d'une deuxième viennoiserie. Il frotta alors ses mains l'une contre l'autre et les joignit derrière sa tête.

— Je ne sais pas si j'ai bien tout compris, mais le point essentiel, c'est que le niveau de chlorure dans le corps est nettement supérieur à celui de potassium.

Yngvar ferma les yeux et réfléchit. Il les rouvrit, se

pencha en avant et se mit à dessiner avec un doigt sur la surface vitrée.

– En admettant que je puisse ne pas avoir correctement saisi les chiffres, ils illustrent en tout cas le propos. Disons que ton niveau de potassium est de 3 sur une échelle quelconque.

– Bien. 3 unités de potassium.

– Eh bien, tu as 100 unités de chlorure. Une augmentation à 105 du chlorure n'est ni dangereuse ni surprenante pour qui que ce soit. Une hausse correspondante, soit de 3 à 8, pour le potassium, est fatale. Et ça, c'est vraiment le point de départ d'un meurtre parfait.

– Ce qui explique pourquoi il devait enlever les enfants. Il devait les emmener à un endroit où il pouvait les droguer au Valium pour ensuite leur faire une injection à la tempe.

– Si c'est ce qu'il leur a fait.

– Mmm. Si c'est ce qu'il leur a fait. Quand est-ce qu'on en saura davantage ?

– Le légiste fait d'abord ses recherches sur Sarah, demain matin. On fera ce qu'on pourra pour éviter d'ouvrir la tombe de Kim.

Ils jetèrent tous les deux un coup d'œil vers la chambre. La porte était entrebâillée.

– Si tout cela est exact, on en sait un peu plus sur le meurtrier.

– Comment ça ?

– On sait qu'il peut se procurer du potassium

– C'est notre cas à tous.

– Mais tu as dit que très peu de pharmacies en avaient en stock.

– On va bien sûr se renseigner auprès de toutes les pharmacies du pays. Le médecin pense que le fait de commander du potassium serait suffisamment surprenant pour éveiller l'attention. Mais il a pu se fournir à l'étranger. Dieu sait qu'il prend ses précautions. Et nous avons le problème évident des hôpitaux. Les unités de soins intensifs ont la substance à portée de main. Et ce ne sont pas les unités de ce genre qui manquent en Norvège.

– Mais on en sait plus, ajouta Inger Johanne lentement. Nous savons que notre assassin n'est pas seulement un type intelligent. Il connaît aussi un moyen de tuer que très, très peu de médecins...

– Le légiste en était tout retourné ! l'interrompit Yngvar. Il doit friser les soixante-cinq ans, et il dit n'avoir jamais pensé pouvoir tuer quelqu'un de cette façon. Pas une seule fois ! Et il est médecin !

Il se redressa à demi du canapé et chercha à tâtons dans sa poche revolver la feuille couverte des gribouillis de Sigmund Berli. La page était déchirée et ne voulait pas rester à plat sur la table.

– Ça, bien sûr, ça remet le gynécologue au premier plan, expliqua-t-il en posant un doigt sous le nom du médecin. Et l'infirmière, par la même occasion. En ne tenant pas compte que c'est une femme, bien sûr. Ça ébranle une partie de...

– On ne cherche pas une femme. Et certainement pas un médecin non plus.

– Qu'est-ce qui te permet d'en être aussi sûre ? interrogea Yngvar en levant les yeux.

– Ces nouvelles informations ne doivent pas nous faire oublier tout ce à quoi nous avons pensé jusqu'à présent, déclara-t-elle d'une voix ferme. Nous parlons toujours d'un être blessé. Un psychopathe, ou une personne présentant des traits psychopathiques nets. Je crois que nous cherchons un homme qui a derrière lui une longue suite de relations brisées. En ce qui concerne ses études, c'est la même chose. Il a fort bien pu en faire, mais il y a peu de chances qu'il ait été en mesure de poursuivre un cursus complet avec toutes les contraintes et les efforts que cela suppose. Il peut être suffisamment intelligent, voire *très* intelligent, et donc capable d'abuser des connaissances qu'il attrape à droite ou à gauche. Ces dernières années, un monde d'information s'est ouvert sur le net. Tu y trouves des recettes de bombes et des clubs de suicide ; je ne serais pas surprise s'il existait un site dressant une liste de meurtres astucieux. Dans le cas présent, notre homme peut être assez malin pour y avoir pensé tout seul, rien que sur la base des infos que l'on trouve sur les innombrables sites médicaux. Il est intelligent, ça ne fait pas un pli. Mais il n'a pas la moindre chance d'obtenir une licence ou une maîtrise. Et combien de temps durent les études d'infirmières, à l'heure actuelle ? Quatre ans ? Je considère comme impossible pour notre homme d'accomplir une prouesse de ce genre.

— Mais pourquoi cette *astuce* ?

— Tu penses au potassium ?

— Oui. Pourquoi une méthode si recherchée ? Il aurait pu les étrangler, les abattre, les noyer, que sais-je !

— Le contrôle. L'arrogance. Il veut se montrer souverain. N'oublie pas que c'est un homme qui estime avoir été offensé. Profondément offensé. Pas par une seule personne, pas à l'occasion d'un seul événement. Il a un arsenal de défaites qui doivent être vengées. Supprimer ces mômes sans que nous comprenions comment il a pu faire, c'est...

— Grand-papa, énonça une petite voix.

Inger Johanne constata avec stupeur qu'elle n'avait pas entendu le petit garçon, qui était déjà presque au milieu du salon, un ours en peluche sous le bras. Son T-shirt avait une grosse tache de ketchup, Yngvar avait décliné la proposition de prêt de l'un des pyjamas que Kristiane ne portait plus. La ceinture de la couche du gosse avait chuté loin sous le nombril, et une odeur sans équivoque poussa Inger Johanne à se lever pour mener le petit garçon vers la salle de bains. Sans trop savoir pourquoi, elle espéra qu'Yngvar ne lui emboîterait pas le pas. Amund faisait preuve d'une confiance peu courante. Lorsqu'elle l'assit sur le couvercle des toilettes pour lui ôter la couche usagée, il lui fit un large sourire.

– Ingejonne, articula-t-il en passant une main courtaude sur la joue d'Inger Johanne.

Yngvar avait déposé un sac contenant un savon neutre, trois couches et une tétine dans la salle de bains.

Tu comptais bien que le mioche s'endorme ici, pensa-t-elle. *Apporter un pyjama aurait été trop évident. Mais trois couches ?*

– Grand-papa est un finaud, déclara-t-elle en soulevant le gamin pour le mettre dans le lavabo.

– Pas laver le derrière, protesta Amund en battant des jambes. Pas ça.

– Oh si ! Il y a du caca dessus. Alors on nettoie !

Elle fit claquer le linge contre le petit croupion en forme d'œuf. Amund éclata de rire.

– Non, hoqueta-t-il lorsqu'elle laissa l'eau tiède couler sur sa peau.

– Quand tu seras tout beau, tout propre, tu pourras dormir correctement.

– Ambulance est blanche. Pas rouge.

– Tu as parfaitement raison, Amund. Les ambulances sont blanches.

– Bulance.

– Ambulance. Hé, mais tu es doué !

Le gosse se rengorgea dans la serviette.

– Fini de dormir, décréta-t-il en se remettant à rire.

– Ce n'est pas mon avis, objecta Yngvar depuis la porte. Viens, que grand-papa te recouche. Merci, Inger Johanne.

ÇA NE MARCHA PAS. Au bout d'une demi-heure, Yngvar ressortit de la chambre, le gamin sur le bras.

– Il va dormir ici, expliqua-t-il presque sur un ton d'excuse en lançant un regard noir au marmot qui sourit et repoussa la tétine à sa place. Il pourra rester sur mes genoux.

Le petit garçon disparaissait presque dans les bras de son grand-père. Un bout de nez dépassait à peine d'une couverture verte. Les yeux cillèrent au bout de quelques minutes, et le bruit de succion rythmée s'affaiblit. Yngvar écarta la couverture de son visage. Les cheveux sombres d'Amund paraissaient presque noirs sur la chemise blanche d'Yngvar. Les cils de l'enfant étaient humides, et si longs qu'ils s'emmêlaient.

– Les enfants, souffla Inger Johanne à mi-voix sans pouvoir quitter Amund des yeux. Je ne peux pas me défaire de l'idée que ce sont les enfants qui détiennent la clé qui nous fera comprendre cette histoire. D'abord... D'abord, j'ai cru que cela avait un lien avec la propre enfance du meurtrier. Une perte, un manque. Un manque lié à sa propre enfance. Et peut-être...

Elle respira profondément.

– J'ai peut-être raison. Mais il y a autre chose. Il y a quelque chose, chez ces enfants. Même si ce ne sont pas les siens. On dirait que...

Elle se décomposa.

Yngvar ne disait rien. Amund dormait comme un loir. Inger Johanne secoua soudain la tête, comme pour interrompre le cours de ses pensées :

– Et s'il avait eu un enfant qu'il ne peut pas voir ?

– Là, je trouve que tu vas un peu loin, répondit doucement Yngvar en remettant d'aplomb la tête du petit garçon. Qu'est-ce qui te fait dire une chose pareille ?

– Cela collerait avec l'ensemble. Disons que c'est un homme qui plaît aux filles, d'une certaine façon, mais qui n'arrive jamais à les retenir. L'une d'elles tombe enceinte. Elle choisit de garder l'enfant. L'idée qu'il puisse rester avec le bébé doit lui paraître pour le moins terrifiante. Elle a pu...

– Mais pourquoi justement ces enfants, et pas d'autres ? Si tu ne te trompes pas en pensant que Glenn Hugo, Kim, Sarah et Émilie n'ont pas été choisis au hasard, qu'est-ce qu'ils ont de particulier ? Si ce type avait circulé pendant des années en semant des gamins chez des filles au hasard, et si toutes les victimes étaient ses gosses, alors... Mais ce n'est pas le cas. Pas comme les choses se présentent. Alors, qu'est-ce qui le fait choisir ?

– Je ne sais pas, répondit-elle d'un ton las. Tout ce que je sais, c'est qu'il y a une raison. Ce type a un plan. Il y a une espèce de logique absurde dans tout ce qu'il fait. Même s'il se distingue par plusieurs aspects du tueur en série typique. Parce qu'il n'y a pas de périodicité évidente dans les enlèvements, par exemple. Aucun rythme, pas de logique apparente. Nous ne savons même pas s'il a terminé.

Le silence retomba. Yngvar enveloppa plus soigneusement Amund et posa ses lèvres sur la tête sombre. Le souffle de l'enfant était léger et régulier.

– C'est ce qui m'effraie le plus, murmura-t-il. Qu'il n'ait pas encore terminé.

DANS LA MAISON PEINTE en blanc, à la lisière des bois, à une heure et demie d'Oslo, le meurtrier venait tout juste de rentrer de son footing. Il saignait d'un genou. Il faisait noir au-dehors, et il avait trébuché sur une racine. L'entaille n'était pas profonde, mais saignait malgré tout assez abondamment. Les pansements se trouvaient d'ordinaire dans le troisième tiroir à côté de l'évier. Le paquet était vide. Agacé, il alla chercher une compresse stérile dans l'armoire à pharmacie de la salle de bains. Il dut entortiller de la gaze autour du pansement, car le rouleau de sparadrap était vide aussi. Bien sûr qu'il n'aurait pas dû sortir courir si tard. Mais il était en proie à une telle agitation... Il clopina jusqu'au salon et alluma la télé.

Ce jour-là, il n'était pas descendu à la cave. Émilie lui répugnait, plus que jamais auparavant. Il voulait se débarrasser d'elle. Le problème, c'est qu'il n'avait personne à qui rendre cette maudite gamine.

– Le 19 juin, gronda-t-il à mi-voix en passant rapidement d'une chaîne à la suivante.

À ce moment-là, tout serait fini. Six semaines et quatre jours après la disparition d'Émilie. Il ferait irruption, prendrait le cinquième moutard et le rendrait le même jour. La date n'était pas choisie au hasard. Rien n'était fortuit, dans ce bas monde. Il y avait un plan derrière chaque chose.

Vendredi, le chef l'avait convoqué dans son bureau. Pour lui donner un avertissement écrit. La seule chose qu'il avait faite avait été d'emporter quelques outils à la maison. Il n'avait même pas l'intention de les voler. Pour commencer, ces outils étaient vieux. Ensuite, il comptait les rendre. Le chef ne l'avait pas cru. Quelqu'un avait sans doute cafté.

Il savait qui était à ses trousses.

Tout était un élément d'un plan.

Lui aussi pouvait en élaborer.

– 19 juin, répéta-t-il en basculant sur le télétexte.

D'ici là, il devait se débarrasser d'Émilie. Elle était peut-être déjà morte. En tout cas, il n'avait pas prévu de lui donner davantage à manger.

Son genou lui faisait un mal de chien.

– LES LETTRES, CLAMA-T-ELLE en s'interrompant au beau milieu d'une phrase.

Yngvar avait toujours Amund sur les genoux, comme si la conversation l'empêchait de s'en défaire.

– Les lettres, répéta-t-elle en se frappant le front. Sur le plateau d'échecs d'Aksel !

– Euh, je ne suis plus trop...

Inger Johanne avait finalement parlé à Yngvar de son excursion à Lillestrøm. Du lien entre le débile Anders Mohaug et l'écrivain Asbjørn Revheim. Qui était le fils cadet d'Astor Kongsbakken, représentant du ministère public dans le procès Aksel Seier. La réaction d'Yngvar avait été difficile à interpréter, mais Inger Johanne avait cru voir une ride dans son front qui semblait indiquer que lui aussi trouvait ces coïncidences bien trop étonnantes pour qu'on puisse les considérer comme fortuites.

– Les lettres ?

– Oui ! Quand je suis allée chez Aksel Seier, il m'a semblé après coup avoir vu quelque chose qui n'y avait pas sa place, d'une certaine façon. Maintenant, je sais ce que c'était. Un paquet de lettres sur la table d'échecs.

– Mais des lettres... on en reçoit tous, de temps en temps.

– Les timbres. Ils étaient norvégiens. Le paquet tenait avec un morceau de ficelle.

– En d'autres termes, tu n'as vu que celui qui était sur le dessus.

– C'est juste. Mais j'affirme qu'il s'agissait des lettres d'une seule et même personne, poursuivit-elle. Elles venaient de Norvège, Yngvar. Aksel Seier reçoit des lettres de Norvège. Il est en contact avec quelqu'un d'ici.

– Et alors ?

– Il ne m'en a pas parlé. On aurait dit qu'il n'avait plus eu aucun lien avec sa patrie depuis son départ.

– Franchement...

Yngvar passa Amund dans l'autre bras. Le gosse grogna mais continua à dormir comme une bûche.

– Tu n'as pas discuté des heures avec lui ! Il n'y a rien de louche à ce qu'il ait gardé des liens avec tel ou tel : un ami, un membre de la famille...

– Il n'a pas de famille en Norvège. Pas à ma connaissance.

– Tu fais tout un plat de quelque chose qui a certainement une explication on ne peut plus sérieuse.

– Est-ce qu'il a pu... Est-ce qu'il a pu recevoir de l'argent de quelqu'un ? Est-ce qu'on le paie pour qu'il ne fasse pas de vagues ? Est-ce que c'est pour cela qu'il n'a jamais cherché à obtenir justice ? Qu'il s'est enfui quand j'ai voulu l'aider ?

Yngvar souriait. Inger Johanne n'aimait pas l'expression de ses yeux.

– Oublie. On sombre dans la grosse conspiration. J'ai des choses bien plus intéressantes à te raconter. Astor Kongsbakken est vivant.

– Quoi ?

– Oui. Il a quatre-vingt-douze ans et vit avec sa femme, en Corse. Ils y ont une ferme, une espèce de domaine viticole, d'après ce que j'ai compris. Il me semblait me souvenir qu'il n'était pas mort, ça m'aurait marqué, s'il l'avait été. Alors je me suis renseigné. Il s'est retiré pour de bon de la vie publique il y a un peu plus de vingt ans, et il vit là-bas depuis ce moment-là.

– Il faut que je lui parle.

– Tu peux toujours essayer de lui téléphoner.

– Tu as son numéro aussi ?

– Il y a des limites. Non. Appelle les renseignements, tiens. D'après mes sources, il a toute sa tête, mais il ne tient pas spécialement bien debout.

Yngvar se leva lentement, sans réveiller le gosse. Il l'empaqueta un peu plus soigneusement et leva un regard interrogateur sur Inger Johanne. Elle fit un hochement de tête indifférent avant d'aller chercher les affaires d'Amund dans la chambre.

– Je rapporterai la couverture demain, promit-il en se battant pour tout ramasser en une seule fois.

– Oh ! je te fais confiance, répondit-elle sans enthousiasme.

Il se tenait devant elle et la regardait fixement. Amund, affalé sur son épaule, grommelait dans son sommeil. La tétine était tombée, et elle se pencha pour la ramasser. Lorsqu'elle la lui tendit, il lui saisit la main et ne voulut plus la lâcher.

– Ce n'est pas spécialement curieux qu'Astor Kongs-bakken et le directeur d'Alvhild aient été bons amis, martela-t-il. De nombreux juristes se connaissent. Tu sais ce que c'est, aujourd'hui ! La Norvège est un petit pays. Il l'était encore plus dans les années 1950 et 1960. Tous les juristes devaient se connaître !

– Mais tous les juristes ne trempaient pas dans une erreur judiciaire propre à éveiller l'attention.

– Non, soupira Yngvar. On ne sait pas si c'était leur cas, d'ailleurs.

Elle l'accompagna à la voiture pour l'aider à installer Amund. Ils n'échangèrent pas un mot avant que le petit garçon ne soit bien arrimé dans son siège bébé et le sac posé à côté de lui.

– Salut, fit Yngvar d'un ton badin.

– Mmm, grommela Inger Johanne en retour, avant de regagner son appartement vide.

Elle aurait aimé que le Roi de l'Amérique soit là, au moins.

51

YNGVAR STUBØ n'était pas au mieux de sa forme. Le haut de son pantalon lui enserrait la bedaine, et sa ceinture de sécurité le bridait. Il avait des difficultés à

respirer. Il y avait dix minutes qu'il avait quitté l'E6.
La route sur laquelle il se trouvait à présent était étroite,
et ses virages le rendaient légèrement nauséeux. En
arrivant à un arrêt de bus un peu en retrait, il se rangea
et s'arrêta. Il desserra sa cravate, dégrafa le bouton du
haut de sa chemise et appuya la tête contre le haut de
son siège.

Yngvar Stubø avait quarante-cinq ans et se sentait
vieux.

Il avait connu Elisabeth à seize ans. Ils s'étaient
mariés dès qu'ils en avaient eu l'âge et avaient eu Trine
dans la foulée. Bien des années plus tard, il était rentré
du travail, et avait trouvé un nouveau-né endormi dans
une maison déserte.

On était en plein été. Un parfum de jasmin flottait
sur le quartier résidentiel de Nordstrand. La voiture de
Trine, une vieille Fiesta qu'elle avait reçue de ses
parents, était garée les roues avant sur la pelouse, ce qui
l'avait énervé. Il était un peu en colère en entrant. Il
avait faim. Il avait promis d'être de retour à cinq
heures, mais il était déjà six heures moins le quart. Le
silence inhabituel le fit s'arrêter dans l'entrée pour
écouter. La maison était vide ; de bruits, de gens.
Aucune odeur de repas, aucun cliquetis de couverts ni
tintement de verres. Il commença un tour silencieux des
pièces, comme s'il savait ce qu'il rencontrerait.

Son pantalon s'était orné d'une tache bleue dans le
courant de la journée. Juste à côté de la poche ; il s'était
bagarré avec un feutre qui était tombé en morceaux.
Elisabeth avait fait des courses de vêtements pour lui
deux jours auparavant. Lorsqu'il les avait essayés, elle
avait secoué la tête en soulignant ce que le fait d'acheter des pantalons kaki pour un homme comme Yngvar
avait de ridicule. Elle l'avait embrassé en riant.

Il s'arrêta dans le salon. Il n'entendait même pas le
gazouillis des oiseaux dans le jardin ; il jeta un œil par

la fenêtre et les vit voler alentour, mais n'entendit rien, bien que les portes-fenêtres fussent ouvertes.

Amund était au deuxième étage. Il avait deux mois, il dormait.

Lorsque Yngvar découvrit Elisabeth et Trine, il resta pétrifié. Il ne prit le pouls ni de l'une, ni de l'autre. Trine le regardait sans ciller. Ses yeux marron s'étaient recouverts d'un voile terne. Elisabeth béait sur le ciel d'après-midi ; ses incisives avaient disparu dans sa bouche et son nez n'était pratiquement plus qu'un souvenir.

Yngvar sursauta. Le car klaxonnait.

Il remit lentement la voiture en mouvement et quitta l'arrêt. Il devait se trouver un nouvel endroit où s'arrêter. Il devait vomir.

En parvenant à une bifurcation, il ouvrit sa portière et se vida le ventre avant que le véhicule ne fût complètement arrêté. Heureusement, il avait une bouteille d'eau.

Il avait passé toute la nuit dans la salle de bains. La tache d'encre était coriace. Il avait tout essayé. Le white spirit, le détachant, le savon noir. Pour finir, au petit jour, il avait empoigné une paire de ciseaux et avait découpé la tache.

Plusieurs collègues avaient proposé de venir chez lui. Il se contenta de les congédier d'un geste. Son gendre était au Japon, et il revint plus de quarante heures trop tard. Yngvar tenait Amund à deux mains, et il se mit enfin à pleurer. Il ne voulait pas restituer l'enfant. Le gendre emménagea dans la maison et y resta plus d'un an.

La bouteille d'eau était vide. Yngvar tenta de respirer régulièrement, profondément.

Il n'avait pas la moindre idée de ce qu'il devait faire avec Inger Johanne. Il ne savait pas ce que l'on faisait. Il ne la comprenait pas. En venant avec Amund, il espérait qu'il se passerait quelque chose, qu'elle verrait qui il était et que peut-être elle lui demanderait de rester. Une fois, une collègue lui avait dit que c'était chou qu'il s'occupe comme ça de son petit-fils. Sexy, avait-elle ajouté, le faisant presque rougir.

Il ne devait pas manger autant. Il passa une main sur son ventre, qui était douloureux à force de haut-le-cœur. Il devenait gras.

On eût dit qu'Inger Johanne lui donnait soixante ans.

Yngvar but la dernière goutte d'eau et fit redémarrer le véhicule. Il ne daigna pas attacher sa ceinture de sécurité.

Les examens effectués sur Sarah Baardsen avaient appuyé la terrible théorie du légiste selon laquelle le potassium aurait été la cause des décès. À la tempe, juste sous les cheveux, il avait trouvé une trace à peine visible. Une piqûre. Délicate, avait-il ajouté d'un ton las avant de raccrocher. Aucune décision n'avait encore été prise concernant Kim, qui avait déjà été enterré.

Le gynécologue, qui pouvait vraisemblablement faire des piqûres, n'avait pourtant pas présenté un grand intérêt. Il ne comprenait pas pourquoi Yngvar venait le voir. Il avait répondu à toutes les questions, en le regardant droit dans les yeux, en secouant la tête en signe d'excuse. Sa voix était grave et chantante ; les restes d'un dialecte à demi oublié avaient fait resurgir Trine dans la mémoire d'Yngvar. L'homme était marié, père de trois enfants et grand-père de deux petits-enfants. Travail à mi-temps à l'hôpital, pratique libérale le reste du temps.

Cato Sylling, le plombier de Lillestrøm, était en mission à Fetsund. Il fut la bonne volonté même lorsque Yngvar le joignit sur son téléphone mobile. Il pouvait être à Oslo le lendemain. Aucun problème. L'affaire était écœurante ; il était de tout cœur avec Lasse et

Turid, et ne demandait pas mieux que d'apporter son aide s'il pouvait faire quoi que ce soit.

– Moi aussi, j'ai des enfants, vous comprenez. Bon sang. Je l'étranglerai de mes propres mains, ce mec, si je le chope. À demain, une heure.

Cela n'avait pas été trop compliqué de trouver l'adresse de Karsten Åsli. Il avait le téléphone et était enregistré chez Telenor. Parvenir jusque chez lui fut une autre paire de manches. Yngvar dut s'arrêter trois fois pour demander son chemin. Il finit par trouver une station service où un drôle de rondouillard aux cheveux épars rouge pompier l'orienta.

– Troisième à droite, puis trois fois à gauche. Six ou sept cents mètres et vous verrez la maison. Mais conduisez mollo, ou le châssis va lâcher !

– Merci, grommela Yngvar en passant la première.

KARSTEN ÅSLI VENAIT de décider de servir un dernier repas à Émilie. Cela ne signifiait rien. Elle ne mangeait plus. Il ne savait pas si elle buvait. Elle ne touchait rien de ce qu'il lui apportait, mais elle avait l'eau courante.

Une voiture gravissait la colline.

Karsten Åsli jeta un coup d'œil par la fenêtre de la cuisine, vers le mauvais chemin de terre.

La voiture était bleue, bleu nuit. Une Volvo.

Personne ne venait jamais ici. Hormis le facteur, et il conduisait une Toyota blanche.

52

À L'AVANCE, ELLE s'était sentie sûre de ce qu'elle allait dire, et de la façon dont elle allait formuler ses questions. Elle fut néanmoins déboussolée lorsqu'elle eut Astor Kongsbakken au bout du fil. Il fut subitement présent, tenant l'autre combiné, et Inger Johanne ne sut plus par où commencer.

Il parlait d'une voix forte. Ce qui pouvait signifier qu'il entendait mal. Mais aussi qu'il entrait dans une colère noire. Quand elle en arriva, un peu vite, au nom d'Aksel Seier, elle fut certaine qu'il allait lui raccrocher au nez. Mais il ne le fit pas. Au lieu de cela, la conversation prit un tour tout à fait inattendu : il posa des questions, elle y répondit.

Astor Kongsbakken avait, en tout état de cause, été clair comme de l'eau de roche. Il ne se rappelait pour ainsi dire rien de l'affaire et n'avait aucunement l'intention de se retourner les méninges pour les beaux yeux d'Inger Johanne Vik. Il lui précisa à trois reprises son âge considérable et finit par brandir la menace d'un avocat. Ce que ce dernier était censé faire la concernant était en revanche plus flou.

Inger Johanne feuilleta *Asbjørn Revheim. Chronique d'un suicide annoncé.*

La fureur manifestée par Astor Kongsbakken pouvait avoir tant de causes. Il avait quatre-vingt-douze ans, et pouvait très bien n'être qu'un vieux grincheux notoire. Dès les années 1950, des anecdotes circulaient, mettant en relief le tempérament du bonhomme. Les deux photos de lui qu'on trouvait dans la biographie montraient un type courtaud aux épaules larges et au visage fermé, assez différent de la silhouette longue et presque effilée de son fils. L'une représentait le célèbre procureur en robe noire, le recueil de lois brandi dans la main droite, comme s'il envisageait de le lancer vers le jury. Ses yeux étaient sombres sous ses sourcils proéminents, et on aurait dit qu'il criait. Astor Kongsbakken avait été un homme emporté. Et tout le monde ne s'adoucissait pas avec les années.

Il y avait un frère ; un fils aîné d'Astor et Unni. Inger

306

Johanne s'humecta les doigts et alla à la bonne page. Geir Kongsbakken était avocat et dirigeait un petit cabinet dans Øvre Slottsgate. Il n'était guère gratifié que de cinq lignes. Inger Johanne choisit de lui téléphoner. À défaut d'autre chose, le fils pourrait peut-être lui ouvrir la possibilité d'une deuxième conversation avec son père. Cela ne coûtait rien d'essayer.

Elle appela la secrétaire et obtint un rendez-vous pour le 6 juin à dix heures. Lorsque la fille lui demanda de quel genre d'affaire il s'agissait, Inger Johanne hésita un instant.

– Une affaire de meurtre. Ça ne sera sans doute pas très long.

– Demain, donc, confirma l'aimable voix. Je vous marque pour une demi-heure. Bonne journée !

53

KARSTEN ÅSLI RETINT SON SOUFFLE. À travers la fenêtre à double vitrage, il entendit la Volvo rétrograder de seconde en première tandis que le conducteur passait le dernier raidillon avant le portail.

Karsten Åsli habitait Snaubu depuis un an à peine. La ferme lui coûtait fort peu, la commune imposait d'y habiter à l'année bien qu'il fût impossible de vivre du minuscule lopin de terre et du peu d'hectares de forêt qui en dépendaient. Mais pour lui, l'endroit était idéal. Les premiers mois avaient été consacrés au développement de la cave, qui n'était en réalité rien d'autre qu'une extension : reconstruction de l'ancienne cave à pommes de terre. Étant donné qu'elle se trouvait du côté bas de la maison, sur une pente raide, il n'avait pas été difficile d'aménager une pièce qui fût suffisamment vaste et qui pût en même temps se trouver sous la cave à proprement parler. Il était fier de ce à quoi il était parvenu. Personne ne lui avait jamais demandé ce qu'il allait faire de ce qu'il achetait ; ciment, béton, bois, outils, tuyaux et câbles électriques. La maison n'en pouvait plus. Il changea les panneaux sur quelques murs extérieurs et entama les fondations d'un garage, au cas où quelqu'un viendrait. Snaubu était un patelin reculé, à un quart d'heure du bourg. Libre, fier, comme il le désirait. Personne ne venait à Snaubu.

Excepté cette Volvo bleu nuit qui s'était arrêtée dans la cour. Karsten Åsli ne bougea pas de la cuisine. Il ne s'écarta pas, ne chercha pas à se dissimuler. Immobile, il regarda la portière s'ouvrir. Un homme sortit. Il avait l'air courbatu. Mal à l'aise. Il commença par se frictionner vigoureusement le visage, avant d'essayer de redresser son dos. Il fit la grimace, comme s'il avait conduit toute la journée. Ses plaques minéralogiques indiquaient qu'il venait d'Oslo, à seulement deux petites heures. L'homme regarda autour de lui. Karsten Åsli ne bougeait toujours pas. Lorsque l'inconnu l'eut manifestement aperçu à travers la fenêtre – il leva la main en un geste hésitant –, Karsten Åsli se rendit dans l'entrée. Il décrocha un pull rouge d'une patère et l'enfila. Puis il ouvrit la porte :

– Salut.

– Bonjour !

L'inconnu entra, la main tendue. Il était baraqué. Gras, songea Karsten Åsli. Fatigué et gras.

– Yngvar Stubø, se présenta l'homme.

– Karsten, répondit Karsten Åsli en pensant au béton que les fondeurs lui avaient laissé à la cave.

Les outils. Personne ne venait jamais le voir. Hormis cet homme.

– Sympa, comme endroit, constata l'inconnu en regardant autour de lui. Une vue fabuleuse. Il y a longtemps que vous habitez ici ?

– Un moment.

– Il faut signaler votre déménagement. Ça n'a pas été facile de vous trouver. Je peux entrer ?

Il n'y avait rien à l'intérieur. Karsten Åsli visionna chaque pièce mentalement. Rien. Pas de vêtements d'enfant. Pas de jouets. Pas de photos ou de coupures de journaux. Propre. En ordre. Rangé.

– Pas de problème.

Il le précéda. Il entendait les pas de l'étranger dans son dos, des pas lourds. L'homme était fatigué. Karsten était jeune et bien entraîné.

– Eh bien ! s'exclama Stubø. On peut dire que c'est bien rangé, ici !

Karsten Åsli n'aimait pas les yeux de ce type. Ils couraient partout. C'était comme si ce gars avait un appareil photo dans la tête, et ne laissait rien passer. Ni le canapé, ni la télévision, ni l'affiche rapportée des vacances en Grèce avec Ellen avant que tout ne parte en quenouille.

– Que voulez-vous, exactement ?

– Je suis de la police.

Karsten Åsli haussa les épaules et s'assit sur une chaise. Le policier se baladait toujours dans la pièce et la fouillait du regard.

Il ne trouverait rien. Il n'y avait rien à trouver.

– Et que puis-je faire pour vous ? Vous voulez une tasse de café, ou autre chose ?

L'homme avait le dos tourné. Il observait peut-être la vue. Il réfléchissait peut-être.

– Non merci. Vous vous demandez certainement pourquoi je suis ici.

Karsten Åsli ne se demandait pas. Il savait.

– Oui. Pourquoi êtes-vous ici ?

– C'est à propos de ces enlèvements d'enfants.

– Ah oui ?

– Une histoire horrible, estima le policier en faisant volte-face.

L'appareil photo cliqueta vers Karsten.

– Bien, acquiesça-t-il lentement. Tout à fait affreuse.

Il soutint le regard de son interlocuteur. Respira lentement. Karsten savait que ça pouvait arriver. Il l'avait pris en compte. Ce n'était pas grave. Pas du tout. De plus, le policier était plus âgé que lui. Vieux. Il manquait d'exercice.

– L'enquête est très difficile, et nous devons examiner tout ce qui se présente. Voilà où vous intervenez.

Le policier souriait trop. Tout le temps, d'une oreille à l'autre.

– Des proches de deux des enfants disent vous avoir connu, à un certain moment.

Deux. Deux !

Karsten Åsli secoua légèrement la tête.

– Pour être parfaitement honnête, je n'ai pas suivi tout cela de très près. Impossible de ne pas connaître les grandes lignes, mais... Qui a dit me connaître ?

– Turid Sande Oksøy.

Turid ne raconterait jamais cela. Jamais. Même pas maintenant. Karsten le devina en regardant Stubø. L'œil gauche du policier voulut ciller, mais l'homme se retint. Le mouvement contrarié dévoila le mensonge.

Il secoua de nouveau la tête.

– J'affirme ne pas connaître ce nom, déclara-t-il en portant une main à sa tempe sans quitter Stubø du regard. D'ailleurs...

Il claqua légèrement des doigts de la main droite.

– J'ai bien entendu parler d'elle à la télé. Comme je vous l'ai dit, je n'ai pas suivi assidûment, ça fait un peu trop, mais... oui. C'est la mère de... ce gamin. Le plus grand. Je me trompe ?

– Non.

– Mais je ne la connais pas. Pourquoi dirait-elle une chose pareille ?

– Lena Baardsen.

Le policier le regardait toujours aussi fixement. L'œil gauche était calme, à présent. Figé.

– Lena Baardsen, répéta Karsten Åsli d'un ton lent. Lena. J'ai eu une copine qui s'appelait Lena. Est-ce qu'elle s'appelait Baardsen ? Ça, en fait, je ne me le rappelle pas.

Il sourit au policier. Stubø ne souriait plus.

– Ça doit faire... dix ans. Au moins ! Et j'ai connu deux ou trois filles qui s'appelaient Lene, avec un e. Une collègue à la scierie s'appelle Line. Mais ça ne doit pas avoir un grand intérêt.

– Non.

Le policier s'assit enfin dans le canapé. Il eut soudain l'air moins grand.

– Qu'est-ce que tu fais, comme travail, demanda-t-il sur un ton neutre, presque sans intérêt réel, comme s'ils venaient de se rencontrer dans un pub où chacun siroterait sa pinte.

– Je bosse à la scierie. Fabrique de bois de construction, en ville, juste à côté.

– Je croyais que tu étais éducateur de rue.

– Etais. J'ai fait un peu de tout. Des choses très différentes.

– Des études ?

– Des tas.

– Comme quoi ?

– Oh, un peu de tout, là aussi. Vous êtes sûr, pour ce café ?

Stubø hocha la tête et leva une main.

– Cela ne vous ennuie pas si je vais m'en chercher une tasse ?

– Pas du tout.

Karsten n'aimait pas beaucoup l'idée de le laisser

311

seul au salon. Même s'il n'y avait rien dans la pièce, rien d'autre que ce qu'on trouve dans n'importe quel salon, des meubles, quelques livres et, hormis cela, très peu de choses, c'était comme si cet homme souillait toute la maison. C'était un étranger, et il était indésirable. Le policier devait s'en aller. Karsten empoigna le rebord de l'évier ; il mourait de soif. Sa langue se collait à son palais et contre ses dents. Il se pencha et but avidement. Au sous-sol, il avait du béton et des outils, et il allait se débarrasser d'Émilie. La soif ne voulait pas passer. L'eau lui glaça les dents. Il gémit faiblement et but encore. Encore.

– Vous ne vous sentez pas bien ?

Le policier avait remis son sourire : une fente repoussante dans son visage. Karsten ne l'avait pas entendu arriver. Il se redressa lentement ; très lentement, la tête lui tournait, et il se cramponna à la paillasse.

– Oh si ! J'avais soif, c'est tout. Je suis allé courir.

– Vous vous tenez en forme.

– Oui. Y avait-il autre chose que je puisse... Vous aviez d'autres questions ?

– Vous avez l'air un peu tendu, pour être franc.

Le policier avait croisé les bras. Ses yeux étaient redevenus un appareil photo. Ils parcouraient de nouveau la pièce. Les placards. La cafetière. Le couteau à découper. Lui.

– Oh non ! répondit Karsten Åsli. Je suis juste un peu claqué. J'ai couru une heure et demie.

– Impressionnant. Je fais de l'équitation, pour ma part. J'ai mon propre cheval. Si j'avais eu une maison comme celle-ci...

Stubø leva une main vers la fenêtre.

– J'en aurais eu plusieurs. Vous connaissez May Berit ?

Il se tourna tout en parlant. Son profil s'assombrit

contre la lumière du salon. Son œil gauche, le détecteur de mensonge, était masqué. Karsten déglutit.

– May Berit qui ? demanda-t-il en s'essuyant la bouche.

– Benonisen. Elle s'appelait Sæther, avant.

– Je ne m'en souviens pas.

La soif ne cédait pas. Sa bouche lui donnait l'impression d'être tapissée de champignons ; la muqueuse était collante et gonflée, et faisait barrage aux mots qu'il voulait prononcer.

– Vous avez une mémoire plutôt limitée, souligna l'homme, toujours sans lui faire vraiment face. Vous avez dû avoir de nombreuses conquêtes.

– Quelques-unes.

Un mot à la fois. Quelques. Unes. Ça allait.

– Vous avez des enfants, Åsli ?

Sa langue se délia. Son pouls ralentit. Il le sentit ; il l'entendit, il entendit son cœur battre contre son sternum à coups sans cesse plus espacés. Sa respiration se fit plus libre, l'étreinte autour de sa gorge se desserra et il sourit largement en s'entendant répondre :

– Oui.

Cet homme n'était pas pire que les autres. Il était exactement aussi mauvais. Il était l'un d'entre eux. Le policier Stubø faisait l'important devant lui tandis que l'enfant qu'il cherchait n'était qu'à quinze mètres ; dix, peut-être ? Le type ne se doutait de rien. Il ne faisait sans doute qu'aller d'un endroit à l'autre, de maison en maison, en posant des questions idiotes, et en se faisant mousser sans réellement avoir le moindre soupçon de quoi que ce soit. La routine, comme ils appelaient ça. En réalité, il n'y avait qu'un moyen de tuer le temps. Pas mal de gens devaient figurer sur la liste qu'il avait sans doute dans sa poche intérieure ; le type portait sans arrêt la main à sa poitrine, sous son blouson, comme s'il envisageait de lui montrer quelque chose.

Il était comme tous les autres.

Dans ses traits, Karsten voyait des femmes et des hommes ; vieux et jeunes. Son nez, droit et relativement grand, lui rappelait un vieil instituteur qui prenait du plaisir à l'enfermer dans le placard où étaient rangées les médecine-balls et les sachets de tisane jusqu'à ce qu'il suffoque au milieu de toute cette poussière et demande à sortir en pleurant. Les cheveux de Stubø étaient rabattus en arrière, en biais sur son crâne, exactement comme ceux du chef scout ; le mec qui avait pris à Karsten tous ses brevets parce qu'il pensait que le gamin avait triché. Dans la bouche de Stubø, il y avait des filles, plein de filles. Des lèvres pleines, roses, dodues. Des filles. Des femmes. Des chattes. Ses yeux étaient bleus, comme ceux de sa grand-mère.

– J'ai un fils, l'informa Karsten en se servant du café déjà passé.

Ses mains ne tremblaient pas ; des pattes solides, à la peau coriace. Karsten se sentait fort. Il laissa un doigt courir sur le manche du couteau ; la lame était glissée dans un bloc de bois pour que le fil soit protégé.

– Pour le moment, il est à l'étranger, avec sa mère. En vacances.

– Je vois. Vous êtes mariés ?

Karsten Åsli haussa les épaules et porta la tasse à ses lèvres. Le goût âcre lui fit du bien. Les champignons avaient disparu. Sa langue lui paraissait fine. Aiguisée.

– Oh ! non. Nous ne sommes même pas amants. Vous savez...

Il émit un petit rire.

Le téléphone mobile de Stubø sonna.

La conversation ne dura pas longtemps. Le policier fit claquer le rabat de l'appareil.

– Je dois y aller, lâcha-t-il.

Karsten le raccompagna. Une pluie légère s'était déposée sur l'herbe ; cette nuit aussi serait froide. Des gelées, peut-être, le vent faible avait un côté mordant qui indiquait qu'en tout cas, il y en aurait là-haut, sur la montagne. Le parfum d'un début d'été frais tiraillait les narines. Karsten inspira profondément.

– Je ne peux pas vraiment dire que cela ait été un plaisir de vous voir, sourit-il. Mais bon retour.

Stubø ouvrit sa portière et se retourna vers lui.

– Je souhaiterais avoir une conversation avec vous en ville.

– En ville ? À Oslo, vous voulez dire ?

– Oui. Dès que possible.

Karsten Åsli réfléchit. Il tenait toujours sa tasse de café. Il jeta un coup d'œil dedans, comme s'il était surpris de la voir vide. Puis il releva les yeux et les braqua sur Stubø :

– Cette semaine, ce ne sera pas possible. Mais peut-être au début de la semaine prochaine. Je ne peux rien vous promettre. Vous avez une carte, ou un truc dans le genre ? Pour que je puisse vous appeler ?

Stubø ne le quittait pas du regard. Karsten ne cillait pas. Une mouche perdue bourdonnait entre eux. Un avion était audible loin au-dessus de la couche nuageuse. La mouche fila vers le ciel.

– Je prendrai contact, décida finalement Stubø. Soyez-en sûr.

La Volvo bleu nuit passa le portail en tressautant et redescendit lentement la colline. Karsten Åsli la suivit des yeux jusqu'au bosquet où il savait que la route se scindait. Il ne se souvenait pas de la dernière fois où la vallée avait été aussi belle, aussi pure.

Elle était à lui. L'endroit était à lui. Dans une déchirure entre les nuages, il vit la traîne de l'avion qui s'étirait vers le nord.

Il rentra.

YNGVAR STUBØ S'ARRÊTA aussitôt qu'il se crut hors de vue. Il tenait le volant à deux mains. La sensation de la présence de l'enfant avait été si puissante, si oppressante que seules vingt-cinq années d'expérience l'avaient empêché de réduire les lieux en miettes. Il n'y avait aucun fondement pour cela. Il n'avait rien.

Rien d'autre qu'une sensation. Pas un seul juriste en Norvège ne lui accorderait de mandat de perquisition sur la seule base de son intuition.

– Réfléchis, feula-t-il pour lui-même. Réfléchis, nom de Dieu.

Il lui fallut moins de quatre-vingts minutes pour rentrer à Oslo. Il s'arrêta devant l'immeuble dans lequel habitait Lena Baardsen. On était le lundi 5 juin au soir, et il était déjà huit heures et demie passées. Il craignait que le temps ne fût en train de lui filer entre les doigts.

54

AKSEL SEIER SE TENAIT DEVANT un miroir lépreux, dans le salon. Il passa une main sur ses cheveux, qui sentaient l'orange. Sa frange avait disparu, et ceux de sa nuque se dressèrent contre ses doigts lorsqu'il les brossa lentement à rebrousse-poil. Mrs. Davis estimait que, pour une fois, il devait donner l'impression de venir d'une société civilisée. Il partait quand même pour un long voyage, vers un pays où, d'après ce qu'en savait Mrs. Davis, les gens considéraient les Américains comme de vulgaires barbares. C'était très certainement ce qu'ils faisaient, ces Européens ; elle l'avait lu dans *National Enquirer*. Il se devait de leur montrer qu'il était un homme qui avait du bien. Son long pelage rêche et gris convenait peut-être à Harwichport, mais il allait à présent au-devant d'un autre monde. Elle l'avait salement entaillé à l'oreille, mais au moins la coupe avait l'air régulière. Hyper court partout. L'huile d'orange était un vestige de l'un de ses six gendres. Elle était censée faire du bien au cuir chevelu. Aksel n'aimait pas l'odeur des agrumes. Il ne partirait pas avant le lendemain, et décida qu'il se débarrasserait de ce parfum avant de prendre le car pour le Logan International Airport de Boston. Matt Delaware avait proposé de le conduire à l'arrêt de Barnstable. C'était la moindre des choses, le merdeux avait pu acquérir le camion et le bateau pour une bouchée de pain.

En revanche, la propriété d'Ocean Avenue avait été vendue pour 1,2 million de dollars.

C'est ce qui était écrit.

Il ne lui avait fallu qu'une heure pour déterminer ce qu'il emporterait. Les soldats de verre, qui avaient nécessité quatre hivers, reviendraient à Mrs. Davis. Le risque qu'ils soient détruits au cours de la traversée de l'océan était trop grand. Elle en fut émue aux larmes et promit qu'aucun de ses petits enfants ne jouerait avec. Elle aimerait le chat comme le sien, déclara-t-elle d'une voix forte. Matt avait enchaîné les courbettes quand Aksel lui avait proposé la table d'échecs et l'énorme tapis devant le canapé. À la seule condition qu'il expédie la figure de proue dès qu'Aksel aurait une adresse en Norvège.

La figure de proue ressemblait à Eva, et le reste avait peu d'importance.

Aksel n'aimait pas sa nouvelle coupe de cheveux, qui le vieillissait. Son visage était plus net. Les rides, les pores et ses mauvaises dents, dont il aurait dû s'occuper depuis longtemps, paraissaient plus exposés maintenant que la longue frange avait disparu, laissant le visage nu et sans protection. Il essaya de se dissimuler derrière une vieille paire de lunettes à monture

317

brune. Les verres n'étaient plus adaptés, et il fut rapidement pris de vertige.

Il était allé à la banque. La vente se montait à environ dix millions de couronnes norvégiennes[1]. Cheryl, qui avait grandi à Harwichport et ne travaillait dans l'agence bancaire que depuis deux mois, avait fait un grand sourire en lui chuchotant *you lucky son of a gun*[2] avant de lui expliquer comment le reste de l'argent dû par l'acquéreur lui serait versé petit à petit sur une période de six semaines. Aksel devait se mettre en relation avec une banque en Norvège, y ouvrir un compte, et tout irait bien, à condition que les pouvoirs publics ne fassent pas trop d'histoires. Tout se passerait comme sur des roulettes, assura-t-elle en riant derechef.

Dix millions de couronnes.

Pour Aksel, c'était une somme astronomique. Il essaya de maintenir qu'il y avait une éternité qu'il avait oublié le cours de la couronne, et que la Norvège était un pays cher, cela avait son importance. C'est ce qu'il avait compris à travers les articles qu'il avait trouvés çà et là concernant son ancienne patrie. Mais un gros million de dollars, c'était un gros million de dollars, toutes choses égales par ailleurs et où que ce fût dans le monde. Même à Beacon Hill, à Boston, il aurait eu une petite chambre pour ce prix-là. Ça ne pouvait pas être plus cher à Oslo qu'à Beacon Hill.

Mrs. Davis l'avait accompagné à Hyannis pour y faire l'emplette de quelques vêtements. Il n'avait pu y échapper. Aksel Seier ne lui faisait pas totalement confiance, et le pantalon à carreaux de chez K*mart était particulièrement inconfortable. Mrs. Davis estimait que les carreaux et les tons pastel lui donnaient l'air riche, ce qu'il était effectivement, alors pourquoi

1. Environ 1 283 000 euros.
2. Petit veinard.

pas. Lorsqu'il grommela une phrase mentionnant Cape Cod Mall, elle leva pourtant les yeux au ciel et l'informa que les magasins qui s'y trouvaient vous avaient ruiné avant que vous n'en ayez passé le seuil. Ce qu'on ne trouvait pas chez K*mart, ça ne valait pas le coup de l'acheter. Il se retrouvait donc avec une valise pleine de fringues qu'il n'aimait pas. Mrs. Davis avait confisqué les vieilles chemises de flanelle et les vieux jeans ; elle les passerait à la machine avant de les donner à la l'Armée du Salut.

Il ne fallait pas qu'il oublie d'appeler Patrick.

Aksel s'éloigna d'un pas du miroir. Avec la lumière qui tombait en biais depuis la fenêtre, il éprouvait des difficultés à se reconnaître dans le verre taché. Ses cheveux n'étaient pas le seul élément étrange. Il essaya de se redresser. Une gêne dans les épaules et la nuque l'en empêcha. Pendant de trop nombreuses années, il avait regardé le sol. Aksel était resté ainsi, après des milliers de journées courbé sur un travail de forçat, à l'écart de tous, et de longues soirées la nuque pliée sur un travail manuel délicat rythmé par ses propres pensées.

Il leva de nouveau la tête, et ressentit une vive douleur entre les omoplates. Il paraissait plus mince. Il se contraignit à rester dans cette posture. Puis il passa une main légère sur sa veste de costume brune en se demandant s'il mettrait une cravate au moment de sortir. La cravate était synonyme de beaucoup de respect. En cela, Mrs. Davis avait raison.

S'il apparaissait qu'il y avait suffisamment d'argent, il paierait une traversée de l'océan à Patrick. Même si son copain faisait son beurre pendant la belle saison, la majeure partie de ses revenus allait à l'entretien du manège et à sa subsistance durant les longs mois d'hiver où l'argent se faisait rare. Patrick n'était jamais retourné en Irlande. Il pourrait venir à Oslo, y rester une semaine ou deux, et passer par Dublin sur le chemin du retour, si le cœur lui en disait.

Aksel se rendit soudain compte qu'il avait peur. Il avait encore une foule de choses à faire avant son départ. Il fallait qu'il s'active.

Il n'avait jamais pris l'avion, mais là n'était pas la source de ses craintes.

Eva ne voulait peut-être pas qu'il vienne. Elle ne le lui avait en fait pas demandé. Aksel quitta vivement la nouvelle veste et se mit à emballer les soldats de verre dans le papier de soie que Mrs. Davis lui avait fourni.

Il se coupa sur un petit éclat bleu. C'étaient les restes du général qu'Inger Johanne Vik avait écrasé. Aksel se fourra le doigt dans la bouche. La jeune femme avait peut-être perdu tout intérêt pour lui lorsqu'il avait fichu le camp ?

Il n'avait pas eu peur depuis 1993, quand le cauchemar du policier aux yeux humides agitant ses clés avait cessé de le tourmenter.

55

– IL ÉTAIT ABSOLUMENT FOU, assura-t-elle. Complètement timbré, voilà tout.

Lena Baardsen paraissait angoissée lorsqu'il sonna, bien qu'il ne fût pas particulièrement tard. Ses yeux étaient marqués par les larmes, soulignés de poches presque mauves qui se détachaient sur son visage pâle. L'appartement humide sentait le renfermé, même si elle essayait de maintenir un semblant d'ordre. Elle ne lui offrit rien, s'installant pour sa part face à un grand verre de cuisine contenant ce qu'Yngvar estima être du vin rouge. Comme si elle lisait dans ses pensées, elle leva son verre :

– Recommandations du médecin. Deux verres avant le coucher. Meilleur que des somnifères, à ce qu'il dit. Honnêtement, ni l'un l'autre ne sont d'un quelconque secours. Mais ça, au moins, ça a meilleur goût.

Elle but le restant d'un seul trait.

– Karsten est charmant. Il l'était, en tout cas. Doué pour faire la cour. J'étais une petite jeunette, à l'époque. Je n'avais pas l'habitude de tant d'attentions. J'ai été tout simplement

Ses yeux se fermèrent.

– Je suis tombée amoureuse, compléta-t-elle d'une voix lente.

Son sourire était supposé être ironique. Il fut seulement triste, surtout lorsqu'elle rouvrit les yeux.

– Mais quand on a commencé à sortir ensemble, ça n'a pas tenu le choc, là-haut. Jalmince comme pas permis. Possessif. Il ne m'a jamais tapé dessus, mais j'avais quand même une jolie pétoche, à la fin. Il...

Elle groupa ses jambes sous elle et frissonna, comme si elle était frigorifiée. Il devait faire au bas mot trente degrés dans l'appartement.

– J'ai rapidement compris que ça ne tournait pas très rond chez lui. Il pouvait se réveiller la nuit rien que parce que j'étais au petit coin. Venir dans la salle de bains pour voir que je pissais. Un peu comme s'il pensait que j'allais... me tirer. On n'habitait pas ensemble. Pas pour de bon. J'avais un studio, beaucoup trop petit pour deux. Lui, il vivait dans une espèce de communauté, mais je crois que les gens avec qui il habitait ne pouvaient pas l'encadrer. Alors il a emménagé chez moi, en quelque sorte. Sans demander. Il n'a rien apporté, il n'y avait pas la place. Mais il a pris possession des lieux, un peu. Rangé, lavé et géré, qui plus est. Il est totalement maboul en ce qui concerne la propreté.

Était, je veux dire, je ne le connais pas maintenant. Il était *démesurément* égocentrique. C'était moi, moi, moi. Tout le temps. Aujourd'hui, je n'accepterais jamais ça. Mais il était joli garçon. Et assez attentionné, en tout cas au début. Et moi, je n'étais qu'une merdeuse.

Elle eut un petit sourire d'excuse.

– Vous savez..., commença Yngvar, vous saviez quelque chose sur ses relations familiales ?

– Ses relations familiales, répéta Lena Baardsen d'une voix de robot. Une mère, au moins. Je l'ai rencontrée deux fois. Gentille. D'une certaine façon. Incroyablement douce. Karsten pouvait la malmener dans les grandes largeurs. Même si on avait l'impression que... qu'il l'aimait, en réalité. De temps en temps, en tout cas. La seule chose dont il semblait avoir peur, c'était sa grand-mère. Elle, je ne l'ai jamais vue, mais punaise, il m'a raconté deux ou trois trucs qui...

Elle eut soudain l'air surprise.

– Vous savez, en fait, je ne me rappelle pas ce que c'était. Pas d'exemple, quoi. Bizarre. Je me souviens parfaitement qu'il la détestait. C'est l'impression que j'avais, en tout cas. Et pas qu'un peu.

– Le père ?

– Le père ? Nan... Il n'en a jamais parlé, je crois. En fait, il n'aimait pas parler de son enfance, de ces choses-là. J'avais l'impression qu'il avait grandi avec sa mère et sa grand-mère. Ce devait être sa grand-mère maternelle, donc. Mais je ne suis vraiment pas sûre. Ça fait un bail. Karsten était fêlé. J'ai fait de mon mieux pour tout oublier le concernant.

Elle plissa de nouveau les lèvres pour figurer un semblant de sourire. Yngvar regardait fixement une grande photo au milieu de la table basse, un cliché de Sarah dans un cadre argent. À côté, il y avait une petite bougie compacte rose et une petite rose dans un vase effilé.

– Je n'arrive pas à dormir, souffla Lena. J'ai tellement peur d'éteindre cette bougie... Je veux qu'elle brûle tout le temps. Pour toujours. C'est exactement comme si tout n'était pas tout à fait vrai tant que cette lumière ne sera pas éteinte.

Yngvar hocha la tête en un geste quasi imperceptible.

– Je sais, répondit-il, d'une voix calme. Je sais ce que vous éprouvez.

– Non ! s'emporta-t-elle. Vous ne savez pas ce que j'éprouve !

Derrière ce visage décomposé, dans ces traits pris d'une rage subite, il vit que Lena Baardsen s'en sortirait. Elle ne le comprenait pas encore. La mort de sa fille était inconcevable, et elle le resterait longtemps. Lena Baardsen se cramponnait à un chagrin omniprésent, de chaque instant. Son existence se déroulait hors de toute réalité, puisque la réalité était à cet instant précis insupportable.

Les choses empireraient. Pour finir, en temps voulu ; il lui serait possible de vivre à nouveau. À ce moment-là, arriverait le véritable chagrin. Celui qui ne la quitterait jamais et qu'elle ne pourrait partager avec personne. Celui qui la laisserait rire et vivre, peut-être même avoir d'autres enfants. Mais qui ne lâcherait malgré tout jamais prise.

– Si. Je sais ce que vous éprouvez.

Il faisait trop chaud. Il se leva et ouvrit la porte donnant sur le petit balcon.

– C'est lui qui a fait ça ?

Yngvar se tourna à demi. La voix de la femme était à peine audible, comme s'il n'en resterait bientôt plus. Il devait songer à y aller. Lena Baardsen se débrouillerait. Il avait eu les réponses dont il avait besoin.

– Vous vous rappelez la date à laquelle vous l'avez vu pour la dernière fois.

– Je me suis barrée, répondit Lena. Je suis allée au Danemark. J'ai rendu l'appartement pendant qu'il était au boulot, j'ai emporté toutes mes affaires chez maman, et je suis partie pour une durée indéterminée. Il a pourri la vie de maman pendant quelques semaines. Et puis il a lâché l'affaire. J'imagine. Est-ce que c'est lui qui a... Est-ce qu'il a tué Sarah ?

Yngvar serra si fort le poing que ses ongles entaillèrent la paume.

– Je ne sais pas, répondit-il simplement.

Il laissa la porte du jardin d'hiver ouverte et alla vers l'entrée. Au milieu du salon, il s'arrêta pour regarder de nouveau la photo de Sarah. La rose s'étiolait, elle piquait du nez et réclamait de l'eau.

De retour à sa voiture, il se retourna et compta sept étages sur la façade. Lena Baardsen était sur le balcon, un plaid sur les épaules. Elle ne fit pas signe. Il pencha la tête en avant et monta en voiture. La radio se mit en marche lorsqu'il tourna la clé de contact. Il avait largement dépassé Høvik lorsqu'il comprit que l'émission traitait des ravages de la mort noire.

PLUS QUE TOUTE AUTRE chose, il aurait voulu la gifler. Turid Sande Oksøy n'était vraiment pas douée pour le mensonge. Voilà sans doute pourquoi elle dissimula avec soin son visage aux yeux de son mari lorsqu'elle répéta :

– Je n'ai jamais entendu parler d'un quelconque Karsten Åsli. Jamais.

La maison mitoyenne de Bærum était empreinte d'un autre type de chagrin que le minuscule appartement de Torshov. Il y avait des enfants vivants, ici. Des jouets étaient éparpillés sur le sol, et une odeur de restes de dîner flottait dans l'air. Turid comme Lasse

Oksøy portaient les marques de peu de sommeil et de beaucoup de larmes, mais dans cette maison, d'une certaine manière, le temps avait continué de s'écouler. Comme il le devait ; les jumeaux n'avaient que deux ans. Turid Oksøy avait essayé de se maquiller ; Yngvar avait appelé depuis son mobile pour demander s'il pouvait passer, bien qu'il se fît tard. Le mascara faisait déjà comme des pâtés noirs aux coins de ses yeux. Le rouge à lèvres lui dessinait des lèvres démesurées dans un visage blanc. Son index gratta distraitement une petite plaie à la base du nez qui se mit à saigner. Elle fondit en larmes.

– Parole d'honneur, hoqueta-t-elle. Vous devez me croire. Je n'ai jamais connu qui que ce soit qui se prénomme Karlsen.

Yngvar aurait dû lui parler en tête à tête.

Ça avait été une gaffe colossale que d'aller la voir chez elle. Lasse, son mari, n'allait raisonnablement pas la laisser seule ; son bras enserrait fermement ses épaules, même quand elle se détournait. Yngvar aurait dû attendre le lendemain, et la faire venir à son bureau. Seule, sans le mari. Il lui fallait plusieurs patères où suspendre Karsten Åsli. Bien plus que la certitude instinctive que l'homme était dangereux ; quelque chose qui justifiât une enquête plus approfondie. Avec son expérience et sa renommée, il obtiendrait peut-être l'autorisation d'une perquisition s'il pouvait prouver que Karsten Åsli était la seule personne à avoir connu toutes les mères. Surtout en partant du principe qu'il le niait lui-même. Cela, il pourrait l'expliquer à Turid Oksøy, pour la contraindre ensuite à des aveux.

Elle était littéralement malade de peur. Yngvar ne saisissait pas pourquoi. Son fils était mort, assassiné par un dément sur qui cette femme étendait une main protectrice. Yngvar aurait souhaité la baffer. Plus que tout, il aurait voulu se pencher par-dessus la table, l'attraper par son ridicule pull rose, et lui flanquer une gifle. Il voulait faire sortir la vérité de ce corps maigre à force de coups. Elle était laide. Ses cheveux étaient morts, son maquillage dégoulinait. Son nez était trop gros, ses yeux trop resserrés. Turid Sande Oksøy avait l'allure d'un vautour, et Yngvar voulait lui arracher tout ce maquillage aberrant, exhumer la vérité de son cortex de poule.

– Et cela, vous en êtes tout à fait sûre, articula-t-il lentement en passant une main sur ses cheveux.

– Oui, assura-t-elle en levant la tête avant de faire courir un pouce sur la peau sous ses yeux.

– Alors je vous prierai de bien vouloir m'excuser pour le dérangement. Je trouverai la sortie tout seul.

– MERDE. MERDE !

Yngvar abattit si violemment son poing sur le tronc que ses phalanges commencèrent à saigner. Les muscles de sa nuque se nouèrent. Il tremblait ; ce n'était pas facile de trouver les bons chiffres sur le clavier de son mobile. Il essaya de respirer plus à fond, mais ses poumons n'obéissaient pas. À cet instant précis, il ne savait pas qui était le plus mort de peur : lui ou Turid Sande Oksøy.

Il s'appuya sur le tronc de pin pour se détendre davantage. Dans la maison qu'il venait de quitter, les lampes s'éteignaient, pièce après pièce. Il ne resta finalement plus qu'un rai de lumière jaune diffuse sous un store du premier étage.

– Allô ?

– Salut.

– Je te réveille ?

– Oui.

Il ne s'excusa pas. La voix de la jeune femme le fit respirer plus librement. Il fallut dix minutes à Yngvar pour raconter le déroulement de la journée. Il se répéta ici et là mais se ressaisit, essayant d'être calme. De faire un récit chronologique. D'être professionnel. Précis. Lorsqu'il eut terminé, il se tut. Inger Johanne ne disait rien.

– Allô ?

– Oui, je suis là, entendit-il au loin.

Il appuya un peu plus le téléphone contre son oreille.

– Pourquoi, demanda-t-il, pourquoi ment-elle ?

– Ça ne fait aucun doute : elle a dû avoir une liaison avec Karsten Åsli alors qu'elle était mariée avec Lasse. Il ne peut pas y avoir d'autre raison. À moins qu'elle ne dise la vérité, bien sûr. Qu'elle n'ait jamais rencontré le type.

– Elle ment ! Elle *a menti* ! Je sais qu'elle ment !

Il donna un nouveau coup de poing sur l'écorce grossière. Le sang coulait sur le dos de sa main.

– Qu'est-ce que je dois faire ? Qu'est-ce que je fais, maintenant, bon Dieu ?

– Rien. Pas cette nuit. Rentre chez toi, Yngvar. Il faut que tu dormes. Tu le sais. Demain, tu essaieras de voir Turid seule. Tu peux remuer ciel et terre pour découvrir tout ce qu'il y a à savoir sur Karsten Åsli. Tu trouveras peut-être quelque chose. Et avec un soupçon de créativité, ça te permettra peut-être d'arriver à une perquisition. Demain. Rentre chez toi.

– Tu as raison, répondit-il laconiquement. Je t'appelle demain dans la journée.

– C'est ça. Salut.

Elle raccrocha. Il regarda son mobile pendant quelques instants. Sa main droite lui faisait mal. Inger Johanne ne lui avait pas demandé de venir. Yngvar rejoignit sa voiture d'un pas traînant et rentra docilement à Nordstrand.

56

IL AVAIT FINI PAR TROUVER à manger. Laffen s'était déjà introduit dans trois endroits, sans succès. Dans ce chalet, il y avait en revanche des boîtes de conserve dans plusieurs placards. La dernière visite de ses occupants ne pouvait pas être ancienne, la huche à pain renfermait une miche abandonnée. Il essaya d'abord de gratter la surface bleuâtre. Il ne resta pas grand-chose. Il étudia alors le petit croûton coriace avant de le mettre dans sa bouche. Ça avait le goût des ténèbres.

Du bois attendait, soigneusement empilé près de la cheminée. Le feu prit sans difficulté. De la fenêtre du salon, il avait une bonne vue sur la route, il pouvait s'enfuir par la fenêtre de derrière si quelqu'un arrivait. La chaleur qui irradiait de l'âtre le fit somnoler. Il voulait d'abord avaler autre chose, un peu de soupe, peut-être ; c'était ce qu'il y avait de plus simple. Puis il voulait dormir. Il était quatre heures du matin passées, il ferait bientôt grand jour. Il lui fallait juste un peu à manger. Et des clopes ; il y avait un demi-paquet de Marlboro sur le manteau de la cheminée. Il débarrassa l'une des cigarettes de son filtre, l'alluma et inhala profondément. Il ne pouvait se coucher avant que le feu ait entièrement brûlé.

Soupe de tomate et macaronis. Bien.

Il y avait de l'eau au robinet. Chouette chalet. Il avait toujours souhaité avoir un chalet. Un endroit où être parfaitement tranquille. Pas comme cet immeuble de Rykkinn, où les voisins se foutaient en rogne rien que s'il oubliait de laver l'escalier un samedi. Même s'il n'avait jamais laissé entrer personne dans l'appartement, il se sentait surveillé. Un endroit comme celui-ci, ce devait être autre chose. En continuant, très loin, plus profond dans les bois, il trouverait peut-être un endroit où il pourrait être seul tout l'été. L'été, les gens qui avaient des chalets allaient souvent à la mer. Ou bien il pouvait se tirer en Suède. À l'automne. Son père avait fui en Suède pendant la guerre. Son père avait eu des médailles pour tout ce qu'il avait fait.

En tout cas, il ne laisserait pas la police le reprendre.

La clope avait un goût divin. La meilleure qu'il ait fumée. Fraîche, sympa. Il en alluma une autre lorsqu'il eut terminé de manger. Il ramassa le reste du paquet et compta. Onze clopes. Il devrait se rationner.

La police le croyait idiot. Quand on l'avait coffré, ils discutaient comme s'il était sourd, ou Dieu sait quoi. C'était souvent ce que faisaient les gens. Ils pensaient qu'il ne pouvait pas entendre.

Le type qui avait enlevé les enfants, lui, c'était un malin. Les messages étaient malins. *Tu as eu ce que tu méritais*. Les deux policiers qu'il avait eus à côté de lui en avaient parlé. Comme s'il n'était qu'un idiot sans oreilles. Laffen avait appris le texte en un clin d'œil. *Tu as eu ce que tu méritais*. Bien. Chouette. C'était quelqu'un d'autre qui était responsable. Il ne savait pas exactement qui avait eu ce qu'il ou elle méritait. Mais c'était quelqu'un d'autre, qui n'était pas lui. Le gars qui avait enlevé les enfants devait être un cerveau.

Laffen avait déjà été coffré.

On le traitait comme une merde, constamment.

Quand les gosses couraient à poil sur la plage, ils ne pouvaient s'attendre à rien d'autre. Ils se donnaient des airs. Surtout les filles. Elles se tortillaient et se trémoussaient. En exhibant ce qu'il y avait à lorgner. Mais c'était lui qui portait le chapeau ; toujours. En fin de compte, c'était mieux avec Internet. Le bureau d'aide sociale avait payé pour le PC. Les cours et tout le bazar.

Les hélicoptères étaient dangereux.

Il était toujours trop près d'Oslo, et il entendait des

hélicoptères, à longueur de journée. Puisqu'il faisait clair tard dans la soirée et tôt le matin, il n'y avait que quelques rares heures au milieu de la nuit durant lesquelles il pouvait se déplacer. Ça allait trop lentement. Il fallait qu'il s'éloigne davantage, il le comprenait bien. Il voulait voler une voiture. Il pouvait bidouiller le démarreur, c'était l'une des premières choses qu'il avait appris à faire. La police le pensait idiot, mais il n'avait besoin que de trois minutes pour voler une voiture en trafiquant le démarreur. Pas les nouvelles, d'accord, il devait laisser tomber celles qui étaient équipées d'immobilisateurs. Mais il pouvait trouver un modèle plus ancien. Il ferait un bon bout de chemin en voiture. Vers le nord. Ce n'était pas compliqué de savoir où était le nord. Le jour, il n'y avait qu'à regarder le soleil. La nuit, il savait où trouver l'étoile polaire.

La nourriture le rendit somnolent. La chaleur faisait comme un mur depuis la cheminée. Il ne devait pas s'endormir avant que le feu n'ait entièrement brûlé. Il se foutait du risque d'incendie, mais tant que quelqu'un pouvait venir après avoir vu de la fumée, il devait se tenir éveillé. Prêt.

— Tiens-toi prêt, grommela Laffen avant de s'endormir.

57

KARSTEN ÅSLI ESSAYAIT autant que possible de se persuader qu'il n'avait rien à craindre.

— Routine, grinça-t-il les dents serrées en manquant de trébucher. Routine. Rou-ti-ne. Rou-ti-ne.

Ses chaussures de jogging étaient trempées et la sueur lui coulait dans les yeux. Il essaya d'essuyer son front avec la manche de son pull, mais celle-ci était déjà humide de la rosée récoltée sur les arbres qu'il avait balayés en passant.

Yngvar Stubø n'avait rien vu. Il n'avait rien entendu. Il n'avait absolument pas pu saisir la moindre petite chose qui pût éveiller l'attention. Bon sang, il l'avait dit lui-même : il venait parce que c'était la routine de se renseigner auprès de tous ceux qui avaient eu affaire à certains des proches. Bien sûr, c'était la routine. La police devait déjà penser qu'elle savait après qui elle courait. Les journaux ne parlaient presque que de ça : la Grande Chasse à l'Homme.

Karsten Åsli pressa le pas. Il avait été à deux doigts de perdre les pédales. Yngvar Stubø était roublard. Même s'il n'était pas aussi doué pour le mensonge que Karsten se figurait que les policiers devaient l'être, il était roublard. Turid avait été morte de peur, à l'époque. Terrifiée que Lasse puisse être au courant. Elle avait eu peur de sa mère. De sa belle-mère. De tout. Lorsque Yngvar affirmait que Turid avait révélé qu'ils se connaissaient, il mentait. Karsten avait toutefois failli perdre les pédales.

Yngvar Stubø n'aurait jamais dû lui demander s'il avait des enfants.

Jusque-là, Karsten avait eu l'impression de se noyer. Quand l'autre lui avait posé cette question, cela avait été comme lui lancer une bouée de sauvetage. La mer s'était calmée. Terre à l'horizon.

Le môme. Le gamin. Le fils de Karsten. Il aurait trois ans le 19 juin. Ce jour-là, toute l'action devrait avoir été menée à son terme. Rien n'était fortuit, en ce monde.

Le ruisseau était gros, on était au printemps ; presque une petite rivière.

Il s'arrêta et haleta. Il se défit de son sac et en sortit le pot de potassium. Il avait pensé à en transvaser quelques grammes dans un sac plastique, plus que la dose suffisante pour la dernière étape. Il l'avait bien sûr fait à l'extérieur, Karsten Åsli savait que la moindre petite molécule de la substance le trahirait. Non que la police se mette dans la tête de vérifier, mais Karsten se ménageait des marges de manœuvre. Tout le temps. Il n'avait jamais ouvert la boîte à l'intérieur.

La poudre se mélangea à l'eau. Comme du lait. Elle suivit le courant, se dilua, encore, devint transparente. Pour finir, un mètre cinquante en dessous de l'endroit où il se trouvait, il ne resta rien. Il tapa la boîte contre une pierre, en coups prudents. Puis il alluma un petit bûcher. Il avait du petit bois sec dans son sac. La boîte en carton ne brûlait pas bien, mais lorsqu'il déchira un journal entier et en déposa les lambeaux dans le feu, le brasier prit enfin pour de bon. Il termina en piétinant le tout.

Il avait acheté le potassium en Allemagne, plus de sept mois auparavant. Pour plus de sécurité, il s'était laissé pousser la barbe pendant trois semaines avant d'entrer dans une pharmacie de la banlieue de Hambourg. Il s'était rasé la barbe le soir même, dans un motel bon marché, avant de retourner à Kiel reprendre le ferry pour rentrer à la maison.

À présent, le potassium avait disparu. Tout, sauf ce dont il aurait besoin le 19 juin.

Karsten Åsli se sentit soulagé. Il ne lui fallut qu'un quart d'heure pour revenir à la maison en petites foulées.

Arrivé sur le pas de porte où il faisait ses étirements, il se rendit compte qu'il y avait plusieurs jours qu'il n'avait pas vu Émilie. La veille, avant que Stubø ne se pointe, il avait décidé de lui servir un dernier repas. Il devait s'en débarrasser. Il n'avait pas vraiment décidé comment. Après la visite de Stubø, il devait être encore plus prudent que prévu. Émilie attendrait. Quelques jours, en tout cas. Elle avait de l'eau, et de toute façon, elle ne mangeait rien. Il n'y avait aucune raison de descendre à la cave.

En aucune façon. Il sourit, et se prépara à partir travailler.

L'HOMME AVAIT DISPARU. Il n'était plus là.

Elle avait tout le temps soif. Il y avait de l'eau au robinet. Elle essaya de se lever. Ses jambes étaient si fines. Elle essaya de marcher. Elle n'y parvint pas, même en s'appuyant au mur.

L'homme avait disparu. Papa l'avait peut-être tué. Papa l'avait sûrement trouvé et découpé en tout petits morceaux. Mais papa ne savait pas qu'elle était là. Il ne la trouverait jamais.

La soif était épouvantable. Émilie rampa jusqu'au lavabo. Elle s'appuya au mur et ouvrit le robinet. La culotte tomba sur ses chevilles. C'était une culotte de garçon, même si l'ouverture était fermée. Elle but.

Ses vêtements étaient toujours pliés à côté du lit. Elle revint en chancelant, réussissant à peine à marcher. Sa culotte était restée près du lavabo. Son ventre n'était plus qu'un gros trou, sans faim. Après, elle voulait mettre ses vêtements. C'étaient les siens, et elle voulait les porter. D'abord, il fallait qu'elle dorme.

Il valait mieux dormir.

Papa avait découpé le type et jeté les morceaux dans la mer.

Elle avait toujours affreusement soif.

Peut-être que papa aussi était mort. Après tout, il n'arrivait jamais.

58

LA PREMIÈRE CHOSE qui frappa Inger Johanne, ce fut qu'*il* était en trop.

Après les premières phrases introductives, ce fut stupéfiant. Geir Kongsbakken n'avait aucune prestance, aucun charme. Bien qu'elle n'ait jamais rencontré ni le père ni le frère, Inger Johanne avait la nette impression que tous deux avaient été des gens qu'on ne pouvait approcher sans être captivé, en bien ou en mal.

Asbjørn Revheim avait été un agitateur arrogant, un grand artiste ; une personne exubérante et sans limites jusque dans son suicide. Astor Kongsbakken vivait toujours dans une aura d'anecdotes mêlant engagement et ingéniosité. Geir, le fils aîné, dirigeait un petit cabinet dans Øvre Slottsgate, une entreprise individuelle dont Inger Johanne n'avait jamais entendu parler. Les murs étaient lambrissés. Les étagères étaient brunes et lourdes. L'homme, derrière le bureau trop grand, était lourd lui aussi, sans être gras. Il semblait sans contours et inintéressant. Peu de cheveux. Chemise blanche. Lunettes ennuyeuses. Voix monotone. C'était comme si l'homme tout entier avait été fait de morceaux dont personne d'autre dans la famille ne voulait.

– Et que puis-je pour cette dame ? s'enquit-il avec un sourire.

– Je...

Inger Johanne se racla la gorge et recommença.

– Vous souvenez-vous de l'affaire Hedvig, Maître Kongsbakken ?

Il réfléchit. Ses yeux se fermèrent à demi.

– Non..., hésita-t-il. Je devrais ? Vous pouvez me donner davantage de détails ?

– L'affaire Hedvig, répéta-t-elle. En 1956.

Il avait toujours l'air un peu perdu. C'était surprenant. Lorsqu'elle en avait parlé à la vieille femme, comme ça, en passant, sans rien dire de plus sur ce qu'elle faisait réellement, Inger Johanne avait été frappée en constatant avec quelle précision celle-ci se souvenait du meurtre de la petite Hedvig.

– Ah oui !

Il leva tout juste le menton.

– Un cas horrible. Il s'agissait de cette petite fille qui a été violée et assassinée, puis retrouvée ensuite dans un... sac ? C'est cela ?

– Exactement.

– Oui, oui. Je me rappelle. Mais j'étais très jeune, à l'époque... 1956, avez-vous dit ? Je n'avais pas plus de dix-huit ans. À cet âge-là, on ne lit pas les journaux avec une assiduité particulière.

Il sourit, comme pour excuser son manque d'intérêt.

– Non, peut-être pas. Cela dépend. Puisque votre père représentait le ministère public contre le meurtrier présumé, je pensais que vous vous souviendriez relativement bien de cette affaire.

– Écoutez, réagit Geir Kongsbakken en passant une main sur son crâne ; en 1956, j'avais donc dix-huit ans. J'étais en dernière année de lycée. Je m'occupais de tout autre chose que du travail de mon père. Nos relations n'étaient d'ailleurs pas des plus chaleureuses, pour être tout à fait honnête. Sans que je voie bien en quoi cela vous concerne. Où voulez-vous en venir, au juste ?

Il jeta un rapide coup d'œil à sa montre.

– J'irai à l'essentiel, répondit très vite Inger Johanne. J'ai des raisons de croire que votre frère...

En venir à l'essentiel n'était pas aussi simple qu'elle l'avait cru. Elle croisa les jambes et prit un nouveau départ.

– Je crois qu'Asbjørn Revheim était lié d'une façon ou d'une autre à la mort de Hedvig.

Le front de Geir Kongsbakken se creusa de trois rides profondes. Inger Johanne observa son visage. En dépit de son expression de surprise, il demeurait étonnamment neutre, elle n'était pas certaine de le reconnaître si elle devait le croiser dans la rue ou le rencontrer à une occasion ultérieure.

– Asbjørn..., commença-t-il en rectifiant la position de sa cravate. Où diable avez-vous été chercher une idée pareille ? En 1956 ? Bon sang, il avait... seize ans, à l'époque ! Seize ans ! En plus, Asbjørn n'aurait jamais pu...

– Vous vous souvenez d'Anders Mohaug ? l'interrompit-elle.

– Naturellement, je me souviens de lui, répondit-il avec une irritation manifeste. Le taré. Ça ne doit pas être très politiquement correct d'employer de telles dénominations, à l'heure actuelle, mais c'était sous ce sobriquet qu'il était connu dans le temps. Bien sûr, je me souviens d'Anders. Il a pas mal traîné avec mon frère, à une période. Pourquoi cette question ?

– La mère d'Anders, Agnes Mohaug, est allée voir la police en 1965. Juste après la mort de son fils. Tout ce que je sais, c'est qu'elle pensait que son fils avait assassiné Hedvig en 1956. Elle l'avait protégé pendant toutes ces années, mais voulait soulager sa conscience au moment où il ne pouvait plus être poursuivi et condamné.

Geir Kongsbakken avait l'air sincèrement désorienté. Il défit le bouton du col de sa chemise avant de se pencher par-dessus son bureau.

– D'accord, articula-t-il avec lenteur. Mais en quoi une telle information concerne-t-elle mon frère ? Madame Mohaug a-t-elle fait mention d'une quelconque implication de mon frère ?

– Non. Pas que l'on puisse dire. Pas que je sache. Je

ne sais en vérité que très peu de choses sur ce qu'elle a dit, et...

Il renâcla et secoua énergiquement la tête.

— Vous êtes consciente de ce que vous êtes en train de faire ? s'exclama-t-il. Les accusations que vous portez sont on ne peut plus grossièrement injurieuses, et...

— Je n'accuse personne de quoi que ce soit, rétorqua Inger Johanne d'une voix tranquille. Je suis venue vous poser quelques questions, et vous demander votre aide. Étant donné que j'ai sollicité un rendez-vous de manière habituelle, je suis bien sûr disposée à vous payer des honoraires.

— Payer ? Vous allez me payer pour venir exposer des accusations contre une personne de ma famille proche, qui est morte, par-dessus le marché, et qui par conséquent est incapable de se défendre ? Payer !

— Ne vaudrait-il pas mieux que vous écoutiez tout simplement ce que j'ai à dire ? suggéra Inger Johanne.

— J'en ai entendu plus qu'assez, merci !

Des cercles blancs se dessinaient sous les ailes de son nez. Sa respiration trahissait toujours son excitation. Elle avait malgré tout suscité une certaine curiosité chez cet homme. Elle le voyait à son regard, à présent en éveil ; plus vif qu'à son arrivée, quand il l'avait priée de s'asseoir sans réellement faire attention à elle.

— Anders Mohaug était à peine capable de faire quoi que ce soit de sa propre initiative, affirma-t-elle. D'après ce que j'ai entendu à son sujet, il aurait eu des difficultés à venir à Oslo sans se faire aider. Vous savez très bien qu'il s'est fait embobiner à l'occasion de bon nombre de... situations ennuyeuses. Par votre frère.

— Des situations ennuyeuses ? Vous avez conscience de ce dont vous parlez ?

Une bruine de salive se répandit sur le bureau.

– Asbjørn était *gentil* avec Anders. Gentil ! Tous les autres fuyaient ce gorille comme la peste ! Asbjørn était le seul à l'emmener pour tout et rien !

– Comme décapiter un chat en protestation contre la famille royale ?

Geir Kogsbakken leva les yeux au ciel.

– Un chat. Un chat ! Bien sûr que ce n'était pas bien de maltraiter ce pauvre animal, mais il a quand même été arrêté et condamné à une amende. Il a été puni. Après cet épisode, Asbjørn n'a jamais fait de mal à personne. Pas même à un chat. Asbjørn était...

Ce fut comme si l'air s'échappait de cet avocat gris. Il s'effondra, et Inger Johanne vit clairement ses yeux se faire plus brillants.

– C'est sans doute difficile à concevoir, déclara-t-il en se levant avec fierté, mais j'aimais véritablement mon frère.

Il se tenait près de la bibliothèque ; ses doigts parcoururent les six livres reliés de cuir.

– Je n'ai jamais lu ce qu'il a écrit, confessa Geir Kongsbakken d'une voix calme. C'était trop dur, quelque partie que ce soit. À en croire les gens. Et pourtant, je me suis procuré ces premières éditions, reliées. Elles sont devenues agréables à regarder, vous ne trouvez pas ? Belles au-dehors, et d'après ce que j'en comprends assez laides en dedans.

– Je ne dirais pas cela, objecta Inger Johanne. Ils m'ont beaucoup marquée quand je les ai lus. En particulier *Sueurs froides*. Même s'il dépasse toutes les limites et...

– Asbjørn était loyal envers ses convictions, l'interrompit Geir Kongsbakken.

On aurait pu croire qu'il se parlait à lui-même. Il avait extrait l'un des livres de son rayonnage et le tenait à la main. L'ouvrage était gros et dense. Inger Johanne devina qu'il s'agissait de *Ville engloutie, la mer monte*. La tranche dorée luisait dans la lumière du plafonnier. Le cuir de la reliure était sombre, presque comme du bois poli.

– Le problème, c'est que petit à petit, il n'a plus rien eu en quoi croire, expliqua-t-il. Il n'a plus rien eu envers quoi être loyal. C'est à ce moment-là qu'il a craqué. Mais jusqu'à...

Il émit une sorte de sanglot et se redressa.

– Asbjørn n'aurait jamais pu faire du mal à qui que ce soit. Pas physiquement. Jamais. Ni à seize ans, ni plus tard. Ça, je peux vous le garantir.

Il s'était tourné vers elle. Son menton était projeté vers Inger Johanne, il la regardait droit dans les yeux et avait posé la main droite à plat sur le livre, comme si celui-ci était une Bible sur laquelle il jurait.

À quel point connaissons-nous nos proches ? se demanda Inger Johanne. *Tu dis la vérité. Tu sais qu'Asbjørn n'aurait pas pu faire de mal à quiconque. Parce que tu l'aimais. Parce qu'il était ton seul frère. Tu crois savoir. Tu sais que tu sais. Mais moi, je ne sais pas. Je ne le connaissais pas. J'ai simplement lu ce qu'il a écrit. Nous sommes tous plusieurs personnes en une. Asbjørn a pu être un meurtrier, même si tu ne voudras jamais l'admettre.*

– J'aurais beaucoup aimé discuter avec votre père, reprit-elle.

Geir Kongsbakken replaça le livre sur son étagère.

– À votre guise. Mais il vous faudra vous rendre en Corse. Je doute qu'il rentre un jour au pays. Il ne va pas bien, en ce moment.

– Je lui ai téléphoné hier.

– Téléphoné ? Avec ces divagations ? Vous avez une idée de son âge ?

Les cercles blancs recommencèrent à se dessiner autour des ailes de son nez.

– Je n'ai rien dit à propos d'Asbjørn, intervint très vite Inger Johanne. J'ai à peine eu le temps de dire quelques mots, à la vérité. Il s'est mis en rogne. En rage, pour dire les choses objectivement.

– Pas incompréhensible, grommela Geir Kongsbakken en jetant un nouveau coup d'œil à sa montre.

Inger Johanne nota qu'il ne portait pas d'alliance. Il n'y avait pas non plus de photo sur le bureau brun. La pièce était dénuée de liens personnels autres qu'avec un frère décédé, un auteur qui faisait l'objet d'un soin méticuleux à travers de coûteux ouvrages reliés qui n'avaient jamais été lus.

– Je pensais que vous pourriez lui parler, poursuivit-elle. Lui expliquer que je ne cherche pas à blesser qui que ce soit. Je cherche juste à savoir ce qui s'est réellement passé.

– Que voulez-vous dire, *réellement passé*? Si ma mémoire est bonne, un homme a été condamné pour le meurtre de Hedvig. Condamné par un jury! Ce devrait être assez évident, ce qui s'est passé! Cet homme était coupable.

– Je ne crois pas. Et si je pouvais utiliser les dix minutes qui me restent sur la demi-heure prévue pour vous expliquer pourquoi je...

– Vous n'avez pas dix minutes, décréta-t-il. Je considère que cette entrevue est terminée. Vous pouvez vous en aller.

Il saisit un dossier et commença à lire, comme si Inger Johanne avait déjà disparu.

– Un homme a vraisemblablement été condamné alors qu'il était innocent, expliqua-t-elle. Il s'appelait Aksel Seier, et il a tout perdu. À défaut d'autre chose, cela devrait au moins vous émouvoir en tant qu'avocat. En tant que juriste.

– Vous pouvez causer des dégâts irréparables avec

vos spéculations, répondit-il sans lever les yeux de ses papiers. Ayez l'amabilité de vous en aller.

– À qui puis-je faire du tort ? Asbjørn est mort ! Il y a dix-sept ans !

– Allez-vous-en.

Inger Johanne n'avait d'autre choix que d'obtempérer. Sans un mot de plus, elle se leva et alla vers la porte.

– Oubliez les honoraires, conclut Geir Kongsbakken d'une voix dure. Et ne revenez jamais.

UN VENT CHAUD soufflait sur Oslo. Inger Johanne hésita un instant devant les bureaux de Geir Kongsbakken avant de décider d'aller travailler à pied. Elle retira sa veste de tailleur et se rendit compte qu'elle transpirait sous les bras.

Cette affaire aurait dû être clarifiée longtemps auparavant. Il était trop tard. Le découragement l'envahit. On aurait dû réhabiliter Aksel Seier pendant qu'il en était encore temps. Tant que les acteurs impliqués étaient encore en vie. Tant que les gens se souvenaient. Elle ne faisait à présent que se cogner la tête contre les murs ; où qu'elle tentât sa chance.

Elle était fatiguée de toute cette histoire. En fin de compte, même Aksel Seier l'avait rejetée. Elle pensa à Alvhild Sofienberg et ressentit comme un pincement sous le sternum, mais repoussa rapidement ce léger sentiment de culpabilité. Inger Johanne n'avait aucun engagement véritable, ni envers Aksel, ni envers Alvhild.

Somme toute, elle avait fait plus que le nécessaire ; plus que n'importe qui pouvait exiger.

59

– ET ÇA, C'EST CE QUE L'ON A, constata Yngvar Stubø, dépité.

– Ouaip.

Sigmund Berli renifla et s'essuya sous le nez avec sa manche.

– Pas bézef, j'en ai bien peur. Casier vierge. S'il a jamais été dénoncé pour quoi que ce soit, ça doit faire un bail. Il n'a jamais décroché un seul examen dans aucune université, où que ce soit en Norvège, ce qui implique que ces études dont il a fait tout un plat ont dû être effectuées ou bien à l'étranger, ou bien...

– Ou bien il n'a pas fait d'études. Elle a raison.

– Qui ?

– Laisse tomber.

Sigmund renifla derechef et partit à la recherche d'un mouchoir en papier dans l'étroite ceinture de son jean.

– La crève, bredouilla-t-il. J'ai le nez complètement bouché. Karsten Åsli n'a pas arrêté de déménager, ça, au moins, je peux l'assurer. Pas surprenant qu'au bout d'un moment, il ne se soit plus emmerdé à le signaler à l'état civil. Un rien vagabond, le mec. Il a le permis taxi, en passant. Pour Oslo. Si on peut appeler ça une formation.

– À l'extrême rigueur. Qu'est-ce que c'est que ça ? demanda Yngvar en désignant un Post-it.

– Quoi donc ?

Sigmund se pencha sur le bureau.

– Ah, ça... Il a suivi des cours de conducteur d'ambulance, il y a quelques années. Tu m'as dit de ne rien négliger.

– Et le gosse ?

Yngvar se démenait avec la cellophane d'une nouvelle boîte de cigares.

– Je planche sur la question. Mais pourquoi devrions-nous douter que le type dise la vérité sur ce point ? Est-ce qu'on a une raison de croire qu'il puisse s'inventer un fils ?

Yngvar introduisit avec précaution un cigare dans son étui en argent avant de glisser celui-ci dans sa poche de poitrine.

– Je ne crois pas qu'il mente, répondit-il. Je veux juste savoir quel est son degré de contact avec ce fils. Sa maison ne donne pas l'impression qu'il héberge régulièrement un gosse. Et Tromsø ? Il y est allé ?

Sigmund Berli jeta un coup d'œil à la boîte en balsa clair.

– Je t'en prie, dit Yngvar.

– Le mieux aurait été de demander à Karsten Åsli ! J'ai vérifié toutes les listes et, en tout cas, il n'était dans aucun des avions qui y allaient à l'heure qui nous intéresse. Pas sous son propre nom, s'entend. J'ai mis la main sur une copie de la photo de son passeport, et je l'ai envoyée à Tromsø. On verra ce que ce professeur dit. Rien, vraisemblablement. Il maintient qu'il n'a pas assez bien vu le visage. Cette « enquête »...

Il dessina d'énormes guillemets en l'air avant de poursuivre.

– ... ne gagne pas en simplicité du fait que Karsten Åsli ne doive se rendre compte de rien. On ne pourrait pas le convoquer pour un interrogatoire en bonne et due forme ? Bonté divine, on le fait pour le premier crétin venu sans que ça...

– Karsten Åsli n'est pas le premier crétin venu, l'interrompit Yngvar. Si je ne me trompe pas, il détient une môme quelque part. Je ne veux pas que ce type ait la *moindre* raison de penser qu'on veut sa peau.

Sigmund Berli se flanqua le cigare sous le nez.

– Dis donc, Yngvar..., commença-t-il sans regarder l'inspecteur principal en face.

– Oui ?

– Est-ce qu'il y avait autre chose, *quelque chose* d'autre que cette... cette... Est-ce qu'il y avait des éléments plus *concrets*, si tu veux, de plus que...

– Non. Seulement une sensation. Une sensation très forte.

Un silence absolu s'abattit sur la pièce. Du couloir leur parvenaient des pas rapides, et un téléphone sonna au loin. Quelqu'un décrocha. Une femme éclata d'un rire sonore de l'autre côté de la porte. Yngvar ne quittait pas des yeux le cigare que Sigmund tenait toujours entre son nez et sa lèvre supérieure.

– L'intuition n'est rien d'autre que le traitement par l'inconscient de facteurs perçus, déclara-t-il avant de se souvenir d'où il tenait cela.

Il se pencha soudain par-dessus le bureau.

– Ce type était pété de trouille, assena Yngvar les dents serrées. Il était littéralement éberlué quand je me suis pointé. J'étais tellement...

Il tint son pouce et son index à un petit centimètre l'un de l'autre.

– ... *tellement* près de le faire craquer. Et il s'est passé quelque chose, je ne sais pas, mais il...

Il se rejeta lentement en arrière.

– Il a repris le contrôle de lui-même, quoi. Je ne sais pas comment ni pourquoi. Je sais juste qu'il se conduisait d'une manière qui... Et merde, Sigmund ! Tu... De tous ceux qui sont ici, toi, au moins, tu devrais faire confiance à mes instincts ! Cette gamine *est* là-haut ! Karsten Åsli retient Émilie prisonnière, et nous, nous tournons avec des hélicoptères et Dieu sait combien de gens et de bagnoles pour chercher un attardé qui se baguenaude dans les bois !

Sigmund fit un sourire presque honteux.

– Mais tu ne peux pas en être sûr. Ça, tu dois bien l'avouer. Tu ne peux pas en être *tout à fait sûr*. Pas possible.

– Non, finit par concéder Yngvar. Évidemment, je ne peux pas en être sûr. Mais dégote-moi davantage sur ce fiston. S'il te plaît.

Sigmund fit un petit signe de tête et sortit. Le cigare resta derrière lui. Yngvar le ramassa et l'étudia dans le détail. Puis il le jeta dans la corbeille à papiers et se souvint qu'il devait appeler le plombier de Lillestrøm. Il n'y avait aucune raison d'imposer à Cato Sylling un déplacement superflu à Oslo.

Turid Sande Oksøy n'avait pas encore donné signe de vie. Bien qu'il eût téléphoné trois fois et laissé des messages sur le répondeur.

60

INSTALLÉ À UNE TABLE du Theatercafeen, Aksel examinait l'assiette de smørbrød[1] savamment organisée que le serveur venait de déposer devant lui. Il avait oublié que les smørbrød ne comportaient pas d'oignons, et ne savait pas trop comment s'y prendre pour manger. Il jeta quelques coups d'œil à la dérobée. Une femme d'un certain âge à la table voisine se servait de sa fourchette et de son couteau, bien que sa tartine soit loin d'être aussi épaisse que celle d'Aksel. Il saisit ses couverts d'un geste mal assuré. La tomate tomba dans l'assiette. Il enleva délicatement la feuille de salade qui se trouvait sous la tranche de pâté de foie. Aksel Seier n'aimait pas la salade. Mais la tartine avait bon goût.

---

1. Tartines salées très courantes en Norvège, garnies de jambon, poisson (saumon, anchois, hareng), crevettes, œufs, crudités, fromage...

La bière aussi ; il la but d'un trait et s'en commanda un autre verre.

— Avec plaisir, acquiesça le serveur.

Aksel Seier essaya de se détendre. Il porta une main à sa poche de poitrine. Cela faisait deux fois qu'il se servait de sa carte de crédit. Ça se passait bien. Il n'avait jamais eu une carte en plastique de sa vie. Derrière son comptoir, Cheryl avait insisté. Visa et American Express. Et il était tranquille, estimait-elle. Elle devait bien savoir de quoi elle parlait. La Visa était argentée. Platine, avait chuchoté Cheryl. *You're rich, you know*[1] *!* Il fallait en fait deux semaines pour régler ce point-là, mais elle s'en était dépatouillée en moins de deux jours.

Tout était allé tellement vite...

Il se sentit pris de vertige. Il est vrai qu'il n'avait pas dormi depuis trente-six heures. Le vol s'était bien passé, mais il avait été impossible de dormir avec le boucan que faisaient les moteurs. À Keflavík, il avait cru un instant être arrivé. Lorsqu'il s'était mis à chercher ses bagages, une aimable dame en uniforme l'avait aiguillé vers l'étape suivante. Il consulta la montre que Mrs. Davis avait choisie à Hyannis, et compta lentement six heures de moins. Il était neuf heures du matin à Cape Cod. Le soleil était haut au-dessus du détroit vers Nantucket Island, et c'était marée basse. Si le temps était clément, on pouvait distinguer Monomoy qui s'étendait sur l'horizon, vers le sud-ouest. Une belle journée pour la pêche ; Matt Delaware était peut-être déjà parti en bateau ?

— Autre chose ?

Aksel secoua la tête. Il chercha à tâtons sa carte de crédit, mais lorsqu'il eut enfin tiré son portefeuille de

---

1. Vous êtes riche, vous savez !

sa poche intérieure, le serveur avait disparu. Il reviendrait bien.

Il devait essayer de se détendre.

Personne ne le regardait avec insistance. Personne ne le reconnaissait.

C'était cela qu'il avait craint le plus. Que quelqu'un comprenne qui il était. En atterrissant à Gardermoen, il avait regretté. Il ne souhaitait qu'une chose : prendre le premier avion pour repartir dans l'autre sens. Annuler la transaction. Rentrer à la maison et récupérer le bateau, le chat et les soldats de verre. Tout pourrait être comme avant. En vérité, il n'avait pas eu à se plaindre. Il avait été en sécurité, en tout cas depuis que les cauchemars avaient disparu, par une nuit de mars 1993.

La Norvège avait changé.

Les gens parlaient différemment, par ailleurs. Dans le bus qui l'emmenait à Oslo, quelques jeunes assis devant lui utilisaient un langage qu'il comprenait à peine. Les choses s'améliorèrent aussitôt qu'il entra au Continental. Aksel Seier ne se souvenait des noms que de deux grands hôtels d'Oslo, le Grand Hôtel et le Continental. Le deuxième sonnait mieux que le premier. Il était sûrement ruineux, mais Aksel avait de l'argent et une carte platine. Lorsqu'il posa un passeport américain sur le guichet, la bonne femme s'adressa à lui en anglais, et lui sourit quand il lui répondit en norvégien. Elle était aimable. Tout le monde était aimable, et ici, au Theatercafeen, le serveur parlait comme dans le souvenir d'Aksel Seier, une langue qu'il comprenait.

– Êtes-vous de passage ? demanda le type maigre en posant l'addition sur la table.

– Oui. Non. De passage.

– Vous logez peut-être à l'hôtel, poursuivit le serveur en prenant la carte. J'espère que votre séjour sera agréable. L'été arrive pour de bon, maintenant. C'est délicieux.

Aksel Seier voulait regagner sa chambre et s'y accorder quelques heures de sommeil. Il devait s'accoutumer à être là. À la suite de quoi il sortirait faire un tour en ville. Quand le soir tomberait. Il voulait savoir quelle quantité de souvenirs il lui restait. Il voulait sentir la Norvège. Découvrir si la Norvège le reconnaissait. Aksel ne le pensait pas. Cela faisait si longtemps, toute l'histoire... Une éternité. Demain, il irait voir Eva. Mais pas avant le lendemain. Il savait qu'elle était malade, et il était prêt à toute éventualité.

Avant de s'endormir, il voulait appeler Inger Johanne Vik. Il n'était en fin de compte que quinze heures. Elle était certainement toujours sur son lieu de travail. Elle lui en voulait peut-être encore d'avoir filé à l'anglaise. Mais quand même, elle avait fait le déplacement jusqu'aux États-Unis pour le rencontrer. Elle avait laissé sa carte de visite, et dans la boîte aux lettres, et sous la porte d'entrée.

Elle devait toujours être intéressée par un petit bout de conversation, en tout état de cause.

61

INGER JOHANNE AVAIT la curieuse sensation d'être déjà vendredi. En quittant son bureau à deux heures, sous le demi-prétexte qu'elle devait aller à la librairie, elle dut se répéter plusieurs fois que la semaine n'était pas plus avancée que le mercredi 7 juin. Chez Norli, elle avait choisi une édition de poche de *Péché mortel, quatorze novembre*, le dernier des six romans d'Asbjørn Revheim. Inger Johanne pensait l'avoir déjà lu. Au bout de trente pages, elle conclut que sa mémoire devait lui jouer des tours. Le livre était une sorte de roman d'anticipation, et elle n'était pas persuadée de l'apprécier.

L'heure des actualités approchait. Elle alluma la télé.

Laffen Sørnes avait été vu sur une nationale au nord-est d'Oslo. Il était à pied. La description de trois témoins isolés correspondait au détail près, depuis les vêtements de camouflage jusqu'au bras dans le plâtre. Avant qu'on n'ait pu arrêter le fuyard, il avait de nouveau disparu dans la forêt. La police avait reçu l'aide de deux chasseurs d'ours finlandais. TV2 avait des hélicoptères dans le secteur, tandis que la NRK obéissait toujours aux invitations insistantes de la police consistant à rester sur le plancher des vaches. Ils y maintenaient en contrepartie cinq équipes différentes, dont aucune n'avait grand-chose à raconter.

Inger Johanne frissonna en passant d'une chaîne sur l'autre.

Le téléphone sonna. Elle parvint à baisser le son du téléviseur avant de décrocher. Elle ne connaissait pas la voix dans le combiné.

– Je parle bien à Inger Johanne Vik ?

– Oui...

– Je suis désolée de vous déranger en soirée. Je m'appelle Unni Kongsbakken.

– Je vois...

Inger Johanne déglutit et passa le combiné de sa main droite à sa main gauche.

– Vous avez parlé à mon mari lundi, n'est-ce pas ?

– Oui, je...

– Astor est mort ce matin, l'interrompit la voix.

Inger Johanne tenta d'éteindre la télévision, mais appuya sur le contrôle de volume. Un animateur beugla que l'intégralité de Redaksjon 21 serait consacrée à La

Grande Chasse à l'Homme. Inger Johanne fit enfin mouche, et ce fut le silence.

– Je suis désolée, bafouilla-t-elle. Cond... condoléances.

– Merci. Je vous appelle parce que je souhaiterais vivement vous rencontrer.

La voix d'Unni Kongsbakken était étonnamment calme, compte tenu du fait qu'elle était veuve depuis quelques petites heures.

– Me rencontrer... Oui. Que... Bien sûr.

– Mon mari était dans tous ses états après que vous l'avez contacté. Hier, mon fils a appelé, et il m'a dit que vous étiez allée le trouver à son bureau. Astor... Oui. Il est mort tôt ce matin.

– Je suis sincèrement désolée si... Je veux dire, ça n'a jamais été mon intention de...

– Ça n'a pas été un décès dramatique, madame Vik. Tranquillisez-vous. Astor avait quatre-vingt-douze ans, et sa santé était on ne peut plus fragile.

– Bien. Mais je...

Inger Johanne n'avait aucune idée de ce qu'elle devait dire.

– Je me fais vieille, moi aussi, poursuivit Unni Kongsbakken. Et demain, je rentre à la maison avec mon mari. Il souhaitait être inhumé en Norvège. Ce serait aimable de votre part de pouvoir m'accorder un moment pour un entretien dès demain. L'avion atterrit vers midi. Serait-il possible que nous nous rencontrions à trois heures ?

– Mais... Ça peut bien attendre ! Après l'enterrement, en tout cas.

– Non. Ça a assez attendu. S'il vous plaît, madame Vik.

– Inger Johanne, murmura Inger Johanne.

– À trois heures, alors. Au Grand Café, cela vous convient-il ? On y est tranquille, en général.

– Très bien. Trois heures. Grand Café.

– À demain. Au revoir.

La vieille dame raccrocha avant qu'Inger Johanne ait eu le temps de répondre. Elle resta le combiné en main, un bon moment. Elle avait du mal à savoir ce qui la faisait respirer rapidement, en inspirant et en expirant très peu d'air chaque fois : le sentiment de culpabilité ou la curiosité.

Qu'est-ce que tu peux bien me vouloir, songea-t-elle en remettant le combiné à sa place. *Qu'est-ce qui a attendu trop longtemps ?*

C'est alors qu'elle sentit le rouge lui monter aux joues.

– *J'ai pris la vie d'Astor Kongsbakken !*

YNGVAR STUBØ ÉTAIT ASSIS seul dans son bureau, où il lisait un e-mail pour la seconde fois. La police de Tromsø n'avait rien pu tirer de May Berit Benonisen si ce n'est qu'elle avait jadis connu Karsten Åsli, de façon assez superficielle, comme elle l'avait dit déjà. Le texte était court, laconique. L'officier n'avait de toute évidence pas compris l'importance de la requête d'Yngvar. L'interrogatoire avait été effectué au téléphone.

Tønnes Selbu n'avait jamais entendu parler d'un quelconque Karsten Åsli.

Grete Harborg était morte.

Turid Sande Oksøy était *inkommunikado*. Lorsque Yngvar eut enfin établi le contact avec la famille en fin d'après-midi, Turid était partie au chalet. Sans téléphone. Dans le Telemark[1], aboya Lasse sans donner davantage de précisions avant de lui demander de les

1. L'une des dix-neuf régions administratives de Norvège (fylker), dans le sud du pays.

laisser tranquilles jusqu'à ce que la police ait des éléments plus concrets à faire valoir.

Sigmund Berli n'avait pas encore trouvé d'informations sur le fils de Karsten Åsli. Yngvar le soupçonnait de ne pas mettre une ardeur folle dans cette tâche. Bien que Sigmund fût son plus proche confident au boulot, c'était comme si lui aussi était en train de lui échapper.

Après l'accident, tout avait changé. Perdre Elisabeth et Trine avait été comme se faire marquer : un stigmate qui mettait les autres mal à l'aise. À table, on se taisait lorsqu'il s'installait. De nombreux mois s'écoulèrent avant qu'on s'autorise à rire en sa présence. D'une certaine façon, il jouissait encore d'un certain respect, mais son intuition, qui était auparavant admirée et gardait une part de mythe, était à présent réduite à une caractéristique amusante chez un homme éprouvé et malheureux.

Yngvar n'était pas malheureux.

Il alluma un cigare et s'interrogea.

– Je ne suis pas malheureux, conclut-il à mi-voix en envoyant un nuage de fumée dans la pièce.

Le cigare était trop sec, et il l'étouffa avec irritation.

S'il n'avait pas suffisamment d'éléments sur le compte de Karsten Åsli pour une perquisition avant la fin de la journée de travail du lendemain, il envisagerait de s'y rendre sans mandat. Émilie s'y trouvait. Il en était sûr. Il se ferait peut-être virer. Mais il pouvait sauver la gosse.

– Encore une petite journée, se dit-il avant de quitter son bureau. C'est tout ce que j'ose donner.

ILS SE RECONNURENT immédiatement.

Plus d'une génération auparavant, elle lui avait fait signe depuis le quai. Il avait essayé de la suivre des yeux tandis qu'elle resserrait son châle autour d'elle, avant de pousser son vélo vers le bord, pendant que le *MS Sandefjord* s'éloignait. Le vent battait dans les pans de son chemisier. Sa bicyclette avait été repeinte en rouge. Eva était mince, elle avait les yeux bleus.

Cela faisait à présent onze ans qu'Eva gardait le lit.

Ses bras sans vie gisaient le long de son corps. Elle leva lentement la main droite et la tendit vers lui lorsqu'il entra dans la chambre de la malade. Dans l'une de ses lettres, elle expliquait que c'était Dieu qui, dans son infinie bonté, lui avait laissé de la vigueur dans la main droite. De sorte qu'elle puisse continuer à écrire. Ses jambes ne répondaient plus. Son bras gauche était hors d'usage.

— Aksel, souffla-t elle d'une voix douce et égale, comme si elle s'était attendue à le voir. Mon Aksel.

Il tira une chaise contre le lit, puis passa maladroitement une main sur ce crâne à la coupe désastreuse et tenta de sourire. Les doigts d'Eva étaient froids lorsqu'ils se posèrent sur sa joue. Ils avaient été chauds ; secs, enjoués et chauds. C'était malgré tout la même main ; il la reconnut et se mit à pleurer.

— Aksel, répéta Eva. Imagine, tu es venu me rejoindre.

KARSTEN ÅSLI AVAIT mal dormi depuis lundi. Dans la journée, il pouvait se persuader qu'il n'y avait pas lieu de s'inquiéter. Après tout, Yngvar Stubø n'était pas revenu. Tout paraissait normal dans le village. Personne n'y avait demandé son chemin.

C'était plus délicat quand arrivait la nuit. Bien qu'il courût chaque soir longtemps et à un rythme soutenu pour s'épuiser, il se tournait et se retournait dans son lit jusqu'au petit matin. Ce matin, il s'était fait porter pâle. Il le regrettait. C'était pire de tourner en rond à la maison. Il n'avait rien à faire. Le plan du 19 juin était prêt. Il ne restait rien, hormis sa réalisation.

Il pouvait peindre le mur ouest.

Descendre au village acheter de la peinture serait malvenu, quelqu'un de la scierie pourrait le voir. Le mieux, c'était d'aller jusqu'à Elverum. Si par hasard quelqu'un lui tombait dessus là-bas, il pourrait prétexter qu'il était allé voir le médecin.

C'était une bonne idée, en somme. En s'installant au volant, il se sentait plus calme.

LAFFEN SØRNES TROUVA enfin une voiture dont il pourrait s'emparer. Une Mazda 323, modèle 1987. On l'avait abandonnée sur une route forestière, comme ça, à moitié dans le fossé. Les portières étaient même ouvertes. Laffen sourit. Il y avait de l'essence dans le réservoir. Le moteur toussota mais finit par se laisser démarrer. Heureusement, le retour sur la route à proprement parler se fit sans encombre. Une petite bifurcation quelques centaines de mètres plus loin dans la forêt lui permettrait de faire demi-tour.

Le mieux était de mettre immédiatement le cap sur la Suède.

Il y avait des hélicoptères partout. Laffen avait progressé lentement, à pied, à l'abri des arbres. En fait, il souhaitait juste avancer durant les heures du milieu de la nuit, mais il n'allait pas assez loin, et devait se servir du jour. À deux reprises, il avait vu des gens, quand il avait été assez bête pour suivre la route. Il était complètement crevé, et il était plus aisé de marcher sur un asphalte bien régulier. Il piqua alors de nouveau dans les bois, et les hélicoptères firent leur réapparition. Il devait éviter les espaces ouverts. Il lui arrivait de perdre complètement le nord, et il devait se reposer longtemps.

Même si c'était plus sûr dans la voiture, il importait de lever l'ancre.

La Suède, c'était vers l'est. Puisque le soleil brillait, la direction à suivre n'était pas difficile à trouver.

Il y avait une cassette de Sputnik dans le lecteur. Laffen se joignit à la musique. Il ne tarda pas à déboucher sur une route plus importante. Il était plus calme. Cela faisait du bien de s'asseoir derrière un volant. La dernière fois, ils lui avaient bousillé le bras. Cette fois-ci, ils le tueraient très certainement. S'il n'arrivait pas en Suède avant. Mais il le ferait. Cela ne pouvait pas être si loin. Quelques heures, tout au plus. La dernière fois qu'il était allé en Suède, il avait mangé de la Tentation de Jansson dans un restaurant routier. L'une des meilleures choses qu'il ait mangées.

Par ailleurs, les clopes n'étaient pas chères, là-bas. Moins qu'en Norvège, en tout état de cause.

Il accéléra.

KARSTEN ÅSLI VEILLAIT SCRUPULEUSEMENT à ne pas conduire trop vite. Il importait de ne pas éveiller l'attention. Cinq ou six kilomètres par heures au-dessus de la vitesse autorisée, c'était le mieux. Le plus normal.

Il regrettait toute sa fuite.

Bobben l'avait probablement vu passer devant la station-service. Il avait fait de grands gestes, bien que Karsten n'ait pas paru le remarquer. Il en faudrait beaucoup pour que Bobben mentionne ce détail à quelqu'un de la scierie, mais Karsten se sentait malgré tout très mal à l'aise. Après un avertissement écrit pour vol, il ne faudrait certainement rien de plus pour qu'il se retrouve à la porte. Se faire porter pâle pour aller faire des courses à Elverum n'était pas des plus futé. Certes, il pouvait imputer la faute au médecin, mais le chef était susceptible de faire quelques vérifications ; le chef était un sacré salopard, prêt à tout pour se débarrasser de lui.

Il roulait à cent dix. Karsten Åsli jura lentement en relâchant l'accélérateur, avant de freiner.

Il devrait peut-être faire demi-tour, tout bonnement.

– LE SUSPECT CONDUIT une Mazda 323 bleue, informa le pilote de l'hélicoptère à haute et intelligible voix, une voix qui s'était chargée d'une nuance lourde de pathos. Numéro d'immatriculation toujours inconnu. Le suivons-nous ? Je répète : le suivons-nous ?

– À distance, crachotèrent ses écouteurs. Suivez à distance. Trois voitures sont en route.

– Bien reçu, répondit le pilote avant de faire décrire une courbe à l'hélicoptère au-dessus des arbres et de le faire grimper à une altitude de sept cents mètres.

Il ne quittait pas la voiture des yeux.

64

INGER JOHANNE AVAIT déjà passé un quart d'heure au Grand Café. Elle tremblait de tous ses membres, et essaya de ne pas se ronger les ongles. L'un de ses doigts avait déjà commencé à saigner. À trois heures précises, la vieille dame entra dans le restaurant. Elle leva une main destinée à tenir le maître d'hôtel à distance et regarda autour d'elle. Inger Johanne se leva à demi et lui fit signe.

Unni Kongsbakken vint vers elle, large et bien charpentée. Elle portait un pourpoint brodé bigarré, et sa jupe lui tombait aux chevilles. Inger Johanne distingua à grand-peine une paire de solides chaussures sombres quand elle s'approcha de la table.

– C'est donc vous Inger Johanne Vik. Bonjour.

Sa main était lourde et sèche. Elle s'assit. Au premier coup d'œil, il était impossible de deviner que cette femme avait plus de quatre-vingts ans. Ses gestes étaient assurés et ses mains ne tremblaient pas lorsqu'elle les posa devant elle sur la table. Ce ne fut que quand Inger Johanne y regarda de plus près qu'elle remarqua que ses yeux avaient pris la pâleur mate qui ne vient que quand une personne atteint l'âge où rien ne peut plus vraiment la surprendre.

– Je vous suis reconnaissante d'avoir bien voulu me rencontrer, poursuivit calmement Unni Kongsbakken.

– C'était la moindre des choses, répondit Inger Johanne en vidant son verre d'eau. Commandons-nous quelque chose à manger ?

– Juste une tasse de café pour moi, merci. Je suis un peu épuisée, après ce voyage.

– Deux cafés, demanda Inger Johanne au serveur en espérant qu'il n'insisterait pas trop sur l'obligation de déjeuner.

– Qui êtes-vous ? s'enquit Unni Kongsbakken. Avant de vous raconter mon histoire, j'aimerais avoir de plus amples renseignements sur vous et ce que vous êtes. Astor et Geir ont été quelque peu... imprécis, je dirais, acheva-t-elle avec un petit sourire.

– Je m'appelle donc Inger Johanne Vik, commença-t-elle. Et je suis chercheuse.

DANS LE BUREAU D'YNGVAR STUBØ, le téléviseur était allumé. Depuis la porte, Sigmund Berli et l'une des secrétaires suivaient ce qui se passait sur l'écran. Pour sa part, Yngvar était assis, les pieds sur sa table de travail, et caressait un cigare neuf. La journée de travail était loin d'être terminée. Il lui fallait juste quelque chose à se mettre sous la dent. Il crachota du tabac sec et se sentit affamé.

– C'est assez américain, constata Sigmund en secouant la tête. Une chasse à l'homme en direct à la télé. Grotesque. On ne peut rien faire pour arrêter ça ?

– Rien qui n'ait déjà été fait.

Il lui fallait à manger. Même s'il n'y avait qu'une heure qu'il avait englouti deux énormes petits pains au salami et à la tomate, la faim lui brûlait méchamment le haut du ventre.

– Ça peut finir par un désastre, prédit la secrétaire en pointant un doigt vers l'écran. Ce rodéo, là, et avec tous ces journalistes qui lui collent au train... ça ne donnera rien de bon !

Les photos d'hélicoptère montraient que la Mazda avait gagné de la vitesse. Dans un virage, l'arrière chassa salement, et la voix du journaliste sauta de plusieurs octaves.

– Laffen Sørnes nous a découverts ! criailla le journaliste au comble de l'extase.

– Tout comme cinq voitures de police et quelques chasseurs d'ours, grommela Sigmund Berli. Le gars doit être terrorisé.

La Mazda dérapa de nouveau dans un virage. L'accotement n'était pas stabilisé ; la pierre et le gravier jaillirent sur le flanc gauche du véhicule. Pendant un instant, ce dernier sembla sur le point de quitter la route. Il fallut une ou deux secondes au conducteur pour reprendre le contrôle et regagner la vitesse perdue.

– En tout cas, il sait conduire, admit sèchement Yngvar. Tu as du nouveau sur le mioche de Karsten Åsli ?

Sigmund Berli ne répondit pas. Il regardait sans broncher l'écran de la télé. Sa bouche s'ouvrit, sans produire un son. C'était comme s'il tentait d'exprimer un avertissement tout en sachant qu'il serait totalement vain de dire quoi que ce soit.

– Doux Jésus, murmura la secrétaire. Qu'est-ce...

IL DEVAIT APPARAÎTRE plus tard que TV2 avait plus de sept cent mille téléspectateurs devant cette poursuite motorisée retransmise en direct. Plus de sept cent mille personnes, dont la plupart sur leur lieu de travail puisqu'il était quinze heures passées de douze minutes, furent tout yeux, tout oreilles lorsqu'une Mazda 323 bleu nuit, modèle 1987, partit en crabe dans un virage pour aller taper une Opel Vectra qui arrivait en sens inverse ; elle aussi bleu nuit.

La Mazda fut pratiquement sectionnée par le milieu avant d'être retournée. Elle passa par-dessus le toit de l'Opel qui continua tout droit. La Mazda s'était imbriquée dans l'Opel en une étreinte métallique absurde. La rambarde de sécurité fit des étincelles contre les portières, avant que l'automobile ne soit renvoyée de l'autre côté de la route, toujours avec la Mazda sur le toit. Une énorme borne d'accotement fendit le capot de l'Opel en deux.

Sept cent mille téléspectateurs retenaient leur souffle.

Tous attendaient une explosion qui ne vint pas.

Le seul son qui s'échappait des haut-parleurs des appareils de télévision, c'était le vrombissement des hélicoptères qui planaient à maintenant cinquante mètres seulement au-dessus du lieu de l'accident. Le photographe zooma sur l'homme qui quelques petites secondes plus tôt avait fui la police dans une voiture volée, au démarreur trafiqué. Laffen Sørnes était à moitié passé par la vitre latérale brisée. Son visage était tourné vers le ciel, son dos paraissait rompu. Son bras, le bras gauche plâtré, avait été arraché au niveau de l'épaule et gisait dans son coin à plusieurs mètres de l'enchevêtrement d'épaves.

– Bon sang ! s'enthousiasma le journaliste.

Le son disparut tout à fait.

– C'EST ARRIVÉ LE SOIR qui a précédé la grande plaidoirie, expliqua Unni Kongsbakken en versant une goutte de lait supplémentaire dans sa tasse de café à moitié vide. Mais vous devez bien garder en mémoire que...

Ses épais cheveux gris étaient rassemblés en un chignon lâche tenu par des piques japonaises noires laquées. Une boucle s'était défaite et pendait sur le côté. D'un geste maintes fois répété, elle remit la longue mèche en place.

– Astor était réellement convaincu de la culpabilité d'Aksel Seier, poursuivit-elle. Complètement convaincu. Tout compte fait, il y avait beaucoup d'éléments en défaveur de cet homme. Il avait, de plus, été contradictoire, et peu coopératif dès le moment de son arrestation. Ça, c'est facile à oublier...

Elle s'interrompit et inspira. Inger Johanne se rendit alors compte qu'Unni Kongsbakken était fatiguée, même si elles n'avaient encore discuté qu'un quart d'heure. Son œil droit était cerné de rouge, et Inger Johanne eut pour la première fois l'impression que son interlocutrice hésitait.

– ... tant d'années après, soupira-t-elle. Astor était...

persuadé. Comme ça s'est passé, comme je... Non, je m'égare.

Son sourire était gêné, presque déconcerté.

— Écoutez, intervint Inger Johanne en se penchant vers la vieille dame. Je crois vraiment que nous devrions attendre pour ces choses-là. Nous pouvons nous revoir dans un moment. La semaine prochaine.

— Non, regimba Unni Kongsbakken avec une fougue inattendue. Je suis vieille. Je ne suis pas impotente. Laissez-moi continuer. Astor était dans son petit bureau. Il consacrait toujours beaucoup de temps à ses plaidoiries, mais ne les écrivait jamais *in extenso*. Seulement des mots clés, une espèce de plan sur une fiche. Nombreux étaient ceux qui pensaient qu'il concevait ses plaidoiries comme ça, sur le moment...

Elle émit un petit rire sec.

— Astor ne faisait jamais rien sur le moment. Et ce n'était pas de gaieté de cœur qu'on l'interrompait dans son travail. Mais j'étais descendue à la buanderie. Dans un coin, derrière des tuyaux, j'ai découvert les vêtements d'Asbjørn. Un pull-over que j'avais moi-même tricoté, c'était avant... Je n'étais pas encore une tapissière reconnue. Le pull était couvert de sang. Véritablement recouvert. Ça m'a mise dans une rage folle. Folle ! Je me suis bien sûr dit qu'il avait commis l'un de ses coups, tué un animal. Bon. J'ai débarqué dans sa chambre. Et je ne sais pas ce qui m'a fait...

Ce fut comme si elle cherchait ses mots ; comme si elle s'était exercée longtemps, mais ne trouvait pourtant pas de quoi exprimer ce qu'elle avait sur le cœur.

— C'était une sensation, rien de plus. Au moment où je montais l'escalier. J'en suis venue à penser au soir où la petite Hedvig avait disparu. En fait, j'ai repensé au lendemain. Tôt le lendemain matin, oui... Évidemment, nous n'étions pas au courant pour Hedvig, à cet instant précis. Ça ne s'est su qu'un ou deux jours après la disparition de la petite fille.

Elle posa ses doigts sur ses tempes, comme si elle souffrait de migraine.

– Je m'étais réveillée vers cinq heures, ce matin-là. Ça m'arrive souvent. Depuis toujours. Mais ce jour-là, qui par la suite s'est révélé être le lendemain de la mort de Hedvig, il m'a semblé avoir entendu quelque chose. Ça m'a fait peur, bien sûr, Asbjørn était dans sa période la plus délirante et inventait des choses qui allaient bien plus loin que ce que je m'étais jamais imaginé venant d'un adolescent. J'ai entendu des pas. Mon premier réflexe, ça a été de me lever pour savoir ce qui s'était passé. Mais je n'en ai pas eu la force. Je me sentais complètement épuisée. Quelque chose m'a retenue. Je ne sais pas quoi. Plus tard, au petit déjeuner, Asbjørn était silencieux, il ne disait rien. Ça ne lui ressemblait absolument pas, il parlait toujours sans discontinuer. Même quand il écrivait, il parlait. Il discourait en gesticulant. Sans arrêt. Il avait tellement de choses à dire. Il avait bien trop de choses à dire, il...

Le sourire gêné passa de nouveau sur son visage.

– Passons, s'interrompit-elle. Quoi qu'il en soit, il ne disait rien. Geir, en revanche, était gai, souriant. Je...

Elle ferma à demi les yeux et retint son souffle, comme pour essayer de reconstituer la scène, de visualiser cette matinée, cette tablée au moment du petit déjeuner dans une ville des environs d'Oslo, longtemps auparavant ; en 1956.

– J'ai compris qu'il avait dû se passer quelque chose, reprit Unni Kongsbakken lentement. Geir était calme, il ne disait jamais rien le matin. Il était juste là, point... Toujours dans l'ombre d'Asbjørn. Toujours. Pour son père aussi. Même si Asbjørn était un adolescent qui manquait particulièrement de scrupules et refusait même de porter le nom de son père, c'était comme

362

si Astor... l'admirait, on peut presque dire. Il se reconnaissait en partie dans ce gosse, je crois. Il y voyait sa propre force. Son inflexibilité. L'affirmation de soi. Il en avait toujours été ainsi. Geir était en quelque sorte... de trop, tout le temps. Ce matin-là, en revanche, il était gai, causant, et j'ai compris que quelque chose ne tournait pas rond. Évidemment, j'ai pensé à Hedvig. Comme je vous l'ai dit, on n'a rien su de ce qui était arrivé à la petite fille avant un moment. Mais le comportement de Geir m'a tellement effrayée que je n'ai pas osé poser de questions. Et quand, plusieurs semaines plus tard, la veille au soir de la plaidoirie d'Astor contre Aksel Seier dans l'affaire du meurtre de la petite Hedvig Gåsøy... quand j'ai monté l'escalier avec le pull d'Asbjørn plein de sang, et que soudain...

Elle joignit de nouveau les mains. Ses cheveux gris tombèrent lourdement sur une épaule. Des larmes coulaient de son œil rouge. Inger Johanne ne savait pas trop si la vieille femme pleurait ou si cet œil était enflammé.

– Ça m'a frappé, comme une espèce de vision, souffla Unni Kongsbakken d'une voix étranglée. Je suis entrée dans la chambre d'Asbjørn. Il était occupé à écrire, comme d'habitude. Quand je lui ai lancé le pull, il a haussé les épaules et s'est remis à écrire. Sans rien dire. Hedvig, j'ai dit. Est-ce que c'est le sang de Hedvig ? Il a de nouveau haussé les épaules et a continué à écrire, à toute vitesse. J'ai cru que j'allais mourir sur place. La tête me tournait, il a fallu que je m'appuie contre le mur pour ne pas tomber. Cet enfant m'avait coûté une infinité de nuits blanches. Je m'en faisais toujours pour lui. Mais je ne l'aurais jamais, *jamais*...

Sa main claqua sur la nappe blanche, et Inger Johanne sursauta. Il y eut un grand tintement, et le serveur arriva à vive allure.

– ... jamais cru capable d'une chose pareille, termina Unni Kongsbakken.

– Non merci, glissa Inger Johanne au serveur qui se retira en hésitant. Que... qu'est-ce qu'il a dit ?

– Rien.

– Rien ?

– Non.

– Mais... Est-ce qu'il a avoué...

– Il n'avait rien à avouer, comme c'est apparu par la suite.

– Là, j'ai peur de ne plus...

– Je me suis retrouvée là, appuyée contre le mur. Asbjørn écrivait sans interruption. Encore aujourd'hui, je ne sais pas combien de temps on est restés comme ça, seuls. Une demi-heure peut-être. C'était comme... comme tout perdre. Il se peut que je lui aie demandé de nouveau. En tout cas, il n'a pas répondu. Il écrivait, comme si je n'existais pas. Comme si...

Elle pleurait à présent pour de bon. Les larmes coulaient de ses yeux, et elle sortit un mouchoir de sa manche.

– Geir est arrivé. Je ne l'avais pas entendu venir. Il est apparu à côté de moi, et il regardait le pull qui était tombé par terre. Il s'est mis à pleurer. « Je ne voulais pas. Ce n'était pas mon intention. » Ce sont exactement les mots qu'il a prononcés. Il avait dix-huit ans, et il pleurait comme un enfant. Asbjørn a bondi de sa chaise et s'est jeté sur son frère. « Ta gueule ! », il a crié, plusieurs fois d'affilée.

– Geir ? C'est Geir qui a dit qu'il ne voulait pas, qu'il...

– Oui, répondit Unni Kongsbakken en se redressant ; elle appuya doucement le mouchoir sur ses yeux avant de le remettre à sa place. Mais il n'a pas eu le temps de dire grand-chose d'autre. Asbjørn l'a assommé, purement et simplement.

– Mais est-ce que ça veut dire que... Je ne comprends pas bien ce que...

– Asbjørn était la personne la plus gentille que vous puissiez imaginer, déclara Unni Kongsbakken, d'une voix plus calme. (Elle respirait plus régulièrement, et ne pleurait plus.) Asbjørn était un garçon doux ; tout ce qu'il a écrit par la suite, toutes ces horreurs, ces provocations... les blasphèmes. Les abus. Ce n'étaient que des mots. Il ne faisait qu'écrire, Asbjørn. En réalité, c'était un homme véritablement gentil. Et il aimait beaucoup son frère.

Une gêne dans la gorge, juste sous le larynx, poussa Inger Johanne à essayer de déglutir. Elle eut du mal. Elle voulut parler, meubler le silence ; elle ne sut avec quoi.

– C'est Geir qui a tué la petite Hedvig, conclut Unni Kongsbakken. Ça, j'en suis pratiquement convaincue.

IL FALLUT AUX SAUVETEURS trois bons quarts d'heure pour sortir le conducteur de l'Opel bleue de son épave. Sa cuisse était brisée par le milieu. L'un de ses yeux était crevé ; un caillot sanglant s'était détaché de l'orbite et pendait sans rime ni raison sur la joue. Le volant gisait cent mètres plus loin, au pied d'un sapin ; la colonne de direction s'était enfoncée profondément dans le ventre du bonhomme.

– Il est vivant ! haleta l'un des secouristes. Nom de Dieu ! Ce mec est vivant !

Une petite heure plus tard, l'homme se trouvait sur la table d'opération. Les choses ne se présentaient pas idéalement, mais il restait de la vie.

Laffen Sørnes, en revanche, fixait toujours le ciel, le corps à moitié passé par la vitre d'une Mazda 323 volée. Un policier frais émoulu se tenait courbé sur un lit de ruisseau et pleurait sans retenue. Trois hélicoptères tournaient encore au-dessus des lieux de l'accident, un seul d'entre eux appartenait à la police.

TV2 était en passe d'établir un record d'audimat pour une émission de l'après-midi.

DE L'AUTRE CÔTÉ des immenses fenêtres du Grand Café, les gens allaient et venaient. Certains d'un pas pressé, d'autres plus lent, peut-être sans but ; ils avaient tout leur temps, et Inger Johanne les suivait des yeux. Elle essaya de classer ses idées. Unni Kongsbakken s'était excusée avant de se lever et de quitter la table sans dire ce qu'elle allait faire. Son sac à main, un gros sac en cuir brun paré de métal, était resté à sa place. Elle n'était probablement allée qu'aux toilettes.

Inger Johanne se sentait harassée.

Elle essaya d'imaginer Geir Kongsbakken. Son visage se dérobait ; bien qu'elle l'ait vu à peine plus de vingt-quatre heures plus tôt, tout ce dont elle se souvenait de lui, c'était son aspect ennuyeux. Dense et lourd, comme ses parents. Elle se rappelait l'odeur d'encaustique et de bois brun. Elle repensa à son costume neutre. Le visage de l'avocat, en revanche, ne demeurait qu'un contour vague dans sa mémoire.

Unni Kongsbakken revint et s'assit sans un mot.

– Qu'entendez-vous par « j'en suis quasiment convaincue » ?

– Quoi ?

– Vous avez dit... Vous avez dit que vous étiez pratiquement convaincue que... que Geir avait tué Hedvig. Pourquoi seulement pratiquement convaincue ?

– Je ne peux pas savoir, bien sûr, répondit Unni Kongsbakken sèchement. Pas au sens juridique, s'entend. Il n'a jamais rien avoué.

– Mais...

– Laissez-moi continuer.

Elle souleva sa tasse. Celle-ci était vide. Inger

366

Johanne fit signe pour qu'on les resserve. Le serveur s'énervait, il ne rapporterait pas de lait sans qu'Unni Kongsbakken l'ait demandé deux fois.

– Geir était dans les pommes, reprit-elle enfin. Et Asbjørn était muet comme une tombe. Il n'a fallu qu'une ou deux minutes pour que Geir reprenne connaissance. Il est alors resté aussi silencieux que son frère. Je suis allé chercher Astor. Qui était dans son bureau, comme je vous l'ai dit ; il était relativement tard.

Son regard se fit de nouveau lointain, comme si elle essayait de nouveau de remonter le temps.

– Astor est entré dans une colère noire. En premier lieu d'être dérangé, bien sûr. Puis en entendant ce que j'avais à lui dire. Complètement insensé, a-t-il hurlé. Des foutaises. Des inepties, m'a-t-il crié. Il a ordonné aux gamins de s'asseoir dans le canapé et les a bombardés de questions. Aucun d'eux n'a dit un mot. Ils... ils n'ont pas répondu. À rien. Pour moi, c'étaient des réponses en soi. Même si Asbjørn était un agitateur, un rebelle, il gardait une espèce de respect pour son père. Je ne l'avais jamais vu comme à ce moment-là. Il regardait son père bien en face et ne répondait pas. Geir avait les yeux baissés sur ses genoux. Il ne disait rien, lui non plus, pas même quand Astor lui a donné une gifle, qui a claqué de belle manière. Pour finir, Astor a renoncé, et les a envoyés se coucher. Il était bien plus de minuit. Il tremblait quand il s'est allongé à côté de moi dans le noir. Je lui ai expliqué ce que je pensais. Que Geir avait tué Hedvig et qu'il avait appelé Asbjørn pour se débarrasser du... du corps. Nous n'avions qu'un téléphone, qui se trouvait juste à côté de la chambre d'Asbjørn. Geir aurait pu appeler, la nuit, sans que nous l'entendions. Je le lui ai dit. Astor n'a pas répondu, il pleurait sans faire de bruit. Je n'avais jamais vu pleurer mon mari. Il a fini par me dire que je me trompais. Que ce n'était pas possible. Aksel Seier avait tué Hedvig, ainsi étaient les choses. Il m'a tourné le dos et n'en a pas dit davantage. Je n'ai pas baissé les bras et j'ai tout repassé en revue. Le pull plein de sang. Le comportement étrange des enfants. Le soir de la disparition de Hedvig, Geir était à Oslo à l'occasion d'une réunion de l'AUF[1]. Asbjørn était à la maison. Au petit matin, j'ai entendu... Je vous l'ai déjà raconté. Excusez-moi. Je me répète. Quoi qu'il en soit, Astor ne voulait pas m'écouter. Au matin, il s'est levé. Il s'est douché, habillé, et il est parti travailler. D'après ce que j'ai pu lire dans les journaux, sa plaidoirie a été enflammée. Quand il est rentré, nous avons dîné en silence. Tous les quatre.

Unni Kongsbakken donna une légère tape de la paume de sa main sur la table, comme pour appuyer la fin de sa phrase.

– Je ne sais pas vraiment quoi répondre à tout cela...

– À la vérité, vous n'avez pas besoin de répondre grand-chose.

– Mais Anders Mohaug, était-ce lui qui...

– Anders aussi était changé. Je n'y avais pas fait attention avant, ce garçon était bizarre. Mais après ce soir-là, j'ai remarqué qu'il était plus silencieux. Plus renfermé sur lui-même. Plus angoissé, d'une certaine façon. Ce n'était pas difficile de comprendre qu'Asbjørn avait probablement emmené Anders. C'était un gars on ne peut plus baraqué, vous comprenez. Il était costaud, Anders. Une fois, j'ai essayé de parler à madame Mohaug. Elle était comme une bête effrayée. Impossible de lui parler.

Les yeux d'Unni Kongsbakken s'étaient remis à couler. Les larmes suivaient un sillon le long de la base

---

1. Arbeidernes Ungdomsfylking (Groupement des jeunesses travaillistes), créé en 1904, l'un des plus gros partis politiques pour les jeunes avec plus de 7 000 membres.

de son nez, et elle passa rapidement un bout de langue sur sa lèvre supérieure.

– Elle a certainement pensé qu'Anders était seul pour ce forfait, poursuivit-elle à mi-voix. J'aurais dû insister davantage. J'aurais dû... Madame Mohaug n'a plus jamais été elle-même après cet hiver-là.

– Quand Anders est mort..., commença Inger Johanne avant d'être interrompue :

– Astor et moi n'avons jamais parlé de Hedvig depuis cette nuit fatidique. C'était comme si toute cette horrible journée était passée dans une espèce de tiroir fermé à clé, caché pour toujours. Je... À mesure que le temps passait, c'était presque comme si tout disparaissait. Geir est devenu juriste, comme son père. Il a essayé de ressembler à Astor dans tout ce qu'il faisait, sans jamais y parvenir. Asbjørn avait commencé à écrire ses fichus livres. En d'autres termes, il y avait d'autres choses dont il fallait se préoccuper.

Elle poussa un gros soupir et sa voix trembla tandis qu'elle prenait de nouveau son élan :

– Un jour, ce devait être durant l'été 1965, Astor est rentré du bureau... Oui, il était devenu directeur général, à l'époque.

– Je l'ai appris.

– Son ami, le directeur général Einar Danielsberg, était venu le voir pour lui poser des questions sur l'affaire Hedvig et Aksel Seier. Il était apparu des éléments nouveaux qui pouvaient indiquer que...

Elle cacha son visage dans ses mains. Son alliance, fine et usée, faisait corps avec son annulaire droit. Elle avait pratiquement disparu dans un repli de peau.

– Astor a simplement dit que tout était sous contrôle, reprit-elle à mi-voix. Que je n'avais pas besoin d'avoir peur.

– Avoir peur ?

– C'est tout ce qu'il a dit. Je ne sais pas ce qui s'est passé.

Elle se cacha de nouveau le visage dans les mains.

– Astor était quelqu'un d'honnête ; l'homme le plus intègre que j'aie rencontré. Il a pourtant laissé un innocent aller en prison. Ça m'a appris quelque chose. Nous prenons soin de ce qui nous appartient.

Elle se leva, une dame fort âgée, en mouvements pesants et lents. Ses cheveux avaient tous échappé aux piques japonaises. Ses yeux étaient gonflés.

– Comme vous le comprenez, je n'ai jamais rien pu prouver.

C'était comme si son sac à main était devenu trop lourd à mesure que l'après-midi avançait. Elle essaya de le faire tenir sur son épaule, mais il glissa et retomba. Elle finit par le saisir à deux mains et essaya de se redresser.

– C'est avec cela que j'ai essayé de me réconforter, longtemps. Je ne pouvais, de toute façon, rien savoir de façon sûre. Les enfants refusaient de parler. Le pull avait été brûlé, Astor y avait veillé. À la mort d'Asbjørn, j'ai lu son livre pour la première fois. Dans *Péché mortel, quatorze novembre*, j'ai enfin trouvé la certitude.

Je comprends que tu protèges ton mari, songea Inger Johanne en cherchant des mots qui ne seraient pas choquants. *Mais à présent, c'est ton propre fils que tu trahis. Tu le donnes. Après toutes ces années, ton propre fils. Pourquoi ?*

– Geir a eu plus de quarante ans de liberté, lâcha Unni Kongsbakken d'une voix sans timbre. Il a gagné quarante années qui n'étaient pas à lui. Je crois qu'il a... Je suppose qu'il n'a pas récidivé dans l'indécence.

Son sourire était honteux, comme si elle ne croyait pas elle-même complètement ce qu'elle disait.

– Je n'ai jamais pu raconter cela. Astor aurait...

Astor n'y aurait pas survécu. Ça suffisait avec Asbjørn. Avec ces livres épouvantables, tout ce remue-ménage, le suicide.

Elle poussa un soupir sans force.

– Merci d'avoir pris le temps de m'écouter. Je vous laisse déterminer quel usage faire de ce que vous venez d'apprendre. J'ai fait ma part. Trop tard, évidemment, mais quand même... Ce qui va advenir de Geir, c'est à vous d'en décider. Vous ne pouvez vraisemblablement rien faire de plus ou de moins. Il niera bien sûr tout. Et puisque rien ne peut être prouvé... Mais ça pourra peut-être aider cet... Aksel Seier. De savoir ce qui s'est passé, j'entends. Au revoir.

Lorsque Inger Johanne vit ce dos courbé passer les portes du Grand Café, elle remarqua brusquement que même les couleurs du pourpoint semblaient s'être ternies. C'était tout juste si la vieille dame avait la force de lever les pieds. Par la fenêtre, elle vit quelqu'un l'aider à monter dans un taxi. Une brosse à cheveux tomba de son sac lorsque la porte se referma ; Inger Johanne la regarda longuement après que la voiture emmenant Unni Kongsbakken eut disparu.

La brosse était pleine de cheveux, morts. Inger Johanne fut troublée de voir combien ils étaient nets, même à cette distance. Ils étaient gris, et lui rappelèrent Aksel Seier.

65

SEUL DANS SON BUREAU, Yngvar Stubø essayait de réprimer un sentiment malsain de soulagement.

Laffen Sørnes était mort comme il avait vécu, en

fuyant une société qui le méprisait. C'était tragique. Yngvar ne parvenait pas à repousser cette satisfaction. Laffen Sørnes hors course, il serait peut-être possible d'amener davantage de monde à se concentrer sur le véritable pécheur, la véritable chasse. Cette idée aida Yngvar à respirer plus librement. Il se sentit revigoré, plus énergique que depuis plusieurs jours.

Il avait depuis longtemps éteint son poste de télévision. C'était carrément offensant de voir les journalistes tourner comme des mouches dans ce brouillard de sang, sans aucune considération pour la gravité de la tragédie qui venait de se jouer sur l'écran de tout un chacun. Il frissonna et commença à classer ses documents.

Sigmund Berli fit irruption dans le bureau.

Yngvar leva les yeux et fronça les sourcils.

– Quelle impétuosité, remarqua-t-il sèchement en tapotant le bureau de son index et en faisant un signe de tête vers la porte. Alors, on oublie les bonnes manières ?

– La collision, souffla Sigmund Berli. Laffen Sørnes y est resté, je ne t'apprends sûrement rien. Mais l'autre...

Il chercha à reprendre son souffle et posa ses deux paumes sur ses genoux.

– ... l'autre... le type dans l'autre voiture...

– Assieds-toi, Sigmund, conseilla Yngvar en lui indiquant la chaise « invités ».

– L'autre, nom de Dieu... c'était Karsten Åsli !

Il y eut comme un court-circuit dans le cerveau d'Yngvar. Le silence absolu. Il essaya de faire la mise au point, mais son regard était rivé sur la cage thoracique de Sigmund. Sa cravate était glissée entre deux boutons de sa chemise. Elle était trop rouge, ornée d'oiseaux. La queue d'une oie jaune pointait dans la fente au-dessus de la poitrine. Yngvar ne savait même pas s'il respirait encore.

– Tu as entendu ce que je t'ai dit ? gueula Sigmund. C'est Karsten Åsli qui s'est emplafonné Laffen ! Si tu as raison, ça veut dire qu'Émilie...

– Émilie, répéta Yngvar dont la voix se brisa ; il essaya de se racler la gorge.

– Karsten Åsli est sur le point de crever, lui aussi ! Comment on va se démerder pour retrouver Émilie si tu as raison, Yngvar ? Si Karsten Åsli l'a planquée et trouve judicieux de casser sa pipe ?

Yngvar se leva lentement de sa chaise. Il dut s'appuyer au bord de sa table de travail. Il fallait qu'il réfléchisse. Il fallait qu'il fasse le point.

– Sigmund, articula-t-il d'une voix plus assurée. Va à l'hôpital. Fais tout ton possible pour faire parler ce mec. Pour autant que ce soit possible.

– Il est inconscient, eh, patate !

Yngvar se redressa.

– Je comprends bien, répondit-il lentement. Voilà pourquoi il faut que tu sois là-bas. Au cas où il se réveillerait.

– Et toi ? Qu'est-ce que tu fais dans l'intervalle ?

– Je vais à Snaubu.

– Mais tu n'as rien d'autre sur ce gazier que ce que tu avais hier ! Même si Karsten Åsli est salement amoché, tu ne peux pas débarquer comme ça chez lui, sans mandat !

Yngvar enfila sa veste et jeta un coup d'œil à sa montre.

– Ça, je m'en tamponne, rétorqua-t-il calmement. À cet instant précis, je me fous éperdument de ce point précis.

66

AKSEL SEIER N'EN REVENAIT PAS de constater à quel point il se sentait chez lui dans la petite chambre où vivait Eva. Les murs étaient d'une teinte chaude de jaune, et même si le lit était en métal et les draps marqués « Oslo kommune », c'était la chambre d'Eva. Il reconnut quelques-uns des objets de l'appartement de Brugata, où elle avait nettoyé à l'iode la plaie qu'il avait à la tête, par un soir de 1965. L'ange de porcelaine aux ailes cassées, bleu pâle avec des restes de peinture jaune, qu'elle avait reçu pour sa confirmation. Il s'en souvint aussitôt qu'il laissa ses doigts trouver le contact froid de la petite figurine. Le tableau de Hovedøya dans le coucher de soleil, qu'il lui avait offert. Il était à présent accroché au-dessus du lit, et ses couleurs étaient plus pâles que lorsque Aksel avait fait claquer quinze couronnes sur la table de l'antiquaire avant de repartir avec le tableau, emballé dans du papier kraft et cerclé de ficelle.

Eva aussi s'était fanée.

Mais elle était toujours son Eva.

Sa main était vieille et abîmée par la maladie. Son visage paraissait consumé, son expression s'était figée sur une douleur qui ne passerait jamais. Son corps n'était qu'une coquille immobile entourant une femme qu'Aksel Seier aimait toujours. Il ne dit pratiquement rien. Il fallut du temps à Eva pour raconter son histoire. De temps à autre, elle devait se reposer. Aksel écoutait en silence.

Il se sentait chez lui dans cette chambre.

– Il a tellement changé, constata Eva à mi-voix. Tout est allé à vau-l'eau. Il n'avait pas d'argent pour porter l'affaire devant les tribunaux. S'il avait dû utiliser les derniers restes de l'héritage de maman, il n'aurait eu nulle part où habiter. Et il n'aurait de toute façon pas eu la moindre chance. Ça l'a détruit, Aksel. Les derniers mois, il n'est même pas venu me voir.

Tout allait s'arranger, estima Aksel. Il avait sorti ses cartes. Platine, expliqua-t-il en tenant le morceau de plastique brillant devant les yeux d'Eva. On ne donnait de telles cartes qu'à des gens qui avaient beaucoup d'argent. Il avait beaucoup d'argent. Il allait arranger les choses.

Tout allait certainement s'arranger, maintenant qu'Aksel était enfin rentré.

– J'aurais pu revenir plus tôt.

Elle ne le lui avait juste pas demandé. Il le savait, Aksel ; il était impossible de rentrer en Norvège avant qu'Eva veuille le retrouver. Même si elle ne l'avait pas invité en bonne et due forme, il y avait pourtant une prière dans ce qu'elle avait écrit. La lettre était arrivée en mai, pas en juillet comme elle aurait dû. C'était une lettre pleine de trouble, et il avait répondu en fichant le camp et en rentrant à la maison.

Aksel but du sirop dans un grand verre posé sur la table de chevet. Le goût était frais. C'était le goût de la Norvège ; sirop de cassis et eau. Des produits authentiques. Du sirop norvégien. Il s'essuya la bouche et sourit.

Aksel entendit un bruit et se tourna à demi. Un sentiment de terreur le traversa. Il lâcha la main d'Eva et serra les poings sans savoir pourquoi. Le policier aux clés et aux yeux humides, celui qui voulait faire avouer à Aksel quelque chose qu'il n'avait pas fait et qui, depuis, l'avait visité en rêve, avait eu un autre déguisement. Plus démodé, peut-être. Cet homme-ci portait un blouson plus lâche et un pantalon à carreaux. Mais il était policier. Aksel le comprit sur-le-champ et regarda vers la fenêtre. La chambre d'Eva se trouvait au rez-de-chaussée.

– Eva Åsli ? demanda l'homme en approchant.

Eva murmura une confirmation. L'homme toussota et approcha encore un peu du lit. Aksel sentit l'odeur de cuir et d'huile pour moteur que dégageaient ses vêtements.

– Je suis désolé de devoir vous apprendre que votre fils a été victime d'un grave accident. Karsten Åsli. C'est votre fils, n'est-ce pas ?

Aksel se leva et se redressa.

– Karsten Åsli est notre fils, acquiesça-t-il d'une voix lente. À Eva et à moi.

67

INGER JOHANNE DÉAMBULAIT dans les rues sans trop savoir où elle allait. Un vent âpre filait entre les hauts bâtiments d'Ibsenskvartalet, et elle se rendit plus ou moins compte qu'elle se dirigeait vers son lieu de travail. Elle ne voulait pas y aller. Même si elle avait froid, elle voulait rester dehors. Elle pressa le pas et décida à mi-chemin de passer voir Isak et Kristiane. Ils pourraient aller faire un tour à Bygdøy, tous les trois. Inger Johanne en avait besoin, à cet instant précis. Après presque quatre ans d'attention partagée pour Kristiane, elle avait fini par se tranquilliser en ce qui concernait les arrangements. Quand le manque était trop oppressant, il lui suffisait d'aller la voir chez Isak. Il était content qu'elle vienne, et se montrait toujours gentil. Inger Johanne s'était habituée à cet état de fait. S'accoutumer à une chose ne revenait pas à l'apprécier. Elle ressentait toujours l'envie de tenir la gosse, de la serrer contre elle, de la faire rire. Parfois, la sensation était insupportablement forte, comme maintenant. Elle trouvait souvent du réconfort à l'idée que Kristiane était heureuse chez son père. Qu'il était aussi important pour elle que sa mère. Qu'il devait tout simplement en être ainsi.

Que Kristiane n'était pas sa propriété.

Les larmes coulaient d'un de ses yeux. Ce pouvait être le vent.

Ils pourraient trouver quelque chose de chouette à faire, tous les trois.

Unni Kongsbakken paraissait si forte quand elle était arrivée au Grand Café, et si fatiguée et usée en repartant. Son fils cadet était mort depuis longtemps. Hier, elle avait perdu son mari. Aujourd'hui, elle avait d'une certaine façon donné tout ce qui lui restait : une histoire longtemps tue, et son fils aîné.

Inger Johanne plongea les mains dans ses poches et décida d'aller chez Isak.

Son téléphone mobile se mit à sonner.

Ce devait être le bureau. Elle n'y était pas passée depuis plus de vingt-quatre heures. Elle avait eu beau appeler le matin même pour expliquer qu'elle travaillerait chez elle ce jour-là, elle ne s'était même pas connectée pour vérifier si des messages étaient arrivés. Elle ne souhaitait parler à personne. Pour l'instant, elle désirait qu'on la laisse tranquille avec la vérité sur l'assassinat de la petite Hedvig en 1956. Elle avait besoin de digérer l'ultime certitude qu'Aksel Seier avait purgé sa peine à la place d'un autre. Elle n'avait pas la moindre idée de ce qu'elle devait faire, de qui pouvait être son interlocuteur. Elle ne savait pour l'instant même pas si elle devait aller trouver Alvhild avec ce qu'elle savait. Elle laissa son téléphone dans son sac.

La sonnerie s'interrompit.

Puis recommença.

Elle chercha avec agacement dans son sac à main.

L'écran affichait NUMÉRO INCONNU. Elle appuya sur la touche adéquate et colla l'appareil contre son oreille.

– Enfin, soupira un Yngvar soulagé. Où es-tu ?

Inger Johanne regarda autour d'elle.

– Dans Rozenkrantzgate, répondit-elle. Non, en fait, à CJ Hambros Plass. Juste devant le Palais de Justice.

– Ne bouge pas. D'un pouce. Je suis à trois minutes.

– Mais...

Il avait déjà raccroché.

LE POLICIER SEMBLAIT MAL à l'aise. Il regardait fixement un morceau de papier qu'il tenait à la main, même si à l'évidence rien n'était noté dessus qui pût améliorer la situation. La femme qui occupait le lit pleurait, et ne posa aucune question. Aksel Seier allait rester en Norvège.

Par la suite, il se marierait avec Eva. Une cérémonie tranquille sans invités, et sans autre cadeau qu'un bouquet de fleurs de la part d'Inger Johanne Vik. Dans la pièce jaune bouton d'or, avec sa future épouse, les poings serrés le long du corps, les cheveux coupés n'importe comment, vêtu d'un pantalon de golf à carreaux rose et turquoise, il ne le savait pas encore. Il ne serait jamais officiellement blanchi des accusations qui l'avaient envoyé en prison, mais se redresserait malgré tout, le temps aidant, avec la certitude de ce qui s'était réellement passé. Un journaliste d'*Aftenposten* écrirait un article. Il apporterait une touche subtile au débat sur la législation sur la diffamation, et bien que le nom de Geir Kongsbakken n'apparaîtrait pas dans le journal, l'avocat de soixante-deux ans trouverait opportun de fermer son petit cabinet d'Øvre Slottsgate très peu de temps après. À la suite de cet article et d'une requête d'Inger Johanne Vik, Aksel Seier obtiendrait de la part du Parlement une indemnité équitable qu'il estimerait aussi bonne qu'un acquittement. Il ferait encadrer la lettre qui trônerait au-dessus du lit d'Eva, qui décéderait quatorze mois après les noces. Aksel Seier ne rencontrerait jamais l'homme à la place de qui il avait fait de la prison, et n'en éprouverait jamais le besoin.

Aksel Seier ne savait rien de tout cela tandis qu'il cherchait ses mots, des questions à poser à l'homme au pantalon à carreaux. La seule chose à laquelle il parvenait à penser, c'était à un jour de juillet 1969. Il avait déménagé de Boston à Cape Cod, et il faisait beau. Il rentrait du large. Le drapeau de la boîte aux lettres était levé. La lettre d'Eva, la lettre de juillet, était arrivée. Comme elle était également arrivée l'été précédent, et l'été d'avant. Chaque Noël, chaque été depuis 1966 quand Aksel avait quitté la Norvège sans savoir que, cinq mois plus tard, Eva donnerait naissance à un fils ; le fils d'Aksel Seier. Ce ne fut qu'en 1969 qu'elle lui parla de Karsten.

Aksel Seier était assis sur une pierre rouge sur la plage et ses mains tremblaient quand il apprit qu'il avait un enfant de bientôt trois ans.

Il n'avait pas le droit de retourner au pays. Eva habitait chez sa mère, dans un patelin près d'Oslo, et rien ne devait être modifié. Sa mère la tuerait, écrivait-elle. Sa mère lui prendrait le petit s'il rentrait. Il n'avait pas le droit de revenir, expliquait Eva, et il constata qu'elle avait pleuré. Ses larmes étaient emprisonnées dans le papier : des taches diffuses d'encre sèche qui rendaient les mots pratiquement illisibles.

Aksel Seier n'avait jamais compris pourquoi Eva avait attendu si longtemps. Il n'avait même pas la force de le lui demander.

Pas plus que maintenant ; il jouait avec le pli de son pantalon, ne sachant que dire.

— Eh bien, reprit le policier avec scepticisme en observant derechef son petit morceau de papier. Je n'ai rien ici concernant un éventuel père...

Il haussa les épaules.

– Mais si...

Le regard qu'il lança à la femme dans le lit était plein de doute, comme s'il pensait qu'Aksel Seier mentait. Eva Åsli ne pouvait pour ainsi dire pas protester contre la paternité dont se prévalait cet homme. Elle pleurait, dans un silence pénible, et le policier se demanda s'il devait faire venir un médecin.

– Emmenez-moi voir Karsten, demanda Aksel Seier en se passant une main sur le crâne.

Le policier haussa les épaules.

– Bien, grommela-t-il avant de lancer un nouveau coup d'œil à Eva. Si cela ne vous pose pas de problème...

Il lui sembla déceler une sorte de mouvement, en réponse. Elle hochait peut-être la tête. Il se tourna vers Aksel.

– Venez, je vais vous y conduire. Il est fort possible que les choses pressent.

– ÇA PRESSE ! S'EMPORTA Yngvar. Ça presse comme pas permis ! Tu ne piges pas, ça ? !

À trois reprises, Inger Johanne lui avait demandé de ralentir. Yngvar avait systématiquement répondu en accélérant encore un peu. La dernière fois, il avait flanqué le gyrophare bleu sur le toit, dans un virage qu'ils prenaient à toute vitesse. Inger Johanne ferma les yeux et pria pour que tout se passe bien.

Ils avaient à peine échangé une parole depuis qu'il lui avait expliqué rapidement où ils allaient, et pourquoi. Cela faisait plus d'une heure qu'ils fonçaient en silence. Ils devaient approcher. Inger Johanne remarqua une station-service devant laquelle un type grassouillet aux cheveux rouge pompier étendait une bâche sur quelques boisseaux de bûches. Il leva une main en un salut machinal tandis que la voiture se couchait dans le virage.

– Bordel de m..., où était cette bifurcation ? !

Yngvar criait presque, et il écrasa la pédale de frein en apercevant la petite route non signalée qui gravissait la colline.

– Première à droite, puis deux fois à gauche, mémorisa-t-il en répétant : droite, deux fois à gauche ; droite, deux fois à gauche.

Snaubu apparut joliment au sommet d'une colline, tourné vers la vallée, au soleil, et néanmoins sans aucun complexe. Vue de loin, la maison semblait en piteux état. Lorsqu'ils approchèrent, Inger Johanne remarqua qu'un des murs avait été recouvert de panneaux de bois neufs, et repeint. Des fondations à demi commencées devaient peut-être devenir un garage. Ou des communs. Quand la voiture s'arrêta, elle sentit son pouls battre contre ses tympans. Le vent était encore vif à cette altitude, et elle haletait en descendant de voiture.

– Tu crois réellement qu'elle est ici ? demanda-t-elle en frissonnant.

– Je ne crois pas, répondit Yngvar qui partit en trottinant vers la maison. Je le *sais*.

AKSEL SEIER ÉTAIT ASSIS sur une chaise en acier, les mains sur les genoux.

Karsten Åsli était inconscient. Les hémorragies internes avaient été stoppées. Un médecin avait expliqué à Aksel que d'autres opérations seraient nécessaires, mais qu'il faudrait attendre que l'état du patient se soit stabilisé. Aux yeux du médecin, Aksel avait compris que les chances étaient faibles.

Karsten allait mourir.

Le respirateur soupirait, lourdement, mécaniquement. Aksel se concentra pour ne pas respirer au même rythme que l'énorme soufflerie ; il en aurait le tournis.

Karsten ressemblait à Eva. Même avec des tuyaux dans le nez, des tuyaux dans la bouche, des tuyaux partout et la tête bandée. Aksel le voyait bien. Les mêmes traits, la grande bouche et les grands yeux, qui étaient sans doute bleus sous des paupières enflées, fichues. Aksel laissa son index courir sur la main de son fils, qui était froide comme de la glace.

– C'est moi, chuchota-t-il. *Your Dad is here*[1].

Un frisson parcourut le corps de Karsten. Puis il retrouva son immobilité totale, dans une pièce où le seul bruit audible venait d'un respirateur chuintant et d'un moniteur cardiaque qui battait en rouge au-dessus de la tête d'Aksel.

– ELLE N'EST PAS ICI. Il faut qu'on l'admette, voilà tout.

Inger Johanne essaya de poser sa main sur l'avant-bras d'Yngvar, qui se libéra d'un mouvement brusque et fila au pas de charge vers l'escalier de la cave. Ils y étaient déjà descendus trois fois. Ils étaient également montés dans les combles. Chaque réduit, chaque placard avait été fouillé. Par-dessus le marché, Yngvar avait démonté un lit double pour ne laisser aucun espace sans vérification. Il avait examiné au petit bonheur l'équipement de la cuisine, allant même jusqu'à ouvrir à plusieurs reprises la machine à laver, sans trop y croire.

– Encore une fois, juste une, pria-t-il, désorienté, avant de dévaler l'escalier de la cave sans attendre de réponse.

Inger Johanne ne bougea pas du salon. Yngvar était entré par effraction. Ils étaient entrés par effraction, dans la propriété d'un tiers, sans mandat. Nécessité fait loi, avait-il grommelé quand la porte d'entrée avait

1. Ton papa est là.

cédé. Foutaises, avait-elle répondu en le suivant à l'intérieur. Mais Émilie n'était pas dans la maison. Maintenant qu'Inger Johanne avait enfin le temps de réfléchir, elle avait conscience que toute l'entreprise relevait de la folie la plus absolue. Yngvar *percevait* quelque chose. Il *sentait* qu'Émilie était prisonnière, séquestrée dans cette petite exploitation par un type au casier vierge, qui n'avait rien d'autre qui puisse attirer l'attention sur lui qu'un lien fortuit avec deux ou trois des proches des victimes.

Cela, Yngvar le *sentait*, et c'était sur une telle base qu'elle se trouvait à présent, sans que personne l'ait voulu, au beau milieu d'un salon étranger et stérile, dans une petite ferme sur une montagne, loin des gens.

– Inger Johanne !

Elle ne voulait pas redescendre une fois de plus. La cave était humide et archi-poussiéreuse. Elle avait déjà du mal à respirer, et elle toussa.

– Oui, cria-t-elle en retour sans approcher de l'escalier. Qu'est-ce qu'il y a ?

– Viens voir ! Tu entends ce bruit ?

– Quel bruit ? grogna-t-elle.

– Viens !

À contrecœur, elle descendit lourdement la raide volée de marches. Il avait raison. Lorsqu'ils furent tous les deux au centre de cette pièce au sol de béton grossier, ils entendirent un léger bourdonnement. Un son mécanique, régulier, diffus.

– Presque comme mon PC, murmura Inger Johanne.

– Ou... un système d'aération. Ça pourrait être...

Yngvar commença à taper des mains sur le mur. L'enduit tomba en plusieurs endroits. Une grande penderie sans porte était adossée au mur latéral, du côté où Inger Johanne pensait que se trouvait l'est. Yngvar essaya de regarder derrière. Il s'accroupit et examina le sol.

— Aide-moi, demanda-t-il en essayant de pousser de l'épaule le gros meuble. Il y a des traces sur le sol. Cette armoire a été déplacée plusieurs fois.

Il n'eut pas besoin de son aide. La penderie s'écarta facilement du mur. Elle dissimulait un petit volet qui arrivait un peu au-dessus de la hanche d'Yngvar, de toute évidence neuf, sur des gonds brillants, sans serrure. Il l'ouvrit, révélant un couloir étroit qui descendait en biais, tout juste assez grand pour un adulte. Yngvar s'y engagea à quatre pattes, Inger Johanne suivit pliée en deux. Deux ou trois mètres plus bas, une petite pièce s'ouvrit, leur permettant de se redresser. Les murs étaient en béton, éclairés par la lumière criarde que jetaient les tubes néon au plafond. Aucun des deux ne parlait. Le bruit de l'aération était plus net. Tous deux regardaient une porte dans le mur : une lourde porte d'acier luisant. Yngvar sortit un mouchoir de sa poche, le posa précautionneusement sur la poignée et ouvrit lentement. Les gonds étaient bien huilés, silencieux.

Une puissante odeur de crasse provoqua un haut-le-cœur à Inger Johanne.

La lumière était forte de ce côté-ci de la porte également. La pièce faisait peut-être dix mètres carrés, et comprenait un lavabo, un siège de toilettes et un lit étroit en pin.

Il y avait un enfant dans le lit. L'enfant était nu et ne bougeait pas. À côté du lit, sur le sol, il y avait une pile de linge soigneusement plié et une couette sale sans housse, près du pied.

— Fais attention, prévint Yngvar.

Il avait remarqué que la porte était dépourvue de poignée sur sa face interne. Un crochet permettait de la fixer au mur, mais il resta à côté pour la tenir ouverte, pour plus de sécurité.

– Émilie, murmura Inger Johanne en s'accroupissant devant le lit.

L'enfant était une petite fille, et elle ouvrit les yeux.
Ceux-ci étaient verts. Elle cilla plusieurs fois, incapable
de faire la mise au point. Sur sa poitrine décharnée,
Inger Johanne vit une poupée Barbie, les jambes écartées, le chapeau de cow-boy enfoncé de travers. Elle
posa doucement sa main dans celle de la gamine.

– Je m'appelle Inger Johanne. Je suis venue pour te
ramener chez ton papa.

Inger Johanne laissa ses yeux parcourir le corps nu
de la gosse : squelettique, les genoux couverts de
croûtes. La crête iliaque faisait de part et d'autre
comme un couteau bien aiguisé, c'était comme si elle
pouvait à tout instant passer à travers cette membrane
de peau fine et transparente. Inger Johanne pleurait.
Elle retira son blouson, son pull et son maillot de
corps ; elle resta en soutien-gorge, à enfiler ses vêtements sur l'enfant qui ne disait pas un mot.

– Il y a des vêtements par terre, constata lentement
Yngvar.

– Je ne sais pas si ce sont les siens, répondit Inger
Johanne avec un hoquet en soulevant Émilie hors du lit.

L'enfant ne pesait rien. Inger Johanne la serra doucement contre sa propre peau nue.

– Ce pourraient être ses affaires. Ce pourrait être à
ce *putain* de...

– Papa, gémit Émilie. Mon papa à moi.

– Nous allons aller chez papa, maintenant, répondit
Inger Johanne en embrassant le front de la petite fille.
Tout va rentrer dans l'ordre, trésor.

*Comme si quoi que ce soit pouvait rentrer dans
l'ordre après ce qui s'est passé*, pensa-t-elle en mar-
chant vers la porte métallique, tandis qu'Yngvar posait
son épaisse veste sur l'épaule d'Inger Johanne. *Comme*

si tu pouvais jamais te remettre de ce que tu as vécu dans cette chambre funéraire.

En sortant de la pièce, à pas lents et prudents pour ne pas effrayer la petite, son regard tomba sur un slip d'homme, par terre à côté de la porte. Il était délavé et vert, orné d'un éléphant qui dressait une épaisse trompe près de la fente.

– Seigneur ! gémit Inger Johanne entre les cheveux emmêlés d'Émilie.

68

IL ÉTAIT DEUX HEURES en cette nuit du 8 au 9 juin 2000. Une pluie légère tombait lentement des nuages bas qui couvraient Oslo. Les météorologues avaient promis des accalmies et des nuits douces, mais il ne devait pas faire plus de cinq degrés. Inger Johanne ferma la porte de la véranda. Elle avait l'impression de ne pas avoir dormi depuis une semaine. À force d'essayer de suivre les gouttes qui descendaient par à-coups le long de la fenêtre du salon, elle avait mal à la tête. Sa colonne vertébrale la lança quand elle tenta de s'étirer. Il lui était pourtant impossible de se coucher. Sur la vitre, dans le salon, à peu près à hauteur de hanche, bien nette sur le dessin aquatique flou sur l'autre face, elle vit l'empreinte de la main de Kristiane. Les petits doigts courtauds pointaient en tous sens comme des pétales, en un cercle irrégulier. Inger Johanne passa une main sur les empreintes.

– Est-ce qu'Émilie s'en remettra ? demanda-t-elle d'une voix douce.

– Peu de chances. Mais elle est chez elle, à l'heure qu'il est. Ils voulaient la garder à l'hôpital, mais sa tante a refusé. Elle est elle-même médecin, et a estimé que l'enfant devait être chez elle. On s'occupe bien d'Émilie, Inger Johanne.

– Mais est-ce qu'elle s'en remettra un jour ?

Quand elle avait la main légère, quand elle était extrêmement attentive, il lui semblait sentir la chaleur de la main de Kristiane dans le verre lisse.

– Non. Tu ne veux pas t'asseoir ?

Inger Johanne essaya de sourire.

– J'ai mal au dos.

Yngvar se frotta le visage et bâilla à s'en décrocher la mâchoire.

– Ça a dû être un sacré litige pour le droit de visite, commença-t-il en plein bâillement. Karsten Åsli a essayé d'obtenir le droit de voir son fils dès la naissance de celui-ci, et dès que la mère s'est tirée de l'hôpital, la veille de sa sortie prévue. Karsten Åsli était un soutien de famille inapte, a-t-elle affirmé devant trois juridictions, en cinq audiences. Un type dangereux, soutenait-elle contre vents et marées. Sigmund a eu les copies de tous les documents cet après-midi. Karsten Åsli a gagné sur toute la ligne, mais la mère a fait appel, a joué la montre, et... pour finir, elle a juste pris ses cliques et ses claques. À l'étranger, sans doute. Tout semble indiquer que Karsten Åsli ne savait pas où. Il s'est mis en relation avec une agence de détectives...

Yngvar fit un sourire sans joie.

– ... après que la police s'était contentée de hausser les épaules en disant qu'ils ne pouvaient rien faire. L'agence de détectives a facturé soixante-cinq mille couronnes[1] un voyage en Australie. Qui n'a débouché sur rien d'autre qu'un rapport de trois pages informant qu'Ellen Kverneland et son petit garçon n'y étaient probablement pas non plus. L'agence voulait exploiter des

1. Environ 8 350 euros.

pistes menant en Amérique du Sud, mais Karsten Åsli n'avait plus d'argent. Voilà à peu près ce qu'on sait pour l'instant. Dans quelques jours, on aura peut-être un tableau plus entier. Sale affaire.

– Toutes les affaires concernant le droit de visite sont sordides, souligna Inger Johanne d'une voix monocorde. Pourquoi penses-tu que j'ai accepté que Kristiane passe une semaine chez moi, puis une chez Isak, et ainsi de suite ?

– Je pensais que peut-être...

– Cette Ellen Kverneland a eu raison, autrement dit, l'interrompit-elle. Pas étonnant qu'elle se soit barrée. Karsten Åsli n'a pas pu apparaître comme le père idéal. Ce genre de choses est pour ainsi dire impossible à mettre en évidence dans une salle d'audience. Il avait un casier judiciaire vierge, et savait de toute évidence comment se comporter pour impressionner.

– Mais l'affaire en elle-même, l'interdiction elle-même a pu...

– Le rendre psychopathe ? Non. Bien sûr que non.

– C'est peut-être ça le pire. Que nous ne puissions jamais savoir pourquoi il... Qui Karsten Åsli était réellement. *Ce* qu'il était. Pourquoi il a fait ce qu'il...

Inger Johanne secoua lentement la tête. La vitre était à présent glacée contre le bout de ses doigts, et elle enfonça les mains dans ses poches.

– Le pire, c'est que trois enfants sont morts, corrigea-t-elle. Et qu'Émilie ne pourra certainement jamais...

Elle n'avait plus la force de pleurer. Ses yeux coulaient malgré tout, et elle sentit une contracture à l'abdomen qui la fit se casser en avant ; elle appuya son front contre la fenêtre et essaya de respirer calmement.

– Tu ne sais pas comment ça ira, pour Émilie, objecta Yngvar en se levant. Le temps guérit la plupart des blessures. En tout cas, il peut nous rendre capable de vivre avec.

– Tu ne l'as pas vue ? s'indigna Inger Johanne en se soustrayant vivement à la main qui s'était posée sur son épaule gauche. Tu n'as pas vu dans quel état elle était ? Elle ne sera plus *jamais* la même. Jamais !

Elle referma les bras autour d'elle-même, avant de se balancer d'un côté, puis de l'autre, tête baissée, comme si elle tenait toujours un enfant dans les bras.

– *Damaged goods*, avait dit un jour Warren à propos d'un gamin qu'ils avaient retrouvé après une fugue longue de cinq jours. *Those kids are damaged goods, you know*[1].

Le môme avait perdu sa langue, mais les médecins estimaient qu'il y avait bon espoir qu'il retrouve un jour la parole. C'était juste une question de temps. Ils arrangeraient aussi les choses, d'une certaine façon, en ce qui concernait les dommages qu'il avait au rectum. Ce n'était qu'une question de temps. Warren avait secoué durement la tête, haussé les épaules avait de déclarer de nouveau :

– *Damaged goods*.

Elle était trop jeune, en ce temps-là, jeune, amoureuse, pleine d'ambitions concernant une carrière au FBI. Elle n'avait donc rien dit.

– Est-ce que je peux passer la nuit ici ?

Elle leva la tête.

– Il est tard, expliqua Yngvar.

Elle essaya d'inspirer à fond. Il lui semblait avoir quelque chose coincé dans la gorge, et elle avait froid.

– Je peux ?

– Sur le canapé, déglutit Inger Johanne. Tu peux dormir sur le canapé, si tu veux.

---

1. Marchandises abîmées. Ces gosses sont des marchandises abîmées, tu sais.

LE RAYON DE SOLEIL qui s'infiltrait dans une fente entre le store et le chambranle de la fenêtre la réveilla. Elle resta un bon moment étendue, à écouter. Le voisinage était calme, il n'y avait que quelques oiseaux qui avaient commencé leur journée. Le réveille-matin indiquait six heures moins dix. Elle avait dormi à peine trois heures, mais se leva malgré tout. Ce ne fut qu'une fois dans la salle de bains qu'elle se souvint qu'Yngvar avait passé la nuit chez elle. Elle se glissa sans bruit jusqu'au salon.

Il dormait sur le dos, la bouche ouverte. Il respirait néanmoins sans bruit. La couverture avait glissé légèrement, révélant une cuisse puissante. Il portait un boxer short bleu et le maillot de football d'Inger Johanne. Son bras était posé sur le dossier du canapé, ses doigts enserraient le tissu grossier comme s'il se retenait pour ne pas tomber.

Il ressemblait tellement à Warren physiquement parlant. Et il en était tellement différent par ailleurs.

Un jour, je te parlerai de Warren, songea-t-elle. *Un jour, je te raconterai ce qui s'est passé. Mais pas tout de suite. Je crois qu'on a encore le temps.*

Il poussa un petit grognement, et un léger ronflement fit tressauter sa pomme d'Adam. Il se débattit dans son sommeil pour trouver une position plus confortable. La couverture finit de glisser et tomba sur le sol. Elle la ramassa et l'étendit de nouveau prudemment sur lui. Retenant son souffle, elle le borda dans un plaid à carreaux rouges. Puis elle alla dans son bureau.

Le soleil déferlait par la fenêtre donnant vers l'est, l'éblouissant. Elle laissa descendre le store vénitien et alluma son PC. La secrétaire de l'institut avait envoyé un mail comprenant cinq messages. Un seul d'entre eux était important.

Aksel Seier était en Norvège. Il voulait la rencontrer

et avait laissé deux numéros de téléphone. L'un des deux correspondait à une chambre de l'hôtel Continental.

Inger Johanne n'avait pas pensé à Aksel Seier depuis qu'elle avait retrouvé Émilie. L'histoire d'Unni Kongsbakken avait disparu dans la chambre funéraire de la ferme de Snaubu. Quand Inger Johanne errait dans les rues d'Oslo, avant qu'Yngvar ne l'emmène dans un bunker bricolé tout en haut d'une colline à quelques dizaines de kilomètres au nord-est d'Oslo, elle n'avait pas su déterminer ce qu'elle devait faire du récit de la vieille dame. Si elle pouvait faire quelque chose.

Le doute avait disparu.

L'histoire du meurtre de Hedvig Gåsøy était l'histoire d'Aksel Seier. Elle lui appartenait. Inger Johanne voulait le rencontrer, lui donner ce qui était à lui, puis l'emmener voir Alvhild. Alors seulement elle en aurait fini avec Aksel Seier.

Inger Johanne se retourna. Yngvar se tenait à la porte, pieds nus. Il se gratta le ventre et fit un sourire en coin.

– Ça fait tôt, ça. Bougrement tôt. Je fais du café ?

Sans attendre de réponse, il vint à pas traînants vers elle et prit son visage entre ses mains. Il ne l'embrassa pas, mais continua à sourire, plus largement. Et Inger Johanne sentit un courant d'air frais et matinal se glisser par la fenêtre entrouverte et venir lui caresser les jambes sous son pantalon de pyjama. Les météorologues ne se trompaient enfin plus.

– Ça va être une belle journée, prédit Yngvar sans la lâcher. J'ai bien l'impression que l'été est arrivé, Inger Johanne.

69

LORSQUE INGER JOHANNE rencontra Aksel Seier à la réception du Continental, le 9 juin au matin, il s'en fallut de peu qu'elle ne le reconnaisse pas. À Harwichport, il avait eu des allures de pêcheur et d'homme à tout faire échappé d'une petite ville de la Nouvelle-Angleterre, en jean et chemise de flanelle. Il faisait à présent davantage penser à un touriste de Floride en croisière. Ses cheveux avaient en outre été rasés, il n'avait plus rien derrière quoi dissimuler ses yeux. Son visage était grave. Il ne sourit même pas en la revoyant et ne lui proposa pas de s'asseoir. Il donnait l'impression de ne pas avoir de temps à perdre. Lorsqu'il lui parla de son fils qui était à l'hôpital après un grave accident de la route, il le fit en anglais. C'était une question d'heures, lâcha-t-il d'une voix éteinte. Il devait s'en aller.

— Voulez-vous..., commença Inger Johanne en hésitant, complètement désorientée à l'idée qu'Aksel Seier ait un fils, un fils qui vivait en Norvège, un fils qui était à l'hôpital et qui allait peut-être mourir. Vous voulez de la compagnie ? *Do you want me to come ? Keep you company*[1] ?

Il acquiesça.

— *Yeah. I think so. Thanks.*

Ce ne fut qu'une fois dans le taxi qu'elle comprit.

Par la suite, durant les jours et les semaines qui suivirent, chaque fois qu'elle essaya de nouveau de comprendre ce qui s'était passé dans le taxi qui les emmenait à l'hôpital où Karsten Åsli allait bientôt mourir,

---

1. Voulez-vous que je vienne ? Vous tenir compagnie ?
— Oui, je veux bien. Merci.

elle pensa à son ancien professeur de mathématiques, au collège.

Pour une raison quelconque, elle avait choisi la série C. Peut-être parce qu'elle était bonne en classe ; la séric C était faite pour les tronches. Inger Johanne n'avait jamais rien compris en maths. Les grands chiffres et les symboles mathématiques étaient aussi dénués de sens que des hiéroglyphes ; des signcs muets qui se fermaient devant les efforts acharnés que faisait Inger Johanne pour comprendre. À l'examen blanc, en première, Inger Johannc avait eu ce qu'elle considéra par la suite comme une sorte de révélation. Les chiffres lui dirent soudain quelque chose. Lcs problèmes se résolurent. Ce fut comme entrapercevoir un monde inconnu, une existence d'une implacable logique. Les réponses étaient au bout de belles séries dc symboles et de chiffres. Le professeur, qui sentait le vieil homme et les bonbons d'antan, avait murmuré, penché sur son épaule :

– Tiens donc, Inger Johanne ! Tiens donc ! La jeune demoiselle a vu la lumière !

Et c'était tout à fait ça.

Aksel avait parlé de Karsten. Elle n'avait pas réagi. Il lui parla d'Eva. Elle écouta. Il prononça ensuite leurs noms de famille à tous les deux, par hasard, presque sans le vouloir, au moment où le taxi entrait dans la cour de l'hôpital.

C'était comme si plus rien ne pouvait la surprendre.

Elle sentit un léger picotement sur la peau de ses bras. Rien de plus.

Le problème était résolu. Karsten Åsli était le fils d'Aksel.

– Tiens donc, Inger Johanne, murmura le prof de maths en faisant légèrement claquer son bonbon contre son palais. La jeune demoiselle a vu la lumière !

DEUX POLICIERS EN CIVIL attendaient dans le couloir, mais Aksel Seier ne remarquait pour ainsi dire rien ni personne. Inger Johanne comprit qu'il n'avait pas encore été mis au courant de ce que son fils avait fait. Elle pria en silence pour que cette échéance soit retardée, jusqu'à ce que tout soit terminé.

Elle posa une main sur l'épaule d'Aksel Seier. Il s'arrêta et la regarda dans les yeux.

– J'ai une histoire à vous raconter, annonça-t-elle à mi-voix. Hier... j'ai appris l'unique vérité sur la mort de Hedvig. Vous êtes véritablement innocent.

– *I know that*[1], répondit-il d'une voix de robot, sans même un battement de cils.

– Je vous raconterai tout ça. Quand ceci...

Elle jeta un coup d'œil rapide vers la chambre de Karsten Åsli.

– Quand ceci sera classé. À ce moment-là, je vous raconterai ce qui s'est passé.

Aksel posa la main sur la poignée.

– Encore une chose. Il y a une vieille femme. Elle est très malade. C'est grâce à elle si la vérité a fini par apparaître. Elle s'appelle Alvhild Sofienberg. Je veux que vous m'accompagniez auprès d'elle. Après, quand tout cela sera fini. Vous me le promettez ?

Il hocha faiblement la tête et entra.

Inger Johanne le suivit.

Le visage de Karsten Åsli était bleu et enflé, et on n'en distinguait que fort peu au milieu de draps d'un blanc immaculé, de bandages et de machines gargouillantes censées le maintenir en vie pour quelques heures encore. Aksel s'assit sur l'unique chaise de la pièce. Inger Johanne alla à la fenêtre. Ce n'était pas le malade qui l'accaparait. C'était Aksel Seier qu'elle vit lorsqu'elle se retourna, et elle ne pensait qu'à lui.

---

1. Je le sais.

– *Tu as payé pour ton fils, Aksel. Tu as expié les péchés de ton fils. J'espère que tu auras la force de le voir comme ça.*

Aksel Seier était assis la tête pendante, ses mains enveloppant la main droite de Karsten.

LE PLAFOND FUT BLEU. L'homme dans le magasin prétendait que la couleur sombre ferait paraître la
pièce plus petite. Il se trompait. Au contraire, le plafond se souleva, disparaissant presque. Comme je le
souhaitais moi-même quand j'étais petit : une voûte de
ténèbres, tachetée d'étoiles, autour d'un mince crois-
sant de lune juste au-dessus de la fenêtre. Mamie choi-
sissait pour moi, en ce temps-là. Mamie et maman. Une
chambre de garçonnet peinte en jaune et blanc.

On dirait qu'il y a quelqu'un ici.

Quelqu'un me tient par la main. Ce n'est pas
maman. Elle faisait ça, de temps en temps, quand elle
venait me voir la nuit, après que mamie s'était couchée. Maman parlait si peu. D'autres enfants sont ber-
cés et s'endorment sur une histoire. Je m'endormais
sur ma propre voix ; toujours. Maman parlait si peu.

Le bonheur est une chose dont je peux tout juste me
souvenir, comme un frôlement léger dans une assemblée d'inconnus ; disparu avant que vous n'ayez eu le
temps de vous retourner. Lorsque la chambre fut terminée et qu'il ne resta plus que deux jours avant qu'il
arrive enfin, je me sentis satisfait. Le bonheur est une
chose enfantine, et j'approche des trente-quatre ans, ne

l'oublions pas. Mais j'étais content, bien entendu. Je me réjouissais.

La chambre était prête. Un gamin était assis à califourchon sur la lune. Blond, tenant une canne à pêche, une tige de bambou munie d'un fil et d'un flotteur, et tout en bas, suspendue au crochet : une étoile. Une goutte superflue de jaune tombait vers l'encoignure de la fenêtre, comme si le ciel se mettait à fondre.

Mon fils pouvait enfin arriver.

J'ai mal.

Je souffre de partout, une grande douleur sans début ni fin.

Je crois que je suis en train de mourir.

Je ne peux pas mourir. Le 19 juin, je dois mener à bien mon projet. Le jour de l'anniversaire de Preben. J'ai perdu Preben, mais je l'ai repris en donnant aux autres ce qu'ils méritaient. Ceux qui m'ont trahi. Tous m'ont trahi, toujours.

Nous étions d'accord pour qu'il s'appelle Joakim. Il devait avoir mon second prénom. Il devait s'appeler Joakim Åsli, et j'avais acheté un train. Ellen s'est mise en colère quand je l'ai apporté à l'hôpital. Elle s'attendait à un bijou, je pense, comme si elle s'était rendue digne d'une médaille. J'ai fait avancer la locomotive Märklin devant le visage du bébé en imitant le bruit du train, et il a effectivement ouvert les yeux avant de sourire. Ellen s'est détournée et a dit que ce n'était qu'une grimace.

J'aurais été un père formidable. Je l'ai en moi.

Je suis petit, et je suis debout sur la table de la cuisine, dans une combinaison d'hiver que quelqu'un m'a envoyée. Depuis, j'ai demandé à maman si c'était papa qui avait voulu me faire un cadeau. Elle n'a jamais répondu. Même si je n'avais que quatre ans, je me souviens des timbres, ils étaient grands et bizarres ; le papier kraft était couvert de cachets et de drôles de timbres. *La combinaison était bleue et toute légère, et je voulais sortir dans la neige. Mamie me l'a arrachée. C'est quelqu'un d'autre qui l'a eue.*

Quelqu'un d'autre a eu ce qui est à moi, encore et toujours.

Ellen et le gamin ont disparu. Elle ne m'avait même pas déclaré comme père. Il a fallu quatre mois avant que je découvre que l'enfant s'appelait Preben.

Je dois terminer. Je dois vivre.

Quelqu'un me tient par la main. Ce n'est pas maman. C'est un homme.

Je n'ai jamais eu de père. Il suffisait que je pose la question pour que les yeux de mamie se plissent. Maman tournait la tête. Dans une petite ville, ceux qui n'ont pas de père en ont mille. On chuchote sans cesse de nouveaux noms, à l'école, dans les salles de réunion, dans les cours de récréation. C'était intenable. Tout ce que je voulais, c'était savoir. Je n'avais pas besoin de père, je voulais savoir. Tout ce dont j'avais besoin, c'était d'un nom.

Émilie. Elle va mourir dans la cave. Elle est à moi, tout comme Preben. Grete pleurait, refusait, voulait retrouver les siens. J'étais si jeune, à l'époque, je l'ai laissée partir. Je ne me suis pas soucié de la gosse. Je ne me soucie pas d'elle. C'était Preben que je voulais.

Émilie peut bien mourir.

Les autres enfants aussi auraient pu être les miens.

J'ai possédé leurs mères. Mais ils ne l'ont pas compris.

Quelqu'un me tient par la main, et il y a un ange dans la lumière, là-bas, près de la fenêtre.

Postface de l'auteur

Au cours du printemps 2000, j'eus l'occasion d'entendre une histoire tirée de la réalité. Il y était question d'Ingvald Hansen, un homme qui, en 1938, avait été condamné à la prison à perpétuité. Le chef d'accusation principal était : viol et meurtre d'une petite fille de sept ans, Mary. L'histoire telle qu'on me l'a racontée autour d'une table de restaurant était horriblement fascinante. De nombreux éléments pouvaient porter à croire que cet homme avait été victime d'une erreur judiciaire.

Mon premier réflexe fut d'enquêter sur cette affaire de façon plus approfondie. Au lieu de cela, je me suis laissé inspirer pour créer un autre personnage, à une autre époque, l'Aksel Seier de ce livre. Hansen et Seier ont par conséquent des destins qui peuvent se ressembler par des points déterminants, mais il est évident qu'il ne s'agit pas de la même personne. Tout ce que je sais d'Ingvald Hansen, je le tiens d'un article publié par le professeur et docteur en droit Anders Bratholm dans *Tidsskrift for lov og rett*, 2000, p. 443 *sq.*, et d'un reportage publié dans *Aftenposten* du 4 novembre 2000. Il y apparaît entre autres que Hansen est mort quelques années après une libération surprenante et en apparence inexplicable.

Les lecteurs qui prendront le temps de lire ces articles se rendront compte que je me suis aussi inspiréc de la réalité sur un autre point : quand Ingvald Hansen a fait sa demande de grâce en 1950, sa requête a été traitée par une jeune juriste. C'est à cette femme, Anna Louise Beer, ancienne présidente du tribunal des successions à Oslo, que revient la plus grande partie du mérite : c'est grâce à elle que l'histoire d'Ingvald Hansen est redevenue d'actualité. Elle n'a jamais oublié cette affaire, bien que les circonstances de l'époque ne lui aient absolument pas permis de développer l'idée que cet homme ait pu être l'objet d'une injustice colossale. Dans les années 1990, elle tenta, en vertu des articles susnommés, de se procurer les documents afférents à cette affaire. Ils avaient disparu sans laisser de traces.

Je ne connais pas la juge Beer, je ne l'ai jamais rencontrée. L'Alvhild Sofienberg de ce livre est en conséquence – à l'instar de tous les autres personnages de ce roman – pleine et entière fiction. Les expériences que connaît Alvhild concernant l'affaire d'Aksel sont néanmoins assez similaires sur certains points à ce qu'a pu connaître la juge Beer dans l'affaire Ingvald Hansen.

Lorsque, dans ce roman, je « dénoue » le mystère Aksel Seier, les faits sont purement imaginaires. Je n'ai aucune base pour supposer quoi que ce soit concernant ce qui est arrivé à Ingvald Hansen après son jugement et après sa libération dans des circonstances étranges.

Lors de l'élaboration de ce livre, j'ai reçu l'aide inestimable de nombreuses personnes. Je dois en particulier faire mention de mon frère Even qui, au cours de sa thèse de médecine, m'a donné une effrayante recette de meurtre. Berit Reiss-Andersen est une amie chère et une critique avisée. Merci également à la rédactrice Eva Grøner, ma principale guide, et à mon éditrice suédoise Anne-Marie Skarp pour son soutien enthousiaste et précieux en cours de rédaction. J'aimerais ensuite remercier Øystein Mæland pour ses critiques constructives. Je suis aussi reconnaissante envers Line Lunde, fidèle pilier depuis *La Déesse aveugle*. Elle m'a donné cette histoire passionnante qui constitue le point de départ de *Une erreur judiciaire*.

Et bien entendu : merci beaucoup à toi, Tine.

Cape Cod, 18 avril 2001
Anne HOLT

RÉALISATION : GRAPHIC HAINAUT À CONDÉ-SUR-L'ESCAUT
IMPRESSION : CPI BRODARD ET TAUPIN À LA FLÈCHE
DÉPÔT LÉGAL : MARS 2008. N° 97517-3 (52910)
IMPRIMÉ EN FRANCE

Collection Points Policier